B
09/14

Зинаида Гиппиус

ЯЗВИТЕЛЬНЫЕ ЗАМЕТКИ О ЦАРЕ, СТАЛИНЕ И МУЖЕ

Зинаида Гиппиус

ЯЗВИТЕЛЬНЫЕ ЗАМЕТКИ О ЦАРЕ, СТАЛИНЕ И МУЖЕ

АСТ
Москва

УДК 821.161.1-94
ББК 84(2Рос=Рус)6
Г50

Гиппиус, Зинаида

Г50   Язвительные заметки о Царе, Сталине и Муже / Зинаида Гиппиус. – Москва: АСТ, 2014. – 384 с. – (Великие биографии).

ISBN 978-5-17-081870-9

Поэтесса, критик и демоническая женщина Зинаида Гиппиус в своих записках жестко высказывается о мужчинах, революции и власти. Запрещенные цензурой в советское время, ее дневники шокируют своей откровенностью. Гиппиус своим эпатажем и скандальным поведением завоевала славу одной из самых загадочных женщин ХХ века, о которой до сих пор говорят с придыханием или осуждением.

УДК 821.161.1-94
ББК 84(2Рос=Рус)6

ISBN 978-5-17-081870-9

Есть люди, которые как будто выделаны машиной, на заводе, выпущены на свет Божий целыми однородными сериями, и есть другие, как бы «ручной работы», — и такой была Гиппиус. Но помимо ее исключительного своеобразия я, не колеблясь, скажу, что это была самая замечательная женщина, которую пришлось мне на моем веку знать. Не писательница, не поэт, а именно женщина, человек, среди, может быть, и более одаренных поэтесс, которых я встречал.

Г. Адамович

Гиппиус (Мережковская) Зинаида Николаевна — поэтесса, беллетрист, драматург и литературный критик. Из обрусевшей немецкой семьи, предки отца переселились в Россию в XIX веке; мать — родом из Сибири. Из-за частых переездов семьи (отец — юрист, занимал высокие должности) З. Гиппиус систематического образования не получила, учебные заведения посещала урывками.

В 1889 году в Тифлисе вышла замуж за Д. С. Мережковского, с которым «прожила 52 года, не разлучаясь ни на один день». Вместе с мужем в том же году переехала в Петербург; здесь супруги Мережковские завели широкие литературные знакомства и вскоре заняли видное место в художественной жизни столицы. Печататься начала в 1888 в «Северном вестнике». Вместе с Д. Мережковским, В. Брюсовым и др. явилась одним из зачинателей символизма.

В 1899–1901 Гиппиус тесно сотрудничает с журналом «Мир искусства»; в 1901–1904 является одним из организаторов и активным участником Религиозно-философских собраний и фактическим соредактором журнала «Новый путь», где печатаются ее умные и острые критические статьи под псевдонимом Антон Крайний. Становится ведущим критиком журнала «Весы».

В начале века квартира Мережковских была одним центром культурной жизни Петербурга, где молодые поэты проходили нелегкую проверку личным знакомством с Гиппиус.

События Революции 1905–1907 стали переломными в творческой биографии З. Гиппиус. После 9 января, которое, по словам писательницы, «перевернуло» ее, актуальная общественная проблематика, «гражданские мотивы» становятся доминирующими в ее творчестве. Гиппиус и Мережковский были непримиримыми противниками самодержавия, борцами с консервативным государственным устройством России.

К октябрьской революции 1917 Гиппиус отнеслась с непримиримой враждебностью, памятником которой стали книга «Последние стихи. 1914–1918» (1918) и «Петербургские дневники», частично опубликованные в эмигрантской периодике 1920-х годов, затем изданные по-английски в 1975 и по-русски в 1982.

Ненависть к революции заставила Зинаиду Гиппиус порвать с теми, кто ее принял, — с Блоком, Брюсовым, А. Белым. Она описывается (наперекор Блоку, увидевшему в ней взрыв стихий и очистительный ураган) как «тягучее удушье» однообразных дней, как «скука потрясающая», хотя чудовищность этих будней внушала одно желание: «Хорошо бы ослепнуть и оглохнуть». В корне всего происходящего «лежит Громадное Безумие». Тем важнее, согласно Гиппиус, сохранить позицию «здравого ума и твердой памяти».

Художественное творчество Зинаиды Гиппиус в годы эмиграции начинает затухать, она все больше проникается убеждением, что поэт не в состоянии работать вдали от России: в его душе воцаряется «тяжелый холод», она мертва, как «убитый ястреб». Эта метафора становится ключевой в последнем сборнике Гиппиус «Сияния» (1938), где преобладают мотивы одиночества и все увидено взглядом «идущего мимо» (заглавие важных для поздней Гиппиус стихов, напечатанных в 1924). Попытки примирения с миром перед лицом близкого прощания с ним сменяются декларациями непримиренности с насилием и злом. Бунин, подразумевая стилистику Гиппиус, не признающую открытой эмоциональности и часто построенную на использовании оксюморонов, называл ее поэзию «электрическими стихами», Ходасевич, рецензируя «Сияния», писал о «своеобразном внутреннем борении поэтической души с непоэтическим умом».

Символизм Гиппиус — это символизм той части дворянской интеллигенции, которая не приняла первых революционных бурь. В большинстве своих рассказов и повестей Гиппиус дает образ человека, теряющего почву, лишенного всякого смысла существования.

Умерла Зинаида Николаевна Гиппиус в Париже 9 сентября 1945.

Автобиография

Семья Гиппиус ведет свое начало от Адольфуса фон Гингста, переменившего фамилию Гингст на фон Гиппиус и переселившегося в Россию (в Москву) в XVI, кажется, веке из Мекленбурга (герб фон Гиппиус — 1515 г.)- Несмотря на такое долгое пребывание в России, фамилия эта до сих пор в большинстве своем — немецкая; браки с русскими не давали прочных ветвей.

Мой дед, Карл-Роман фон Гиппиус, был женат на москвичке Аристовой, русской. Первый сын их, Николай Романович, был моим отцом. Он очень рано окончил Московский университет и затем прожил, ввиду начавшегося туберкулеза, около двух лет в Швейцарии. Вернувшись, сделался «кандидатом на судебные должности» в Туле. В тот же год он познакомился с моей матерью, молодые братья которой тоже служили в Туле по судебному ведомству.

Дедушка мой по матери, В. Степанов, в то время уже умер; он был полицеймейстером в Екатеринбурге. Сам необразованный, он, однако, послал обоих сыновей в Казанский университет. После его смерти вдова с дочерьми переехала в Тулу, к сыновьям.

Бабушка с материнской стороны всю жизнь потом прожила с нами. В противоположность другой моей — московской — бабушке, Аристовой, которая писала только по-французски и не позволяла звать себя иначе, как grand'maman, эта до смерти ходила в платочке, не умела читать и даже никогда с нами не обедала.

В январе 1869 года мой отец женился и уехал в Белев Тульской губернии, где получил место. Я родилась в Белеве, в конце того же 1869 г., 8-го ноября, а через шесть недель отца опять перевели в Тулу, товарищем прокурора, и меня тетка везла всю дорогу, на руках, в возке.

С этих пор и начались наши постоянные переезды: из Тулы в Саратов, из Саратова в Харьков, причем каждый раз в промежутке мы бывали и в Петербурге, и в Москве, где подолгу гостили.

Я росла одна. Все с той же, вечной нянькой, Дарьей Павловной, а потом с бесчисленными гувернантками, которые со мною мало уживались.

В 1877–78 г. моего отца перевели в Петербург товарищем обер-прокурора Сената. Но мы прожили там недолго: туберкулез отца сразу обострился, и спешно был устроен его перевод опять на юг, в крошечный городок Черниговской губернии Нежин, на место председателя суда. Меня отдали было в киевский институт, но через полгода взяли назад, так как я была очень мала, страшно скучала и все время проводила в лазарете, где не знали, как меня лечить: я ничем не страдала, кроме повышенной температуры.

В Нежине не было тогда женской гимназии, и ко мне ходили учителя из Гоголевского лицея.

Через три года отец мой, все время прихварывавший, сильно простудился и умер (9-го марта 1881 г.) от острого туберкулеза. Умер молодым — ему не было еще 35 лет. После него осталось довольно много литературного материала (он писал для себя, никогда не печатал). Писал стихи, переводил Ленау и Байрона, перевел, между прочим, всего «Каина».

После смерти отца мать моя с детьми (в то время у меня было уже три совсем маленьких сестры) решила окончательно переселиться на житье в Москву. Средства оказались небольшие, а семья порядочная: с нами жила еще бабушка и незамужняя тетка, сестра моей матери

Но и в Москве мы не прожили более трех лет: моя болезнь, в которой подозревали начало наследственного туберкулеза и благодаря которой я должна была оставить классическую гимназию Фишер (мать почему-то отдала меня туда, и гимназия мне нравилась), — эта болезнь заставила нас сначала переселиться в Ялту, а затем в Тифлис.

В Ялте мы прожили год, на уединенной даче А. Н. Драшусова по дороге в Учан-Су. Там у меня были только книги, занятия с сестрами да бесконечные писания — писем, дневников, стихов... Стихи я писала всякие, но шутливые читала, а серьезные прятала или уничтожала.

Еще при жизни отца я хорошо знала Гоголя и Тургенева. В Москве, особенно за последний год, перечитала всю русскую литературу и особенно пристрастилась к Достоевскому. Читала беспорядочно, и помогали мне кое-как разобраться только два человека: дядя с материнской стороны, живший у нас некоторое время (вскоре он уехал и умер от горловой чахотки), и учитель последнего года в Москве, Николай Петрович (фамилии не помню), которому я до сих пор благодарна. Он приносил мне новые книжки журналов, сам читал мне классиков, задавал серьезные сочинения. Помнится, что он писал тогда в «Русских Ведомостях».

Переехали мы из Ялты в Тифлис отчасти потому, что там жил второй брат моей матери с семьей, известный тифлисский присяжный поверенный, редактор им же созданного «Нового Обозрения». Меня, хотя я и поправилась, мать еще боялась везти на север, и сестры были слабого здоровья.

В гимназию поступать оказалось поздно (мне было 16 лет), я бы и не выдержала экзамена в последний класс — слишком бессистемны были мои знания. Умела заниматься тем, что нравилось, а к другому до странности была тупа.

Книги — и бесконечные собственные, почти всегда тайные, писания — только это одно меня, главным образом, занимало. Пристрастилась одно время к музыке (мать моя была недурная музыкантша), но потом бросила, чувствуя, что «настоящего» тут не достигну. Характер у меня был живой, немного резкий, но общительный, и отнюдь не чуждалась я «веселья» провинциальной барышни. Но больше всего любила лошадей, верховую езду: ездила далеко в горы.

Летом умер мой дядя. Следующее лето, 1888 года, мы проводили в Боржоме (дачное место около Тифлиса), и там я познакомилась с Д. С. Мережковским.

Меня в то время тифлисская молодежь звала «поэтессой». Молодежь неуниверситетского города — это или выпускные гимназисты, или офицеры. Но офицеры у нас не бывали, они мне казались более грубыми и тупыми, нежели гимназисты, с которыми мы вместе увлекались едва умершим Надсоном; многие из них, как и я, тоже писали стихи. К тому же это были все товарищи моего двоюродного брата, с которым я очень дружила.

Д. С. Мережковский в то время только что издал первую книжку своих стихотворений. Они мне не нравились, как ему не нравились мои, не напечатанные, но заученные наизусть некоторыми из моих друзей. Как я ни увлекалась Надсоном, — писать «под Надсона» не умела и сама стихи свои не очень любила. Да они, действительно, были довольно слабы и дики.

На почве литературы мы много спорили и даже ссорились с Мережковским.

Он уехал в Петербург в сентябре. В ноябре, когда мне исполнилось 19 лет, вернулся в Тифлис; через два месяца, 8-го января 1889 года, мы обвенчались и уехали в Петербург.

Стихи мои в первый раз появились в печати в ноябре 1888 г. в «Северном Вестнике», за подписью *З. Г.*

Вслед за нашим отъездом уехала из Тифлиса и моя мать с семьей, сначала в Москву, а потом в Петербург (где и скончалась в 1903 г.).

Дальнейшая жизнь моя в Петербурге, литературная деятельность, литературные круги, мои встречи и отношения с писателями за двадцать с лишком лет — все это могло бы послужить темой для мемуаров и мало годится для автобиографической заметки.

За все протекшие годы мы с Мережковским никогда не расставались. Много путешествовали. Жили в Риме. Два раза были в Турции, в Греции.

Отец Мережковского был довольно состоятельный человек (он умер глубоким стариком, в 1906 году), но, благодаря личным свойствам и множеству дочерей и сыновей, он мало помогал нам, и мы жили почти исключительно литературным трудом. Стихи я всегда писала редко и мало, — только тогда, когда не могла не писать. Меня влекло к прозе; опыт дневников показал мне, что нет ничего скучнее, мучительнее и неудачнее *личной* прозы, — мне хотелось объективности.

Первый мой рассказ «Простая жизнь» (заглавие изменено М. М. Стасюлевичем на «Злосчастная») был напечатан в 1890, кажется, году в «Вестнике Европы». Я писала романы, заглавий которых даже не помню, и печаталась во всех, приблизительно, журналах, тогда существовавших, больших и маленьких. С благодарностью вспоминаю покойного Шеллера, столь доброго и нежного к начинающим писателям.

Замечу, что европейское движение «декаданса» не оказало на меня влияния. Французскими поэтами я никогда не увлекалась и в 90-х годах мало их читала. Меня занимало, собственно, не декадентство, а проблема индивидуализма и все к ней относящиеся вопросы. Литературу я любила нежно и ревниво, но никогда не «обожествляла» ее: ведь не человек для нее, а она для человека.

То «двойственное» миросозерцание, которое в конце 90-х годов переживал Мережковский («небо вверху — небо внизу», роман Л. да Винчи), никогда не было моим. Помню, что в этот период мы особенно горячо спорили и ссорились, так как я не могла принять «двойственности», но не умела определить, почему именно с нею не примиряюсь.

Могу еще сказать, что полосы абсолютной безрелигиозности у меня не было вовсе. Зеленую детскую «бабушкину лампадку» скоро, конечно, заслонила жизнь. Но жизнь, сталкивавшая меня постоянно с тайной смерти, с тайной Личности, с тайной прекрасного, не могла перевести души в ту плоскость, где не зажигаются никакие «лампадки».

Наиболее яркими событиями моей (и «нашей») жизни последних лет я считаю устройство первых Религиозно-философских собраний (1901–1902 гг.), затем издание журнала «Новый Путь» (1902–1904 гг.), внутреннее переживание событий 1905 года и затем совместный наш с Д. В. Философовым отъезд за границу, в Париж, где мы прожили больше трех лет.

Там издан был нами сборник на французском языке; из четырех статей мне принадлежали две: «О насилии» и «В чем сила самодержавия».

В них я пыталась высказать, еще кратко, еще почти намеками, некоторые из мыслей, меня очень

16

занимавших и важных для общего строя моего миросозерцания. Эти частные мысли впоследствии превосходно были поддержаны, развиты и дополнены более талантливыми друзьями моими, главным образом, Д. С. Мережковским, — даже как бы пересотворены им.

По совести должна сказать, что никогда не отрицала я влияния Мережковского на меня уже потому, что сознательно шла этому влиянию навстречу, — но совершенно так же, как он шел навстречу моему. Из этой встречности нередко рождалось новое, мысль или понимание, которые уже не принадлежали ни ему, ни мне, может быть, — «нам».

Так же, впрочем, шла я, шли мы, насколько умели, навстречу «влиянию» нашего друга Д. В. Философова и всех близких, о помощи которых я вспоминаю с большой любовью.

О себе лично писать и говорить почти нельзя. А судить себя, оценить себя в литературном или каком-либо ином отношении — нельзя совсем. Это дело других. Скажу только, что сама я придаю значение очень немногим из моих слов, писаний, дел и мыслей. Есть три-четыре строчки стихов: «...хочу того, чего нет на свете...»; «...в туманные дни — слабого брата утешь, пожалей, обмани...»; «Надо всякую чашу пить до дна...»; «Кем не владеет Бог — владеет Рок...»; «...это он не дал мне — быть...» (о женщине). Если есть другие — не помню. Эти помню.

Вспоминаю еще жизненно-удачную мысль мою о нужности Религиозно-философских собраний, — наш журнал «Новый Путь»; вспоминаю мои слова «нельзя и надо» (смутная, но краткая и для меня

17

ясная формула) по вопросу «насилия». Важна еще была мне мысль «о власти единого над многими», о самом принципе единовластия, вечном, общем, антирелигиозном принципе человека-героя, человека-хозяина...

Центр же, сущность коренного миросозерцания, к которому привел меня последовательный путь, — невыразима «только в словах». Схематически, отчасти символически, сущность эта представляется в виде всеобъемлющего мирового Треугольника, в виде постоянного соприсутствия трех Начал, неразделимых и неслиянных, всегда трех — и всегда составляющих Одно.

Воплощение этого миросозерцания в словах и, главное, в *жизни* — необходимо, и оно будет. Не под силу нам — сделают другие. Это все равно, — лишь бы было.

1914

«Точно внешние путы на мне всегда»

Надо коснуться прошлого.

В 15 лет, на даче под Москвою, влюбление в хозяйского сына, красивого рыжебородого магистра (чего?). Впрочем, я о взаимности не мечтала, а хотела, чтоб он влюбился в Анету. При свете зеленой лампадки (я спала с бабушкой) я глядела на свою тонкую-тонкую детскую руку с узким золотым браслетом и ужасно чему-то радовалась, хотя уже боялась греха. Потом? Не помню. Долго ничего. Но такой во мне бес сидел, что всем казалось, что я со всеми кокетничаю, а и не с кем было, и я ничего не думала. (Наивность белая до 20 лет.)

Пропускаю всех тифлисских «женихов», все, где *только* тщеславие, примитивное, которое я уж потом стала маскировать перед собою, называя «желанием власти над людьми». В 18 лет, в Тифлисе, настоящая любовь — Jérôme. Он — молод, добр, наивно-фатоват, неумен, очень красив, музыкант, смертельно болен. Похож на Христа на нестаром образе. Ни разу даже руки моей не поцеловал. Хотя

19

я ему очень нравилась — знаю это теперь, а тогда ничего не видала. Первая душевная мука. Кажется, я думала: «Ах, если б выйти за него замуж! Тогда можно его поцеловать». Мы, однако, расстались. Через три месяца, он, действительно, умер, от чахотки. Эта моя любовь меня все-таки немного оскорбляла, я ведь и тогда знала, что он глуп.

Через год, следующей весной — Ваня. Ему 18 лет, мне тоже. Стройный, сильный мальчик, синие глаза, вьющиеся, льняные волосы. Неразвит, глуп, нежно-слаб. Отлично все понимала и любовь мою к нему презирала. Страшно влекло к нему. До ужаса. До проклятия. Первая поцеловала его, хотя думала, что поцелуй и есть — падение. Непонятно без обстановки, но это факт.

Относясь к себе как к уже погибшей девушке, я совершенно спокойно согласилась на его предложение (как он осмелел!) влезать ко мне каждую ночь в окно. (Мы жили в одноэтажном доме на тихой, пустой улице, напротив был сад.) Почему же и не влезать? Я ждала его одетая (так естественно при моей наивности), мы садились на маленький диванчик и целовались. Не знаю, что он думал. Но не помню ничего, что бы меня тогда оскорбило, испугало или хоть удивило. Ничего не было. А вот я один раз его испугала. После одного поцелуя (уж не помню его) он отшатнулся и прошептал боязливо:

— Кто вас научил? Что это?

Встреча с Дмитрием Сергеевичем, сейчас же после Вани. Отдохновение от глупости. Но зато страх за себя, оскорбление собою — ведь он сильнее и умнее? Через 10 дней после знакомства — объяснение в любви и предложение. Чуть не ушла от ложного самолюбия. Но опомнилась. Как бы я его потеряла?..

С Минским тоже тщеславие, детскость, отвращение: «А я вас не люблю!» И при этом никакой серьезности, почти грубая (моя) глупость и стыд, и тошнота, и мука от всякого прикосновения даже к моему платью!

Но не гоню, вглядываюсь в чужую любовь (страсть), терплю эту мерзость протянутых ко мне рук и... ну, все говорить! горю странным огнем влюбленности в себя через него. О, как я была рада, когда вырвалась весной на Ривьеру, к Плещееву, из-под моих темных потолков.

(Плещеев — скучно, неважно.)

Зачем же я вечно иду к любви? Я не знаю; может быть, это все потому, что никто из них меня, в сущности, не любил? То есть любили, но даже не по своему росту. У Дмитрия Сергеевича тоже не такая, не «моя» любовь. Но хочу верить, что если кто-нибудь полюбит меня вполне, и я это почувствую, полюбит «чудесно»...

«Подумаешь! У всякого своя боль. Вот у меня кашель, например..»

Минский, после всех разрывов, опять около меня. А я даже и в себя через него больше не влюблена. Держу потому, что другие находят его замечательным, тоже за цветы и духи. В бессильности закрываю глаза на грязь его взоров.

Червинский — другое.

После первого, полуслучайного поцелуя в дверях — я ужасно хорошо влюбилась. Было темно, я провожала Минского в третьем часу. От него недурно пахло, духами и табаком. (Душиться, говорят, дурной тон, но я люблю.)

Скользнула щекой вниз по его лицу и встретилась с его нежными и молодыми губами.

Я дурно спала и улыбалась во сне.

Вот и отлично бы, а я не удовольствовалась. Как я знаю, что он ничтожен? А если нет? Если может не флирт — а любовь? Нет, не могу флирта. Стыжусь.

Он сказал мне раз, тоже в дверях: «Зина, пришло большое...» Нет, не верю. Не влюблена в его любовь.

Господи, как я люблю какую-то любовь. Свою, чужую — ничего не знаю.

Да, верю в любовь, как в силу великую, как в чудо земли. Верю, но знаю, что чуда нет и не будет. Сегодня сижу и плачу целый вечер. Но теперь довольно. Я потому плакала, что Червинский написал несколько нежно-милых строк, а они так не шли к моему настроению, точно их офицер писал. Да и офицер их не написал бы, если б любил.

Хочу того, чего не бывает.

Хочу освобождения...

Я люблю Дмитрия Сергеевича, его одного. И он меня любит, но как любят здоровье и жизнь.

А я хочу... Я даже определить словами моего чуда не могу.

Не буду писать Червинскому. Слишком безнадежно. Я останусь одна со своим безумием.

Все наперекор себе, все наизнанку, боюсь грубого, отвратительного, некрасивого — а тут все грубо и некрасиво. Отдать свою душу не тому, чему хочешь отдать, — а чему не хочешь, вот где беспредельная гордость и власть.

И только для себя, потому что ведь никто не узнает, чем это было для меня. Я буду для других только одна из многих самоотверженных женщин. Любвеобильное, альтруистическое, женское сердце... Господи! Нет. Я сумасшедшая...

У меня много тоскливой, туманной нежности... Я так редко нежна...

Опять этот Минский, обедает у нас, ерзает по мне ревниво жадными глазами, лезет ко мне... Не могу. И не могу не мочь.

Я улыбаюсь от злости.

У Репина было отвратительно скучно. Те, Шишкин, Куинджи, Манасеин, Прахов, Тарханов — старье, идолы глупости. Тромбон — Стасов, Гинцбург, рожи-дамы...

Нет жизни, нет культуры.

Что бы сделать с собой?..

Нет красивых и чистых отношений между людьми (разве только духовными). Нет чуда, и горько мне, и все в темноте...

Я написала Червинскому письмо. Я сказала все, что думала. И как переменились мои мысли. Я говорила, что надо проститься, надо оборвать отношения сразу.

Просила прийти вечером, 17-го марта (ровно 4 месяца). Когда получила в постели записку с одним словом: «приду» (я не хотела других слов) — мне стало так жаль себя, что расплакалась. Но потом стыдно сделалось самой.

Плохо спала. Рано проснулась. Целый день ходила. Вечером поехала во Французский театр. И когда вернулась — была измучена и физически, и нравственно.

Он ждал меня. А я ничего не чувствовала, кроме досады.

Я знала, что мы расстаемся серьезно. Но теперь даже мне хуже, чем тогда.

Мучительный вечер! Этого человека я не понимаю. Не понимаю, любит он меня или нет. И он меня определенно не понимает.

(Например, он совершенно не понимает, что это не плохо, что я ему никогда не говорю «люблю». Чудесной, последней любви нет; так наиболее близкая к ней — неразделенная, т. е. не одинаковая, а разная с обеих сторон. Если я полюблю кого-нибудь *сама*; и не буду знать, любит ли он, — я все сделаю, чтоб и не знать, до конца. А если мне будет казаться... не захочу, убью его любовь во имя моей. Ведь все равно он не сможет *так*, как я. Вздор! Если полюблю — поверю, что сможет. Вера неотделима от любви. Да пусть. Поверю, а действовать стану по знанию, а не по вере...) Господи, дай мне то, чего мне надо!

Ты это знаешь лучше меня. Вся душа моя открыта, и Ты видишь, она страдает. Я не скрываю, что хочу много. Боже, дай мне много. То, подлое во мне,

24

что, я слышу, шевелится — ведь Ты же дал мне. Ну, прости, если я виновата, и дай мне то, чего я хочу. Мне страшно рассердить Бога моими жалобами. И еще мне стыдно... Неужели это все — от жалкой причины отъезда Червинского?

Два слова о Минском. Я о нем здесь забыла. Это — другой человек. Что с ним? Он или так любит меня, что имеет силу, или вообще имеет силу. Если б он всегда был такой! И мое отношение к нему меняется. Ни отвращения, ни злобы.

Такая боль, что от нее слезы выступают на глаза, и она длится, и от продолготы боли теряешь сознание времени.

Не раненое ли это самолюбие? Не от самой ли боли и боль?

Я — и Червинский!

Жесткая боль, тесная боль, горячая боль. Так разве страдают от любви? Червинский прислал письмо из Венеции. Не распечатала его. Отдам ему. Вижу в письме на свет веточку ландышей и несколько слов: «Брожу растерянный, тоскующий... Какое было бы... Умоляю одну строчку... в Рим... Не могу ничего не знать о вас...»

Бедная веточка, бедные слова! Нет любви, нет ни у кого резкого, сильного, громового слова. О, если бы я любила!..

Успокой, Господи, мое сердце.

К лету я успокоилась и забыла о Червинском. Мы переехали в Лугу.

Я скучала, но у меня рождались новые, страшные мысли о свободе... Должно быть, не очень они были еще сильны тогда — бесплодные мысли!

С Минским я кончила тогда же, весною. Тоже как-то трусливо кончила, сама к нему ходила в Пале-Рояль, жалела, а потом забегала вперед и писала письма о разрыве. На последнее, решительное, он не ответил и уехал. Больше ничего о нем не знаю.

Зачем Червинский приехал к нам в Лугу? К маме? Но он мог бы подождать до осени. Не знаю.

Приехал в день нашего (меня и Дмитрия Сергеевича) отъезда по делам в СПб.

Я все-таки волновалась, укладывая чемоданчик. Цвела сирень, я чувствовала себя хорошенькой и свежей и думала: «А ведь он любит меня еще!» Я приходила и уходила, звеня ключами. Он сидел в столовой, черный, располневший, бритый...

В Петербурге он должен зайти ко мне (я просила).

Он пришел. Белый вечер, пустая квартира, Дмитрий Сергеевич, брат Николай.

— Я на минуту, — сказал Червинский, входя, — я занят.

Время шло, было неловко, но я вызвала его в другую комнату.

— Вот ваше письмо, я его не читала. Возвратите мне мое, последнее.

Он схватил бедное письмо, с той веточкой ландышей, и злобно разорвал его.

— Теперь я знаю, вы не могли ответить, вы не знали, как ответ мне был нужен. На это письмо нельзя было не ответить. Ваше я возвращу. Тогда я не мог...

— А теперь...

— Теперь оно мне больше не нужно...

Я сделалась кротка и печальна. Разве я не предупреждала его честно, что не буду отвечать на письма? Я говорила о моих «мечтах», о боли... У меня почти нет враждебности к нему... Прежнее чувство неприкосновенно, все, что было... Разве можно изменяться? Мне нравилась моя роль — résignée. Не знаю, где кончалась искренность и начиналась ложь. Я волновалась.

Он ходил по комнате, желтый, мрачный.

— Вы бросаете другой свет... Но моя враждебность создалась постепенно... Я так работал над собой... А теперь — кончим эту аудиенцию. Все сказано. (Это он — мне сказал, а я пишу).

Мы еще пили чай при белом свете. Я уже не могла выйти из роли покорной страдалицы. Я звала его в Лугу.

Уезжая, я оставила ему письмо. Зачем? О, эти мои письма! О, как они меня жгут, каждое, даже невинное, не содержанием, а самим фактом!.. Люблю свои письма, ценю их — и отсылаю, точно маленьких, беспомощных детей под холодные, непонимающие взоры. Я никогда не лгу в письмах. Никто не знает, какой кусок мяса — мои письма! Какой редкий дар! Да, редкий. Пусть они худы — даю, что имею, с болью сердца, с верой в слова. Из самолюбия писем не пишу, но после они обращаются на мое самолюбие, и я это знаю, и жертвую самолюбием — слову.

И в письме была правда, опять старая правда, только без надежд. Господи, прости меня за этих бедных деток, с которыми я так жестока порою! Устала.

Он приехал через месяц.

Я много писала в этот месяц, а главное, много думала. Мысли меня могут пополам разломить, если очень ярки. До Червинского они не касаются.

Но — факты.

Он приехал, я очень взволновалась, все забыла, кроме опять мелкого самолюбия, и сразу попала в покорный тон.

Он был довольно холоден и крайне равнодушен. Вечером я затащила (именно затащила) его к себе.

Я говорила опять о прошлом, он отвечал неохотно. О том, что он разлюбил — я упомянула вскользь, как о конченном деле; но сама думала: не может быть, ведь осталось же хоть что-нибудь.

То же было и на другой день. Только я была некрасивее от слабости и злобы (я ужасно некрасива, когда слаба и зла, и знаю это, и страдаю, и еще хуже тогда).

Я обещала ему отдать все его письма. Он точно обрадовался. После завтрака мы остались одни.

— Пойдемте гулять, — сказала я.

Помню свою батистовую кофточку, увядшую розу, белое покрывало и зонтик с большим шелковым бантом... Я опять говорила, мы сели на скамейку. Вдруг я заметила, что он не слушает. Что-то такое тупое было в его лице, что я испугалась. И, прервав себя, спросила его:

— О чем вы думаете?

— О чем я думаю? — повторил он машинально. — Так. Ни о чем. О деревне думаю.

— О какой деревне? — спросила я почти с ужасом.

— Так, о деревне. Я скоро с ума сойду, — прибавил он, помолчав, с прежней безучастностью.

Замолчала и я.

Солнце сквозь ветви пятнами падало на его неподвижное лицо, на коричневый котелок, на скоробившийся пристежной воротничок. Душу мою ело чувство без названия. Ужас? Стыд? Отчаяние унижения? Не знаю...

Минский в городе... Теперь мне все равно. Я жалею его. Я пожелала ему быть свободным и радостно одиноким, это единственное счастье. Только он этого не поймет.

Мысли о Свободе не покидают меня. Даже знаю путь к ней. Без правды, прямой, как математическая черта, нельзя подойти к Свободе. Свобода от людей, от всего людского, от своих желаний, от — судьбы... Надо полюбить себя, как Бога. Все равно, любить ли Бога или себя.

Я думаю, я недолго буду жить, потому что, несмотря на все мое напряжение воли, жизнь все-таки непереносно меня оскорбляет. Говорю без определенных фактов, их, собственно, нет. Боль оскорбления чем глубже, тем отвратительнее, она похожа на тошноту, которая должна быть в аду. Моя душа без покровов, пыль садится на нее, сор, царапает ее все малое, невидимое, а я, желая снять соринку, расширяю рану и умираю, ибо не умею (еще) не страдать. Подумаешь, какая тонкость! Ах, недаром поэты меня отпевают. Пошло и сентиментально пишу. И вздор.

Господь даст мне силу недетскую, даст силу быть, как Он — одним. Свобода, ты — самое прекрасное из моих мыслей. Убью боль оскорблений, съем, сожгу свою душу. Тогда смогу выйти из пепла неуязвимой и сильной. Будет минута перед смертью, когда...

Я больна, кажется, серьезно. Может быть, мы поедем за границу. Надо ехать. Мои мысли так меня переломали. В них есть что-то смертельное. В моей этой «свободе». Боюсь, не хочу думать. Верно ли, если это смерть? А если и верно, то я для смерти еще слаба. Я еще живая, я хочу жить. Прости мне, Господи! Если я не должна хотеть жить.

И одиночество в мыслях меня тоже ломает. А они — должны быть одинокими. Письмо от Максима Ковалевского! Поедем, верно, на Ривьеру.

«Никогда не приходила мне в голову мысль о любви...»

Что же это было? Пользование чужой любовью как орудием для приобретения власти над человеческой душой? Созидание любви в другом во имя красоты? Вероятно, все вместе. Пойдем сначала. Факты.

Я всегда радовалась его хорошему ко мне отношению. Мы были далеки — но я знала, что он ко мне — хорош. Потому радовалась, что думала, что это не «ради моих прекрасных глаз», а «ради моего прекрасного ума». Я возобновила знакомство (этой осенью) отчасти случайно, отчасти потому, что так все складывалось, я только не противилась. И дружба мне нужна была, мне было холодно. А Флексер всегда (и почему? почему?) казался мне человеком, которому все можно сказать и который все поймет. Я знала, что это не так, а между тем упрямая и бессмысленная человеческая слабость меня баюкала другим.

Я думала, что это человек — среднего рода. Иначе смотреть на него не могла. (Забыла сказать, что положение его при журнале тоже играло некоторую роль в желании моем возобновить «дружбу». Какую, большую или малую — не знаю, но хочу быть до конца добросовестной.) И вот — мы стали сближаться. Раз я даже сказала ему, что считаю его среднего рода... к моему изумлению, он обиделся, и я поспешила его замять. Вскоре, однако, я поймала себя на кокетстве с ним. С ним!..

Мы много говорили о любви: само вышло. У меня были всякие мысли: уже помышляла о власти. И мне хотелось хоть видеть чистую любовь, без *определенных* желаний. Но все-таки я не кокетничала (или страшно мало), я бы призналась. Два-три задушевных вечера — и вот странные письма, которые меня взволновали (его письма, я почти не писала). Странно, но так: могу писать письма только к человеку, с которым чувствую телесную нить, *мою*.

Говорю о хороших письмах, о тех моих «детях», в которых верю. (Телесная *нить* — это вовсе не какая-нибудь телесная связь, одно может без другого, наоборот). Но «сухой огонь» Флексера неотразимо пленял меня. Слово «любовь» незаметно вошло в наш обиход. Он говорил «слово» — я старалась объяснить ему мою истинную привязанность, мучилась, когда он не понимал, и тогда просто молчала. Иногда меня заражала его безумная любовь, неопытная и страстная, — он сам говорил, что она — страстная, но все повторял, что сам не хочет от меня ничего, не ради моих мыслей, а ради своих, которые тождественны. И я иногда бывала влюблена в эту его любовь.

Он обещал быть чистым всю жизнь, как я. Не скрываю, что это меня побеждало. Это толкало меня вперед...

Живет ли тот, кого я могла бы хотеть любить? Нет, я думаю. И меня нельзя любить. Все обман.

Летом я иногда скучала о Флексере, когда он уезжал. С водворением в городе — стена перед глазами. Резюмируем причины.

Я вижу, что больше того, что я с ним достигла, — я не достигну. «Чудесной» любви он не вместит, власти особенной, яркой — я не имею; не в моем характере действовать из-за каждой мелочи, как упорная капля на камень; я люблю все быстрое и ослепительное, а не верное подпольное средство. Он уступает мне во всем — но тогда, когда я устану, брошу, забуду, перестану желать уступки. Я не хитрая, а с ним нужна хитрость. Затем: он человек антихудожественный, не тонкий, мне во всем далекий, чуждый всякой красоты и моему Богу. (Ведь даже и в прямом смысле чуждый моему Богу Христу. Я для него — «гойка». И меня оскорбляет, когда он говорит о Христе. Ведь во мне «зеленая лампадка», «житие святых», бабушка, заутреня, ведь это все *было* в темноте прошлого, это — *мое*.)

Я привычливая, но я холодно думаю о разрыве. Чужой, и теперь часто противный человек...

Не хочу никакой любви больше. Это валанданье мне надоело и утомительно.

Я — виновата. Не буду же просить подставить мне лестницу к облакам, раз у меня нет крыльев. Аминь.

Я написала стихи «Иди за мной», где говорится о лилиях. Лилии были мне присланы Венгеровой, т. е. Минским.

Стихи я всегда пишу, как молюсь, и никогда не посвящаю их в душе никаким земным отношениям, никакому человеку.

Но когда я кончила, я радовалась, что подойдет к Флексеру и, может быть, заденет и Минского. Стихи были напечатаны. Тотчас же я получила букет красных лилий от Минского и длинное письмо, где он явно намекал на Флексера, говорил, что «чужие люди нас разлучают», что я «умираю среди них», а он «единственно близкий мне человек, умирает вдали»...

Письмо меня искренно возмутило. Мы с Флексером написали отличный ответ: «Николай Максимович, наше знакомство прекратилось потому, что оно мне не нужно…» Ведь действительно он мне не нужен.

Но интереснее всего то, что я, через два дня, послала Минскому букет желтых хризантем. Я сделала это потому, что нелепо и глупо было это сделать, слишком невозможно…

Мне жалко Флексера… И всегда я с ним оставалась чистой, холодной (о, если б совсем потерять эту возможность сладострастной грязи, которая, знаю, таится во мне и которую я даже не понимаю, ибо я ведь и при сладострастии, при всей чувственности — *не хочу* определенной формы любви, той, смешной, про которую знаю). Я умру, ничего не поняв. Я принадлежу себе. Я своя и Божья.

Разрыв с Флексером совершился, наконец, этой весною.

Тянулась ужасная зима (96–97 гг.), ужасная по уродливым и грубым ссорам, глупо грубым и уродливым примирениям. (Не от меня шли примирения)…

Весной появился доктор. Не знаю, зачем он пришел. Кажется, чтоб друга своего со мною познакомить, безразличного какого-то юриста в летах. Это, вместе со страшными литературными недоразумениями (я отказалась печататься в «Северном вестнике» из-за уродства Флексеровых статей) — послужило толчком к разрыву. Еще совсем весной мы делали вид, что в дружбе… но мы были уже обозленные враги.

Я обманывала его, стараясь избавиться от него каждое после-обеда. Обманывала, видаясь с

Венгеровой в женском обществе и потом переписываясь с нею, обманывала, говоря ему, и почти не слыша их, нежные слова (мало слов!) и принимая доктора, который мне совершенно не нужен.

Однажды Флексер, проведя несколько часов, в белый вечер, у моего подъезда, — «выследил» доктора! Это меня взорвало. Думаю, и сам Флексер уж тяготился нашими отношениями, тут на сцене история с его поездкой в Берлин по делам, причем он говорил, что если я не хочу — но тоже неуверенно, с боязнью, что он останется.

Светлая ночь 17-го мая. Еленинский сад. На душе — пыль и великое томление. Мы говорили грубо и гадко.

— Так вы рвете со мною? Это бесповоротно?

— Я — не рву иначе, я вам говорила.

— Вы... вы раскаетесь. Я такой человек, который никогда не будет в тени.

— Очень рада за вас. Сожалею, что не могу сказать этого про себя.

Мы встали и пошли. Я должна была быть в 10 1/2 у Шершевского на Сергиевской. Ночь была теплая, мутно-светлая, пыльная и чуждая. Я убедилась в разрыве и была, как всегда, спокойна перед его психопатией.

У двери Шершевского он сказал:

— Так мы расстаемся?

— Так мы расстаемся? — повторила я.

— Да... не знаю... Ничего не знаю...

— Но ведь я же вас очень люблю...

И, верно, не особенно много было любви в моем лице и голосе, потому что весь он съежился, точно

ссохся сразу, и посмотрел на меня почти ненавист-
ническими, растерянными глазами. Я почему-то
подумала:

— Боже мой! Сколько раз эти выпуклые глаза с
красными веками плакали передо мной от злобы и
жалкого себялюбия жалкими слезами! И он считал
их за слезы любви!

Я повернулась и вошла в подъезд. С тех пор я его
больше не видала.

Оказывается — он ждал меня на другой день!
Недурно! Через день было письмо. Потом еще и еще.
Одно было хорошее — а следующее! «Пишите мне в
Берлин, поймите вопль моей души, и я — я вернусь
к вам!»

Это он — мне! Я плакала злыми, подлыми слезами от отвращения к себе за то, что я *могу* этим так
оскорбиться.

На другой день после этих слез — неистовая радость охватила меня. Нет боли, которой я боялась!
Никакой боли — и я свободна! Радость была постоянная, легкая, светлая, почти счастье, как в детстве
на Пасхе.

Я уехала в деревню. Тишина и ароматы обняли
меня... И так я жила, с этими запахами и светами,
радуясь не думать, только — свободная.

Там был сын помещицы, купчик, не кончивший
военного училища, примитивный, но обожающий
свои поля и леса, и эту быструю езду: он ездил каждый день со мною, вместе мы видели разные светы
неба, и туман полей, и далекие полосы дождя. Какой
он был? Кажется, красивый, но толстый, большой,
хотя и не грузный, да я не видела лица — лицо при-

роды. Я не судила его, он был часть всего, как и я — равный мне в этом...

Господи! Это все неловкие слова, по ним нельзя понять, что такое для меня, после всей жизни, значили слова: признать себя обыкновенной женщиной, сделать себя навсегда в любви, как все. Около этой мысли — какой сонм страхов, презрений, привычек...

Я была все-таки в безумии, решаясь подчиниться желанию тела. И ничего не узнала. Как это отделять так тело от души? А если тело — *без души* не пожелало? Вот и опять все неизвестно.

Я стала спокойнее, свободно-покорнее и тверже. Еще прошлой осенью — какой надрыв — мой «подвиг»! Конечно, ошибка, но не каюсь, и она была нужна.

Моя нежность, мое чувство ответственности, мое желанье силы в другом — остались; но веры нет, а потому разлад души и некоторое недоумелое стояние. Что же, мыслям изменить? Отказаться от последних желаний тела и души во имя того, что есть и что не нравится? Этой жертвы просит моя человеческая жалость к себе, моя нежность, моя слабость. Но смею ли?

Я даже не знаю, все ли я сделала, что могла. Если не все, то — доколе, о Господи? Ведь могу перейти границу своих сил и сама упасть в яму. Опять Таормина, Рим, Флоренция. И как все различно! Иногда я так была слаба, так хотела не того, что есть, что заставляла себя не думать, не видеть. Мне стыдно было видеть, стыдно за свою неумирающую нежность — без веры...

Жестокость — не крепость, а полуслабость. Жестокой легче быть, чем твердой и мудрой. Неужели я с... кончу жестокостью — а не трудной и тихой мудростью — если решу?

А все-таки не знаю, нужна ли плоть для сладострастия. Для страсти, т. е. для возвращения в жизнь — да (дети). А сладострастие — одно идет до конца...

Весь смысл моего поцелуя — то, что он не ступень к той форме любви... Намек на возможность. Это — мысль, или чувство, для которого еще нет слов. Не то! Не то! Но знаю: можно углубить пропасть. Я не могу — пусть! Но будет. Можно. До небес. До Бога. До Христа.

Мне стало страшно. Как говорю? Здесь, в этой «яме»... Да в том-то и дело, что все изменилось и теперь место, где говорю о своем теле, о сладострастии, о поле, об огне влюбленности — для меня, для моего сознания, уже не проклято, не яма.

Не отрицаю своей мерзости, своего ничтожества. Идеал Мадонны — для меня не полный идеал. Я теряюсь, как человек, из-под которого выдернули стул. Только в одном, единственном, углу моей комнаты — светло. И это — мое, и это последнее, но хочу, чтоб оттуда на всю комнату был свет. И будет.

Любить меня — нельзя...

Я ни к кому не прихожусь. Рассуждаю, а в сердце зверь и ест мое сердце. Не люблю никого, когда у меня боль. Не люблю — но всех жалею. Жалко и Философова, который в такой тесной теме, жалко бедных людей, которые приходят, надеясь, — и ничего не получают, ни от себя, ни от нас. Их, впрочем, меньше жалко (меньше всех Гиппиуса) — чем Философова. Они как-то больше ждать могут; а ему бы сейчас надо. Да вот нет. Не могу ему помочь, он меня не любит и опасается.

Именно *опасение* у него (а не страх), мелкое, примитивное, житейское. Я для него, в сущности, декадентская дама, подозрительная интриганка, а опасается он меня не более, чем сороконожки. Да, может, это все и есть во мне, но жаль, что он лишь на это во мне реагирует. Жаль для него. А может, я к нему несправедлива? Может, у меня раздражение? Не хочу раздражительности, не знаю ничего наверное. Только досадно, что надо жалеть. Там он пропадет, ну конечно. Для меня все ясно. Надо сделать, что могу. У меня были такие мысли — да что я о Философове? Ни мысли, ни *эти* планы не для тетради «амура». Впрочем, ведь принцип ее изменен. Я еще не привыкла. И пока — ничего не надо. И сегодня — такое голое, такое слишком личное во мне страдание.

Переживем, решим — в безмолвии.

«Это я в яму захотела»

Я сделана для выдерживания огненных жал, а не слепого, тупого, упорного душения. Но так надо. Малодушно, изменно, не нравится мне закрывание глаз, самоослабление для Главного. Это вопрос — быть ли Главному, и вопрос мой, потому что — быть «ему» или не быть — в моих руках, это знаю.

Господи, как хочется смириться, отдаться течению волн, не желать, а только верить, что другие больше тебя желают, не идти — а только чтоб тебя несли! Сказать себе: ну что я могу? Это самообольщение, гордыня! Пусть другие, они сильнее. А я слаба. Все равно ничего не будет, что бы я ни делала. При чем — я? Моя воля?

Да ведь это и правда. Люди меня не любят, не верят, боятся, — я не могу им помочь, а они — мне. Что же я напрасно ломаю себя — или ломаюсь? Ведь это смешно...

Вздор. Грех. Стыд. Ложь. Лучше молчать, чем так говорить.

Это я в яму захотела.

Страшно мне, как всем, яма соблазнительна. Так мягко лежать... В браке все-таки сильнейший духом ведет за собою слабейшего, а там, где брачное извращение — дух обмирает у сильнейшего и над ним властвует слабый и пошлый. На это обмирание и безволие духа жутко смотреть, но нельзя не видеть. Тут какая-то тайна. Надо над этим подумать.

Я думаю, что никогда не решу чувством, да это и невозможно!

Но надо поступать так, как будто решила. Потому что ведь я шага не могу сделать, ни одного! В себя веры не будет — ну и силы не будет.

А теперь довольно. Опять безмолвие. Время бежит, все равно недолго.

Все равно что-нибудь будет.

Все-таки мне кажется порою, что даже и помимо... я ничего не могу, никому из людей не могу помочь. Ни они мне. У них в корне другие желания. На примере пола будет яснее. То есть любви.

Люди хотят Бога для оправдания существующего, а я хочу Бога для искания еще несуществующего (вероятно). Людям совсем бы хорошо было с их страстью, в их формах, с их любовницами и любовниками; да только беспокойно — не грех ли? Они зовут Бога, чтобы Он пришел к ним, где они, и сказал: «Нет, не грех; а коли и грех — прощу, за то, что вспомнили Меня и позвали. Не беспокойтесь». А мне некуда звать Бога, я в путешествии. Нет подходящего мне дома, в котором хотела бы *вечно* жить; я сама хочу идти к Богу; там, впереди, ближе к Нему, есть, верю, лучшие дома — их хочу. И оправдания мне ни для чего не нужно. И это абсурд — оправдание. Оправдания настоящему хочешь, только когда намерен длить его, неизменно; значит — оправдания стоянию? Его не может быть. А оправдания прошлому — уже есть, если есть хотенье движения к изменности. Но это — как бы «прощение». Значит, оправдания вообще никакого нет, и слова этого нет. Гиппиус все толкует о «любви» к жизни. Детство. Не о чем толковать. Ну *конечно*, мы любим жизнь. Даже стыдно об этом, как стыдно говорить, убеждать, что свою мать любишь. Не русский Гиппиус, не стыдливый. Любим, любим, ведь это же исходная точка, — но ведь это именно *исходная точка*!

Д. С. тоже как бы в путешествии, и хочет идти, но ведь он ничего в себе не знает, и не смотрит, а уж в «специальном»-то своем смысле — совсем ничего не знает! Даже я о нем ничего не знаю. То так верю — то иначе. То есть словам всем верю, а его существа иногда не угадываю. Закрыто оно — и для него. Но сила ли это? Не слабость ли — мои психологии? А уж Философов-то, наверно, хочет для «оправдания»! Вся его неудовлетворенность только из этой точки. Впрочем, всякий человек — тайна. Может и так быть: желание оправдания лежит сверху и закрывает другие желания. Если исполнить это верхнее желание, или как бы исполнить (чтоб самому человеку почудилось, что оно исполнилось) — то оно и растает, и откроются другие желания — ежели они есть. (Все-таки, думаю, не у всех они есть.) О Философове — то знаю, то не знаю, есть ли; но возможно, что есть, поэтому я так хотела бы зажечь свечку около этого верхнего желания: пусть растет. Пусть ему будет «оправдание». А там посмотрим. Лицо Божье — все-таки Лицо Божье, даже если мы Его к себе зовем. Все-таки возможность спасения — для нас и для него. Да и люблю его.

Остальные мне дальше, непонятнее, *неприятнее*. Потому пойду прежде всего к Философову, если... да я все забыла! Если? Никуда не пойду и сама упаду, нет решения — нет ни свободы у меня, ни силы.

Главное — не ныть. Не размазывать своих «страданий». Подумаешь! У всякого своя боль. Вот у меня кашель, например. И у других, наверно, кашель. Не хочу жаловаться на... кашель.

Беда в том (или не беда?), что все во мне, как и в мире, так связано и спутано, что поневоле переходишь несуществующие границы, и с... порвать —

вовсе уж не *так* больно; не правда ли? Порвать с тем, кого люблю меньше, для Того, Кого люблю больше, — да ведь это только естественно! Коли нельзя соединить — никого из двух не стану обманывать, а выберу, и ведь по *своему* желанию! Ну так о чем же? Моя Нежность — скажите пожалуйста! Ей ли помешать мне действовать согласно Главному желанию! И силы даже тут никакой не требуется...

Мне отныне предстоит путь совершенного, как замкнутый круг, аскетизма. Я знаю соединенным прозрением моего тела и духа, что путь этот — неправда. Глубокое знание, что идешь неправедным путем — несомненно, тихо, но верно — обессилит меня. Не дойду до конца, не дам свою меру. Это уже теперь, когда думаю о будущем, давит меня. А теперь еще так много живой силы во мне. Я уйду в дух — непременно — и дух разлетится, как легкий пар. О, я не за себя страдаю! Мне себя не жаль. Мне жаль То, чему я плохо послужу.

Выбрала бы и другой путь — да нет другого. Даже и говорить не стоит, и так видно, что нет.

Иногда мне кажется, что есть, должны быть люди, похожие на меня, не удовлетворенные формами страсти, ни формами жизни, желающие идти, хотящие Бога не только в том, что есть, но в том, что будет. Так я думаю. А потом я смеюсь. Ну, есть. Да мне-то не легче. Ведь я его, такого человека, не встречу. А если встречу? Разве чтоб «в гроб сходя благословить». Ведь через несколько лет я буду старухой (обозленной прошлым, слабой старухой). И буду *знать*, что неверно жила. Да наконец, если теперь, сейчас встречу — разве поверю? И полюблю, так до конца буду молчать, от страха, что «не тот», и он, если похож на меня — так же будет молчать. Впрочем, нет. Ведь это может быть, это чудо, только в Третьем, а что он мне скажет — я не знаю. Его голоса я еще не слышала. И что я рассуждаю, опасаюсь, жалуюсь? Будет так, как надо. Не моя воля. Не по моей воле течет во мне такая странная, такая живая кровь. Для чего-нибудь, кому-нибудь она нужна. И пусть же Он делает с нею, что хочет. И с силами, которые дал мне. Я только буду правдива. Грех только один — самоумаление. Вижу, как гибнут от него те, кто могли бы не только себя спасти, но и других. И вянут, вянут бедные цветы... Как им сказать? Как им помочь? Ведь и я не сильна, пока одна.

Зима. В самом начале 1902 года в моей жизни (во всей) случилось нечто — внутреннее, хотя фактическое и извне пришедшее, — что меня в одно и то же время и опустило, и подтянуло, — но и выбросило куда-то к людям, в толпу. А еще раньше этого я очутилась среди людей новой среды, к которым присматривалась все время с моей новой точки зрения (до чего далекой от «любвей»! И очень близкой к... любви; ну просто *нет*, я вижу, слов). Короче, реальнее, ýже. К нам в дом стали приходить священники, лавриты, профессора Духовной Академии, и между ними два, молодые, чаще других.

Из всех заметнее был Карташев, умный, странноватый, говорливый на Собраниях: сразу как будто из того лагеря перешедший в наш, в наши мысли. «Мысли»! Вот чего я не хочу здесь, а не обежишь, потому что если у меня было в это время что-нибудь в душе — то лишь они одни. И не выдернешь из последующего. Но буду их часть показывать, прилегающую к «узости».

Д. С. читал у нас в средней комнате свою статью о Гоголе и когда говорил о мертвом, узком, остром лице Гоголя — я вдруг *увидела* Карташева. Совсем такое же, похожее, лицо. Он сидел низко, на пуфе. Вскоре после того секретарь Собраний сказал мне: «Я сегодня просил Карташева заехать за вами (деньги нужно было собирать), но он отказался, говорит — еще ни с одной женщиной на улице никогда не был. Заеду я за вами». Смеется.

У меня мелькнула мысль: а ведь эти странные, некультурные и как будто жаждущие культуры люди — ведь они девственники! Они сохранили старое святое, не выбросили его на улицу, не променяли на несвятое — быть может, ожидая нового святого? Быть может, среди них есть... Ну и т. д. Вечером присмотрелась к нему и ближе коснулась — вообще — «мыслей». Что-то есть... Чего-то нет... Или не знаю? Осторожность...

Но тут наступил январь, и моя выброшенность во мне, жажда *сейчас* всех людей *во всем*. Другой профессор, Успенский моложе и весь не то теленок, не то ребенок — и «кутейник» с виду; но они у меня оба почему-то неотделимо бывали, чем-то (новостью среды?) слитые, но я на Успенского почти не обращала внимания, так, «второй».

Карташев бывал и отдельно, и я неудержимо говорила свое, торопясь дать ему что-то *внешнее*, ему недостающее (как мне казалось), чтобы он мог понимать мою, «декадентски» — отливающуюся, речь. Он — дикарь, скорее дать готовым весь наш путь, — искусство, литературу, форму жизни, мелочи жизни... Скорее, чтобы отсутствие не мешало нам сговориться о важном, — в нем, я думала, он там же, перед тем же (в его существе), перед чем я. Был в нем налет истерики — чуть-чуть. Он говорил, что был убежденным аскетом, до небоненавистничества, а теперь у него многое меняется. Я ему скорее хотела передать то мое осязанье «красоты», которое часть меня и моего, и всего, но ведь это — не окружающее меня реально-безобразное, ведь не старые, пыльные ковры, не рыночная, бедная мебель без ножек, даже не стихи Бальмонта, которые я ему (им) читала — но все-таки они и во всем, мгновеньями; в том, чтобы видеть собор утренней ночью, в одной из двух лилий на моем столе, в случайно купленной или подаренной Сологубом банке духов, в старом рисунке между бумагами, порою, может быть, в одной-единственной, на мгновенье упавшей, складке моего платья... Но, увы! А его (их) прельстили равно: и дырявые ковры — и стихи из красной книжки, и чайный ликер — и мои мысли, вся моя внешняя «дешевизна», которой так много — и мое заветное, что я люблю в мире. Но это все было *новое* и казалось одинаково «прекрасным», без различия, уродство и красота. В одну кучу. И даже (теперь вижу) ковер закрывал цветок, и одни дырявые ковры и были, потому что они виднее. Меня они видели «прекрасной», но если бы я сама увидела свое отражение в их душах... Впрочем, это так понятно.

(Началась близость с того, что я у Розанова спросила Карташева, писал ли он когда-нибудь стихи, и он на другой день прислал мне ужасающие стихи десятилетнего лавочника, которые я послала назад, обстоятельно разбранив. Вскоре он стал писать прилично, но со страшными срывами в безграмотность и уродство!) Я думала, конечно, что «а вдруг он в меня влюбится?». И отвечала себе, что это и хорошо для него, пожалуй, влюбленность откроет для него сразу все, до чего без нее годами не дойти ему. Это, в связи с его «девственностью» (он мне сказал о ней как-то у камина, после обеда), и с девственностью, теперь, по его словам, не аскетическою, а примиряющею плоть и красу мира, — это все заставило меня, конечно, «кокетничать» с ним, давало какую-то возбужденную радость и стремительность, жажду убедиться, что возможности мои и во мне. Что оно есть вообще. Это было главным образом, но так как душа сложнее, — то, конечно, и тени другого всего были, и тщеславия доля, самого примитивного, старинного, и всего... но это уж из добросовестности прибавляю. Еще меня трогала и влекла его нежная любовь ко Христу. Я не хотела знать (не сумела бы тогда увидеть), что это что-то — старая, неподвижная точка, осколок старой чаши, разбитой жизнью и «рацио», старая любовь к старому. Привычное. И привычное соединялось никак с непривычным, т. е. со мною, с моим.

Мы виделись и говорили. Когда бывали оба — я говорила больше с Успенским, но не видя его, или полувидя, а для Карташева. Я баловала их, я пыталась показать им *настоящее* красивое и заботливо

47

создавала для них массу *подлинних* внешних мелочей, от густых деревьев ромашки в моей комнате до стихов Пушкина и Лермонтова (уже не Бальмонта), которые я им сама с любовью читала поздними вечерами. Я хотела и мечтала создать Карташеву такой новый мир, который был бы для его растущей души дождем, и она, не смятая, расцвела бы для... *всего* будущего, моего.

Не увлекаюсь ли я? Как разрисовала — себя! Э, все равно. К делу. Что он «влюблен» — это как то сказалось, или узналось, само собою. В письмах, должно быть. О «взаимностях» не было речи. Вообще все было как-то иначе, нежели прежде, ни на что не похоже. И это была моя радость. И все я приписывала чистоте. И о любви думала — наконец! Вижу глазами. Вот чего не хватало другим! Вот где моя мысль об «огненной чистоте»! Значит, «есть на свете», значит, мое мечтанье не *только* мое, *одной* меня! Вперед, вперед в этом!

Письма у него были очень хорошие, со срывами — но лишь противу-эстетическими, внешне. Я это прощала, ввиду его эстетической молодости. Подхожу к очень важному факту, к очень высокой точке в этой двойной истории.

Весна кончалась. Я рвалась в Заклинье, на старинную, красивую дачу, которую увидев полюбила за ее грустную прелесть. (Дачи вообще так оскорбительны! Эта — нет). И устала я «существовать». История, которую рассказываю, занимала едва ли одну пятую моей внутренней жизни тогда, несмотря на ее связанность со всем (для моего сознания).

Д. С. пригласил профессоров к нам на дачу. Они уезжали, перед каникулами, в Крым, но с радостью обещали приехать на три дня перед Крымом. И пятого июня приехали, а восьмого утром уехали.

Они приехали. Успенского я опять не заметила, да он и вел себя как отпущенный гимназист; бегал по лесу, резал палки и пел романсы и песни. А в Карташеве было что-то робкое, значительное и таинственное. Он был почти красив иногда, в белой войлочной шляпе, на широком крыльце, у кустов сирени. Или вечером — ночью, над водой, там, на старых мостках. И тонкий, немного надтреснутый тенор мне нравился, когда вдруг обвивал грубоватый, сильный и немузыкальный голос Успенского.

Но не тогда, а вечер на восьмое (утром рано они уезжали) хорошо пели. И *не* песни. Была бледная, ясная ночь. Мы сидели на крыльце в сад. Они на ступенях (и другой был тут), я наверху на кресле, перед ступенями, закрытая длинным белым вуалем (мы все носили, от комаров). Везде сирень, у всех сирень, в руках, на коленях, в волосах. Между озером и нами догорал костер. Над озером взошла розовая-розовая луна. Они пели «да исправится молитва моя». И так хорошо спели (т. е. так хорошо это было), что после «исправится» никто уже не хотел ничего. Хотелось тишины.

Наверху широкой внутренней лестницы, направо от моей двери — дверь в коридор, который мы называли «монастырским». Там было три «кельи», именно кельи, сводчатые, белые, с глубокими острыми окнами. В дальнюю я поместила Успенского, в ближнюю Карташова. Вечерами я их туда провожала.

И в этот вечер пошла. Втроем мы прошли к Успенскому, там я с ним простилась. Потом зашла в келью Карташева. Он сел на стул, я на широкий подоконник.

Занавеси не было, и в белой келье было чуть-чуть лишь сумерки.

— Как хорошо, — сказала я, обертываясь к белому, свежему небу. — Вы завтра уезжаете... Я думаю о том, что подарю вам на память.

— Мне не надо ничего, — проговорил он, не понимая. — Зачем дарить? Разве вы думаете, что я забуду...

Странно, что я так... робка во всех движениях. Точно внешние путы на мне всегда. Мне стоит величайших усилий воли то, что я считаю нужным, праведным и чего сама хочу Это даже не робость. Это — какая-то тяжесть, узы тела, на теле; какое-то мировое, вековое, унаследованное отстранение себя от тела, оцепенелость тела, несвобода движений. Во всем, часто, с другими — внутри возникает непосредственное движение, естественное — и внутри же замирает, не проявившись. Это, я думаю, у многих. Это, я думаю, от векового проклятия всей «грешной плоти» во всем. Волны от столпничества.

— Ничего не надо? — сказала я, встав с подоконника. — Вы не знаете, что я хочу вам дать. И это хорошо, что хочу, и это надо.

Взяв его за голову, я поцеловала дрожащие, детские — и, может быть, недетские — губы. Он испугался, вскочил, потом упал вниз и обнял мои колени. И сказал вдруг три Слова, поразившие меня, которых я не ждала и которые были удивительны в тот момент по красоте, по неуловимой согласности с чем-то желанным и незабываемым. Он сказал:

— Помолитесь за меня...

И повторял:

— Помолитесь, помолитесь... я боюсь. Я вас люблю. Я боюсь, когда счастье такое большое.

Я наклонилась, и еще раз поцеловала его, и потом еще.

А потом я ушла, после каких-то недолгих речей, которых не помню, но в них не было теней.

Не помню ясно и что я думала. Моя громадная комната была полна серым, жемчужным светом ночи, в душе — туманность и правота! Правота! Вот это помню.

И правота моя, конечно, была не правотой. Я опять забыла: цветок не может расти в безвоздушном пространстве. Этому цветку необходим его воздух. И в воздухе — уже цветок. А я думала его взрастить *сначала*. И уж потом, как бы *через*... Вечная ошибка! Но несколько мгновений цветок может жить без воздуха. Несколько мгновений он и жил, подлинный... почти.

Я написала «почти» как-то невольно; думая — понимаю, почему «почти». Да потому что тут еще одного условия не было: равенства. У меня было сверху вниз, а у него снизу вверх. (Не странно ли, что и реально оно так было, фактически.) Он был влюблен — а я нет. Я волновалась, я была растрогана, он даже нравился мне, но я по совести не могу сказать, что была влюблена (как я умею). Спешу оговориться: я думаю, что в настоящей «влюбленности» (не внеатмосферной) есть еще тот плюс, что она вполне возможна *невзаимной*, просто только тот, кто не любит — ничего не получает, беднее; кто любит — получает много. Конечно, лучше, чтобы оба получали много, это ясно; и еще лучше, чтобы два «много» сливались, образуя одну «громадность» (при взаимности); я говорю только, что возможна и прекрасна и невзаимность. Ревность в *пространстве атмосферы* вряд ли мыслима; грусть о «громадном»), тихая печаль — да; но ведь все-таки остается «много». Вот ревность заатмосферная — но она уже вырастает во всеобъемлющую, она...

Так вот тогда мне было как-то обидно, что даже если у него «много» (хоть на мгновенье) — то ведь я — бедна. Я — *для себя* тут ничего не получаю, кроме радости за него. Прикосновенье его дрожащих губ было мне радостью и волнующе — но для него, за него! Это была не только духовная радость, и тело в ней участвовало, — но не кровь. (Не умею сказать! Досада какая! Забуду сама потом!)

Он уехал. Я долго не получала писем, потому что сама тотчас уехала на Волгу. (Нет, впрочем, одно письмо из вагона я получила в Петербурге. Очень хорошее, все так подтверждающее, все, как я думала.) Вернувшись в Заклинье — я нашла еще два-три, восторженных — и с курьезной постепенностью спадающих с тона. Налет мертвенности. Он сделался совсем явным в письмах из дома, а сам он писал, что дома впадает в какое-то небытие. Скоро совсем почти перестал писать, — но зато Успенский засыпал меня письмами, очень почтительно и детски-нежными (о любви не было)...

Осень. Мы еще на даче (конец августа). Карташев и Успенский вернулись в Спб., мы пригласили их к нам на 29, 30 и 31. Круглая белая зала так располагала к «празднику». И я решила сделать «раут». Я написала шутливую мистерию с прологом «Белый черт», которую мы все должны были разыграть. Шутливая, домашняя, — но мысль была *моя*, за нее держусь (напишу поэму). Мы приехали в Спб. (я и Д. С.) на несколько дней. Карташеву я написала, чтобы он пришел вечером сговориться точно. Пришел и Тернавцев. Карташев был робок, странен, мертвен. Не поняла его. Мертвен — явно; и влюблен — тоже явно. Накануне отъезда мы встретились на Литейной с Д. С., и я, узнав, что он идет в «Мир искусства», — пошла с ним. (Вот забавный случай в скобках!) В «Мире искусства» — никого, кроме живущего там Бакста, принадлежности туалета которого были раскиданы по запыленным комнатам. Неприфранченный Бакст был очень сконфужен нашим визитом. Однако дал нам чаю (была ли нянюшка?), потом мы вместе говорили по телефону с Пирожковым, к которому Д. С. и поехал, а я осталась, было едва 6 часов. Так, от лени сдвинуться со стула.

Менее всего ожидала, что неодетый Бакст вдруг станет говорить мне о своей «неистребимой нежности» и любви! Как странно! Теперь, опять...

— Разве вы не видели, что сейчас со мной было у телефона? (ничего я не видела и т. д.)

«Нежность» перешла в бурность, оставаясь «нежностью». Вижу, надо уходить. Опять объяснения, оборот в прошлое... Не надо! Мне все равно, — но не надо этого оборота.

Пытаюсь уходить. Длинное круговое путешествие из столовой в переднюю. «Вы не забудете?» — «Нет, обещаю вам, что забуду, и это хорошо. Право, ничего и не было».

Вечером он был у нас, грустный и нежный, как больной кот. Интересно последующее (весьма короткое): письма в Заклинье, на которые я отвечала; очень «пластические» письма, ничего в своем роде; кончающиеся: «Ходить к вам не по улице, а по земле (и т. д.), но — я вас люблю, а вы меня не любите!» Интересно это тем, что я, искренно желая все сделать, чтоб не дать ему ни малейшей боли, настолько с ним нечутка и вне его, что, думая написать «нежное» письмо, — написала до того оскорбившее его, одно (первое), что он мне его возвратил!

Идя тогда домой из редакции, я думала: вот человек, с которым я обречена на вечные оплошности, потому что если у него и было что-нибудь ко мне — то... он только лежал у моих «ног». Выше моих ног его нежность не подымалась. Голова моя ему не нужна, сердце — непонятно, а ноги казались достойными восхищения. Вот и все.

Ну вот, они приехали. Дождливые, темные дни. Зала в гроздьях рябины. Желтые восковые свечи. Мистерия. Огни над черным озером. (А какие были рыжие грозы!) Потом тихое, долгое сиденье за столом, только я и самые близкие (самые, не могу иных слов не иметь), даже Ася ушла спать. Свечи опять все зажгли, и тихо говорили все. И на прощанье вдруг все поцеловались. Это было хорошо.

Днем мы с Карташевым гуляли и как-то объяснялись, но ничего не выходило, и что-то было в нем странное. Ничего не понимала.

Вскоре мы остались в громадном доме одни. Письма Карташова все странные — и опять влюбленные. Написала ему, чтобы приехал на один вечер в субботу.

Неожиданно в этот же вечер приехал Блок. Ничего. Я после чаю, когда Д. С. ушел спать (и Блок), увела Карташева наверх в круглую, к себе, и мы долго разговаривали, шепотом, чтобы не разбудить Д. С. Не помню точно разговора, но мне в Карташеве чудилось что-то темное, а он не говорил — что, и я старалась сказать себе, что ничего нет. Но почти волнения уже не было, а какая-то «обязанность» перед собою и перед ним. Ведь и мысли у меня были другие! Прощаясь, на темном пороге, я его поцеловала... Но, Боже, как странно! Холодные, еще более дрожащие — и вдруг *жадные* губы. Бессильно жадные... Мне было не противно, а страшно. Что, когда случилось? Знает ли он сам, когда и что с ним случилось? Что же было? И было ли?

Я боялась сказать себе словами: так целовал бы страстно-жадный и бессильный мертвец. Тогда не сказала. Удержалась.

Осень. Несколько мучительных писем. Да чего же ему надо? Ошеломлена признанием, что он давно мучается злобной ревностью к Успенскому! Что это? Глупость? Наивность? А Успенский что? В самом деле влюблен? И так опасен? Надо присмотреться к Успенскому. Держала я всегда с ними себя — внешне — особенно ровно, даже щеголяла этим. А потом эта ровность сделалась моей целью, каким-то самоограждающим от себя, моим для меня как бы оправданием. Не двое только пусть нас будет, а трое. И двое — и трое... Сюда центр тяжести, одно осталось...

Я не могу проводить вечера в разуверениях Карташева, что не люблю Успенского. И, пожалуй, он хочет, чтобы я его продолжала целовать? Да разве это «занятие»? Или «доказательство»? Да это и не-воз-мож-но более! Так длилось...

В одно утро, — Д. С. гулял, я была в ванне, — звонок. Дашин взволнованный голос...

Я одеваюсь. Сердце мое бьется сильно и ровно. Знаю, что ничего не могу иначе, кроме того, что сделаю... Никто не помешает мне и не сорвет в сторону, потому что в грехе для меня давно нет никакого соблазна, в теле нет желаний, противостоящих душе, а в сердце нет жалости... Нету? Совсем? Вот последний соблазн, в который я, пожалуй, еще могу впадать. Или не могу? Не знаю. Тут осторожнее — но очень все-таки не боюсь...

Ни от чего не отказываюсь, ничего не предрешаю, не угадываю. И так, как будто все (мое *самое* главное все) не только сбыточно, но *есть*. Только так. Да иначе и не могу.

«Но если я ненавижу *государство* российское?»

Не японская, не турецкая, а мировая. Страшно писать о ней мне. Она принадлежит всем, истории. Нужна ли обывательская запись?

Да и я, как всякий современник — не могу ни в чем разобраться, ничего не понимаю, ошеломление.

Осталось одно, если писать — простота.

Кажется, что все разыгралось в несколько дней. Но, конечно, нет. Мы не верили потому, что не хотели верить. Но если бы не закрывали глаз...

Меня, в предпоследние дни, поражали петербургские беспорядки. Я не была в городе, но к нам на дачу приезжали самые разнообразные люди и рассказывали, очень подробно, сочувственно... Однако я ровно ничего не понимала, и чувствовалось, что рассказывающий тоже ничего не понимает. И даже было ясно, что сами волнующиеся рабочие ничего не понимают, хотя разбивают вагоны трамвая, останавливают движение, идет стрельба, скачут казаки.

Выступление без повода, без предлогов, без лозунгов, без смысла... Что за чепуха? Против французских гостей они, что ли? Ничуть. Ни один не мог объяснить, в чем дело. И чего он хочет. Точно они по чьему-то формальному приказу били эти вагоны. Интеллигенция только рот раскрывала — на нее это, как июльский снег на голову. Да и для всех подпольных революционных организаций, очевидно.

М. приезжал взволнованный, говорил, что это органическое начало революции, а что лозунгов нет — виновата интеллигенция, их не дающая.

А я не знала, что думать. И не нравилось мне все это — сама не знаю, почему.

Вероятно, решилась, бессознательно понялась близость неотвратимого несчастия с выстрела Принципа.

Мы стояли в саду, у калитки. Говорили с мужиком. Он растерянно лепетал, своими словами, о приказе приводить лошадей, о мобилизации... Это было задолго до 19 июля. Соня слушала молча. Вдруг махнула рукой и двинулась:

— Ну, — словом, — беда!

В этот момент я почувствовала, что кончено. Что действительно — беда. Кончено.

А потом опять робкая надежда — ведь нельзя: Невозможно! Невообразимо!

За несколько дней почти все наши уехали в город. Должны были вернуться вместе в субботу, к нам. Нам предстояли очень важные разговоры, может быть — решения...

Но утром в субботу явилась Т. — одна. «Я за вами. Поедемте в город сегодня». — «Зачем?» — «Громадные события, война. Надо быть всем вместе». — «Тем более, отчего же вы не приехали все?» — «Нет, надо быть со всеми, народ ходит с флагами, подъем патриотизма...»

В эту минуту — уже помимо моей воли — решилась моя позиция, мое отношение к событиям. То есть коренное. Быть с несчастной, не понимающей происходящего, толпой, заражаться ее «патриотическими» хождениями по улицам, где еще не убраны трамваи, которые она громила в другом, столь же неосмысленном «подъеме»? Быть щепкой в потоке событий? Я и не имею права сама одуматься, для себя осмыслить, что происходит? Зачем же столько лет мы искали сознания и открытых глаз на жизнь?

Нет, нет! Лучше, в эти первые секунды, — молчание, покров на голову, тишина.

Но все уже сошли с ума. Двинулась Сонина семья с детьми и старой теткой Олей. Неистовствовал Вася-депутат.

И мы поехали в Петербург. На автомобиле.

Неслыханная тяжесть. И внутреннее оглушение. Разрыв между внутренним и внешним. Надо разбираться параллельно. И тихо.

Присоединение Англии обрадовало невольно. «Она» будет короче...

Сейчас Европа в пламенном кольце. Россия, Франция, Бельгия и Англия — против Германии и Австрии...

И это только пока. Нет, «она» не будет короткой. Напрасно надеются...

Смотрю на эти строки, написанные моей рукой, — и точно я с ума сошла. Мировая война!

Никто не понимает, что такое война, — во-первых. И для нас, для России, — во-вторых. И я еще не понимаю. Но я чую здесь ужас беспримерный.

Все растерялись, все «мы», интеллигентные словесники. Помолчать бы, — но половина физиологически заразилась бессмысленным воинственным патриотизмом, как будто мы «тоже» Европа, как будто мы смеем (по совести) быть патриотами просто... Любить Россию, если действительно, — то нельзя, как Англию любит англичанин. Тяжкий молот наша любовь... настоящая.

Что такое отечество? Народ или государство? Все вместе. Но если я ненавижу *государство* российское? Если оно — против моего народа на моей земле?

То там, то здесь собираемся. Большинство политиков и политиканствующих интеллигентов (у нас ведь все политики) так сбились с панталыку, что городят мальчишеский вздор. Явно, всего ожидали — только не войны. Как-то вечером собрались у Славинского. Народу было порядочно. Карташев, со своими славянофильскими склонностями, очень был в тоне хозяина.

Впрочем, не обошлось и без нашего «русского» вопроса: желать ли победы... самодержавию? Ведь мы вечно от этой печки танцуем (да и нельзя иначе, мы должны!). Военная победа — укрепить самодержавие... Приводились примеры... верные. Только... не беспримерно ли то, что сейчас происходит?

Говорили все. Когда очередь дошла до меня, я сказала очень осторожно, что войну по существу, как таковую, отрицаю, что всякая война, кончающаяся полной победой одного государства над другим, над другой страной, носит в себе зародыши новой войны, ибо рождает национально-государственное озлобление, а каждая война отдаляет нас от того, к чему мы идем, от «вселенскости». Но что, конечно, учитывая реальность войны, я желаю сейчас победы союзников.

Керенский, который стоял направо, рядом со мною и говорил тотчас после меня, подхватил эту

«вселенскость» (упорно говоря «вселенность!»)
и, с обычной нервностью своей, сказал приблизительно то же и так же кончил «за союзников». Но
видно, что и он еще в полноте своей позиции не
нашел. Военная зараза к нему пристать не может,
просто потому, что у него не та физиология, он
слишком революционер. А я начинаю прощупывать, что тут какое-то «или-или»... Впрочем,
рано, потом.

Керенский не очень умен, но чем-то он мне всегда был особенно понятен и приятен, со всем своим
мальчишески-смелым задором.

Да, а для нас еще пора молчания... И как жаль,
что Карташев уже без оглядки внесся в войну, в проклятия немцам, в карту австрийских славян...

Мой неизменный Архип Белоусов (мужик-рабочий) мне пишет: «Душа моя осталась верна
себе, я только невольно покорюсь войне, что действительно надо». (Он полутолстовец, интересный,
начитанный фантазер.)

Швейцар наш говорит жене: «Что ж поделаешь, дело обчее, на всех враг пошел, всех защитить
надо».

Володя-студент перешагнул через горе матери:
«Да, это эгоизм, но я все равно пойду, не могу не
идти», — и уехал вчера с преображенцами.

Писатели все взбесились. К. пишет у Суворина
о Германии: «...надо доконать эту гидру». Всякие
«гидры» теперь исчезли, и «революции», и «жидовства», одна осталась: Германия. Щеголев сделался
патриотом, ничего кроме «ура» и «жажды победы»
не признает.

Е., который, по его словам, все войны отрицает, эту настолько признает, что все пороги обил, лишь бы «увидеть на себе прапорщичий мундир». (Не берут, за толщину, верно!)

Тысячи возвращающихся с курортов через Швецию создали в газетах особую рубрику: «Германские зверства». Возвращения тяжкие, непередаваемые, но... кто осуждает? Тысячными толпами текут евреи. Один, из Торнео, руку показывал: нет пальца. Ему оторвали его не немцы, а русские — на погроме. Это — что? Или евреи не были безоружны? А если и мы звери... кому перед кем кичиться?

Впрочем, теперь и Пуришкевич признает евреев и руку жмет Милюкову.

Волки и овцы строятся в один ряд, нашли третьего, кого есть.

Эта война... Почему вообще война, всякая, — зло, а только эта одна — благо?

Никто не знает. Я верю, что многие так чувствуют. Я, нет. Да и мне все равно, что я чувствую. То есть я не имею права ни слова ей, войне, сказать, пока только чувствую. Я не верю чувствам: они не заслуживают слов, пока не оправданы чем-то высшим. И не закреплены правдой.

Впрочем, не надо об этом. Проще. Идет организованное самоистребление, человекоубийство. «Или всегда можно убить, или никогда нельзя». Да, если нет истории, нет движения, нет свободы, нет Бога. А если все это есть — так сказать нельзя. Должно каждому данному часу истории говорить «да» или «нет». И сегодняшнему часу я говорю, со дна моей человеческой души и человеческого разума — «нет». Или могу молчать. Даже лучше, вернее — молчать. А если слово — оно только *нет*. Эта война — война. И войне я скажу: никогда нельзя, но уже никогда и не надо.

Разрушенная Бельгия, бомбы над родным Парижем, Notre Dame, наше неясное положение со взятой Галицией, взятыми немцами польскими городами, а завтра, быть может, Варшавой... Генеральное сражение во Франции — длится более месяца. Ум человеческий отказывается воспринимать происходящее.

Как дымовая завеса висит ложь всем-всем-всем и натуральное какое-то озверение.

У нас в России... странно. Трезвая Россия — по манию царя. По манию же царя Петербург великого Петра — провалился, разрушен. Худой знак! Воздвигнут некий Никологрaд — по казенному «Петроград». Толстый царедворец Витнер подсунул царю подписать: патриотично, мол, а то что за «бург», по-немецки (!?!).

Худо, худо в России. Наши счастливые союзники не знают боли раздирающей, в эти всем тяжкие дни, самую душу России. Не знают и, беспечные, узнать не хотят, понять не хотят. Не могут. Там, на Западе, ни народу, ни правительству не стыдно сближаться в этом, уже *необходимом*, общем безумии. А мы! А нам!

Тут мы покинуты нашими союзниками.

Господи! Спаси народ из глубины двойного несчастия его, тайного и явного!

Я почти не выхожу на улицу, мне жалки эти, уже подстроенные, патриотические демонстрации с хоругвями, флагами и «патретами».

Главное ощущение, главная атмосфера, что бы кто ни говорил, — это непоправимая тяжесть несчастия. Люди так невмерно, так невместимо жалки. Не заслоняет этого историческая грандиозность событий. И все люди правы, хотя все в разной мере виноваты.

Царь ездил в действующую армию, но не проронил ни словечка. О, это наш молчальник известный, наш «чародей», со всеми «согласный» — и никогда ни с кем!

Едкая мгла все лето нынче стояла над Россией, до Сибири — от непрерывных лесных и торфяных пожаров. К осени она порозовела, стала еще более едкой и страшной. Едкость и розовость ее тут, день и ночь.

Москва в повальном патриотизме, с погромными нотками. Петербургская интеллигенция в растерянности, работе и вражде. Общее несчастие не соединяет, а ожесточает. Мы все понимаем, что надо смотреть проще, но сложную душу не усмиришь и не урежешь насильно.

Люблю этот день[1], этот горький праздник «первенцев свободы». В этот день пишу мои редкие стихи. Сегодня написался «Петербург». Уж очень-очень

---

[1] 14 декабря

мне оскорбителен «Петроград», создание «растерянной челяди, что, властвуя, сама боится нас...». Да, но «близок ли день», когда «восстанет он» —

>...Все тот же, в ризе девственных ночей,
>Во влажном визге ветреных раздолий
>И в белоперистости вешних пург,
>Созданье революционной воли —
>Прекрасно-страшный Петербург?..

Но это грех теперь — писать стихи. Вообще, хочется молчать. Я выхожу из молчания, лишь выведенная из него другими. Так, в прошлом месяце было собрание Рел.-Фил. Общества, на котором был мой доклад о войне. Я говорила вообще о «Великом Пути» истории (с точки зрения всехристианства, конечно), об исторических моментах как ступенях — и о данном моменте, конечно. Да, что война — «снижение»[2], — это для меня теперь ясно. Я ее отрицаю не только метафизически, но исторически... т. е. моя метафизика истории ее, как таковую, отрицает... и лишь *практически* я ее признаю. Это, впрочем, очень важно. От этого я с правом сбрасываю с себя глупую кличку «пораженки». На войну нужно идти, нужно ее «принять»... но принять — корень ее отрицая, не затемняясь, не опьяняясь; не обманывая ни себя, ни других — не «снижаясь» внутренно.

---

[2] Слово, которое теперь так любят большевики, беря его в «товарном» смысле, было употреблено мною впервые, в этом докладе, и обозначало внутреннее, духовное падение, понижение уровня человеческой морали. (*Примеч. 1927 г.*).

Нельзя не «снижаясь»? Вздор. Если мы потеряем сознание, — все и так полусознательные — озвереют.

Да, это отправная точка. Только! Но непременная.

Были горячие прения. Их перенесли на следующее заседание. И там то же. Упрекали меня, конечно, в отвлеченности. Карташев моими же «воздушными ступенями» корил, по которым я не советовала как раз ходить. Это пусть! Но он сказал ужасную фразу: «... если не принять войны *религиозно*...»

Меня поддерживал, как всегда, М. и мой большой единомышленник по войне и антинационализму (зоологическому) — Дмитрий (Мережковский).

Сложный вопрос России, конечно, вставал очень остро...

Эти два заседания опять показали, как бессмысленно в конце концов «болтать» о войне. Что знаешь, что думаешь — держи про себя. Особенно теперь, когда так остро, так больно... Такая вражда. Боже, но с каким безответственным легкомыслием кричат за войну, как безумно ее оправдывают! Какую тьму сгущают в грядущем! Нет, теперь нужно

«Лишь целомудрие молчания —
И, может быть, тихие молитвы...»

Война длится. Варшаву немцы не взяли, отрезали пол-Польши. А мы у австрийцев понабрали городов и крепостей. И наводим там самодержавные порядки. Дарданеллы бомбардируются союзниками.

Нигде ничего нет, у немцев — хлеба, а у нас — овса и угля (кажется, припрятано).

Эта зима — вся в глухом, беспорядочном... даже не волнении, а возбуждении каком-то. Сплетаются, расплетаются интеллигентские кружки, борьба и споры, разделяются друзья, сходятся враги... Цензура свирепствует. У нас частые сборища разных «групп», и кончается это все-таки расколом между «приемлющими» войну и «до победы» (с лозунгом «все для войны», даже до Пуришкевича и далее) — и «неприемлющими», которые, однако, очень разнообразны и часто лишь в этом одном пункте только и сходятся, так что действовать вместе абсолютно неспособны.

Да и как действовать? «Приемлющие» рвутся действовать, помогать «хоть самому черту, не только правительству», и... рвутся тщетно, ибо правительство решительно никого никуда не пускает и «честью просит» в его дела носа не совать; никакая, мол, мне общественная помощь не нужна. А если вы так преданны — сидите смирно и немо покоряйтесь, вот ваша помощь.

Отвечено ясно, а патриоты интеллигентные не унимаются. Даром, что все «седые и лысые».

От седых и лысых я, по воскресеньям, перехожу к самой зеленой молодежи: являются всякие студенты-поэты, студенты просто, гимназисты и гимназистки, всякие мальчики и девочки.

Поэзию я слушаю, но не поощряю, а хочу понять, как они к жизни относятся, и навожу их на споры о войне и политике, — ничуть их не поучая, впрочем. Мне интересно, что они сами думают, какие они есть, а педагогика всякая мне скучна до последней степени. Смотрю — пока мне любопытно, люблю умных и настоящих и равнодушно забываю ненужных.

Отношение к войне у многих очень хорошее, трезвое, свежее, сознательное.

О, война! Тяжесть и утомление мира неописуемы. Такого в истории мы еще не видали.

Немцы ничего не взяли, кроме Бельгии. И куска Польши. Невозможен мир... но и война тоже?

Москвичи осатанели от православного патриотизма. Вяч. Иванов, Эрн, Флоренский, Булгаков, Трубецкой и т. д. и т. д. О, Москва, непонятный и часто неожиданный город, где то восстание — то погром, то декадентство — то ура-патриотизм, — и все это даже вместе, все дико и близко связано общими корнями, как Герцен, Бакунин и — Аксаковская славянофильщина.

У нас цензура сейчас — хуже николаевской раз в пять. Не «военная» — общая. Напечатанное месяц тому назад перепечатать уже нельзя. Рассказы из детской жизни цензурует генерал Дракке... Очень этичен и строг.

Скрябин умер. Многие, впрочем, умерли. Сыновья З. Ратьковой живы, на войне.

Не успеешь с кем-нибудь поспорить — он уже на войне.

Белая ночь глядит мне в глаза. Небо розовое над деревьями Таврического сада, тихими, острыми. Вот-вот солнце взойдет. Есть на что солнцу глядеть.

Есть нам что ему показать. А еще говорят — «солнцу кровь не велено показывать...»

Все время видит оно — кровь.

Все более и более ясные формы принимает наш *внутренний* ужас, хотя он под покрывалом, и я лишь слепо ощупываю его. Но все-таки я нащупываю, а другие и притронуться не хотят. Едва я открываю рот, — как «реальные» политики накидываются на меня с целой тьмой возражений, в которой я, однако, вижу роковую тупость.

Да, и до войны я не любила нашу «парламентскую оппозицию», наших кадетов. И до войны я считала их умными, честными... простофилями, «благородными иностранцами» в России. Чтобы вести себя «по-европейски», — и чтобы это было кстати, — надо позаботиться устроить Европу... Но что я думала до войны — это неважно, да неважны и мои личные симпатии. Я говорю о теперешнем моменте и думаю о кадетах, о нашей влиятельной думской партии, с точки зрения *политической целесообразности*. Я сужу их линию поведения, насколько могу объективно, и — увы — начинаю видеть ошибки фатальные.

Лозунг «Все для войны!» может, при известной совокупности обстоятельств, звучать прежде всего как лозунг: «Ничего для победы!» Да, да, это кажется дико, это то, чего никогда не поймут союзники, ибо это русский язык, но... как русские не понимают?

Боюсь, что и я этого... не хочу до конца понять. Ибо — какой же вывод? Где выход? Ведь революция во время войны — помимо того, что она невозмож-

69

на, — как осмелиться желать ее? Мне закрывают этим рот. И значит, говорят далее, — думать только о войне, вести войну, не глядя, с кем ради нее соединяешься, не думая, что ты помогаешь правительству, а считая, что правительство тебе помогает... Оно плохо? Когда пожар — хватай хоть дырявую пожарную кишку, все-таки помощь...

Какие слова-слова-слова! Страшно, что они такие искренние — и такие фатально-ребяческие! Мы двинуться не можем, мы друг к другу руки не можем протянуть, чтобы по пальцам не ударили, и тут «считать», что «мы» ведем войну («народ!») и только берем снисходительно помощь от царя. Кого обманывают? Себя, себя!

Народ ни малейшей войны не ведет, он абсолютно ничего не понимает. А мы абсолютно ничего ему не можем сказать. Физически не можем. Да если б вдруг, сейчас, и смогли... пожалуй, не сумели бы. Столетия разделили нас не плоше Вавилонской башни.

Но что гадать — вот данное. Мы, — весь тонкий, сознательный слой России, — безгласны и бездвижны, сколько бы ни трепыхались. Быть может, мы уже атрофированы. Темная толща идет на войну по приказанию свыше, по инерции слепой покорности. Но эта покорность — страшна. Она может повернуть на такую же слепую непокорность, если между исполняющими приказы и приказывающими будет вечно эта глухая пустота — никого и ничего. Или еще, быть может, хуже... Но я «восхищаю недарованное», оформливаю еще бесформенное. Подождем.

Скажу только, что народ *не хочет* войны. Это у него верный инстинкт — кто же хочет войны. Первично-примитивно, если душу открыть. Это вечно-верно, не хочу войны. Вернее, так: никому *не хочется* войны. Для того, чтобы сказать себе: да, не хочется, и праведно не хочется, но вот потому-то и поэтому-то — *надо*, неизбежно, и я моей разумной волей, на этот час, побеждаю это «не хочется», хочу делать то, что «не хочется», для такой примитивной работы внутренней нужен проблеск сознания.

А сознания у народа ни проблеска нет. То, что говорят ему, к сознанию не ведет. Царь приказывает — они идут, не слыша сопроводительных, казенно-патриотических, слов. Общество, интеллигенция говорят в унисон, те же и такие же патриотически-казенные слова; т. е. «приявшие войну», а не «приявшие» физически молчат, с начала до конца, и считаются «пораженцами»... да, кажется, растерялись бы, испугались бы, дай им *вдруг* возможность говорить громко. «Вдруг» нужных слов не найдешь, особенно если привык к молчанию.

Разве между собою мы, сознательные, находим нужные слова? Вот, недавно, у нас было еще собрание. Интеллигенция, не пристающая ни к кадетам, ни к революционерам (беру за одну скобку левые партии). Это — так называемые «радикалы». Они большею частью у нас из поправевших эс-деков.

(К ним, в сущности, принадлежал и Богучарский. Он умер, умер Богучарский.)

Но довольно странно, что тут же очутился и Горький. И даже в таких близких настроениях, что как будто вместе они все строят новую «радикально-демократическую» партию. Это и был главный вопрос собрания. Странно насчет Горького потому, что он давнишний эс-дек (насколько он в политике сознателен... Мало!). Были кое-кто из нетвердых кадетов... были все наши «седые и лысые». Была Кускова. Единственная «умная» женщина, одна и на Петербург, и на Москву (она живет в Москве). Умная! Необыкновенно непроницательная, близорукая в той же политике.

Как противна наша присяжная литература. Завопила, как зарезанная, о войне с первого момента. И так бездарно, один стыд сплошной. Об А. я и не говорю. Но Брюсов! Но Блок! И все, по нисходящей линии. Не хватило их на молчание. И наказаны печатью бездарности.

Более мутного момента еще не было за год войны. Вероятно, не было и за всю жизнь нашу, и за жизнь наших отцов.

Мы отдали назад всю Галицию (это ничего), эвакуирована Варшава. Взята Либава, Виндава, кажется, Митава, очищена Рига. Сильнейшее наступление на нас, а у нас... нет снарядов!

Это знала думская оппозиция уже в январе! И тогда было условлено — молчать! Вот когда в первый раз кадеты сознательно прикрыли правительство.

Впрочем, об этом лучше меня будет рассказано в истории.

Пока я знаю лишь вот что:

Я знаю, что Россия с данным правительством прилично одолеть немцев — не может. Это уже подтверждено событиями. Это — несомненно и бесповоротно. А как одолеть правительство — я не знаю. То есть не вижу еще конкретных путей для конкретных людей, которых тоже не вижу. Кто? Какие?

Не понимаю (честно говорю это себе) и боюсь, что все запутались, все ничего не понимают. Какое время!

Благодаря нашему воспитанию (или нашей невоспитанности) мы — *консервативны*. Это наше главное свойство. Консервативны, малоподвижны, туги к восприятию момента, ненаходчивы, несообразительны, как-то оседлы — все, сверху донизу, справа долева. Жизнь бежит, кипя, мы — будто за ней, но не поспеваем, отстаем, ибо каждый заботится прежде всего, как бы не потерять своего места. Соотношение сил этим сохраняется, пребывает. Но какие силы в пустоте? Марево: жизнь ушла вперед.

Одинаково консервативны в этом смысле: и Дурново, и Милюков, и Чхеидзе. Я беру три имени не лично, а обще-определительно, как три ясных линии политических.

Что ни происходит, как ни толкает, ни вертит, ни учит жизнь —

Дурново все так же требует «держать и не пущать»,

Милюков все так же умеренничает и воздерживается,

Чхеидзе все так же предается своим прекрасным утопиям.

В обычное время деятельность Дурново весьма вредна, деятельность Милюкова весьма полезна, а Чхеидзе — почтенна. Так было. Но так уже не есть, ибо сейчас есть то, чего не было, — есть война. И все изменилось. В новом, багровом, луче изменились все цвета.

Установим исходную точку. Исходная точка — необходимость защиты и сохранения России, самостоятельной жизни русского народа. То есть — успешное продолжение и окончание борьбы с Германией.

Рассматривая под этим знаком тройственную линию нашего политического консерватизма, мы должны иначе оценивать деятельность каждой из трех групп.

Деятельность «Дурново» так вредила России и уже так навредила ее сегодняшней задаче, что едва ли стоит сейчас останавливаться на пояснениях. Сейчас яд этого открыт, губительность его, кажется, ясна для всех. Не слишком ли поздно? Другой вопрос. Но мы кое-как восприняли в этой стороне наглядный урок жизни. Однако вред продолжается...

Деятельность «Милюкова» — полезна ли она в данный час России и ее первой задаче — успешной обороне?

Нет, не полезна, и вот почему: она попустительна ко вреду. Есть моменты истории, когда позиция «умеренности» преступна, как позиция предательства. Жизнь разжевала и в рот положила «умеренным» горький плод их «январского молчания»; но и поныне костенеют они в том же своем принципе «понемножку». Они как будто увидели весь яд «Дурново» и видят его продолжающее действие, но все думают, как бы воспрепятствовать ему «повежливее»... Нет, и думание, и делание «умеренной оппозиции» сейчас, прежде всего, *не действенно*. Оно равняется нулю и останется нулевым практически. А так как, волею времени и совокупных причин, как раз от умеренных требуется сию минуту главное делание (они — в центре политики), то эта пустота — уже не нуль, а делание отрицательное — вред.

А что же деятельность «Чхеидзе», столь «почтенная» в мирное время, то есть — крайних левых наших?

Поскольку она успешна — она опасна, и счастье, что она не успешна. Оторванная от центрально-важных сейчас, левогосударственных, политических кругов, неподвижно-консервативная в себе, деятельность неорганизованных «левых» с подкладкой не политики, а социализма (то есть внеисторической утопичности) — такая деятельность только и может быть или неуспешна, или вредна.

Правые — и не понимают, и не идут, и никого никуда не пускают.

Средние — понимают, но никуда не идут, стоят, ждут (чего?).

Левые — ничего не понимают, но идут неизвестно куда и на что, как слепые.

Со всеми же вместе что будет? С Россией? Или она уже обречена — за старый и вечный свой грех долготерпения?

Самодержавие... Пока эта точка горит — всего можно ожидать, ни на что нельзя надеяться. (Не долго ли горит, не перегорела ли Россия?)

Непонимающие низы, одни, с этой точкой не справятся. (Если б справились по-своему — то не к добру. Ведь ее и «погасить в уме» надо!)

Умеренные и вежливые верхи — (в своей умеренности) — тоже не справятся. Они со странной нерешительностью все «обхаживают» самодержавие (будто его можно обойти!). Но с них больше спросится, — ой, как спросится! — потому что спасти Россию сейчас можно — не снизу. Ее могли бы спасти только эти политические верхи. Но только в известном контакте, в каком-то сговоре, с крайними левыми, т. е. поступившись известной долей своей умеренности... я не сомневаюсь, что при этом контакте и крайние поступились бы известной долей своей крайности.

Теперь уже для большинства видна горящая точка русского самодержавия. Жизнь кричит во все горло: без революционной воли, без акта хотя бы внутренне революционного — эта точка даже не потускнеет, не то что не погаснет. Разве вместе с Россией.

Нам сейчас нужен, необходим, — только один рубль. Не надеясь на рубль — умеренные мечтают о сорока пяти копейках. Но смиренно попросить «хоть сорок пять копеечек» — верное средство получить в ответ оплеуху или «дурака».

Потребуйте рубль двадцать. Но требуйте — не просите. Тотчас полезут за кошельком и выложат заветный рубль. Надо, чтобы была опаска: не дашь рубля — весь кошелек возьмут.

От просьб опаска не родится, а от недоброго — добром ничего получить нельзя. Ничего.

Варшава давно сдана. И Либава, и Ковно. Немцы наступают по всему фронту, все крепости сданы, очищена Вильна, из Минска бегут. Вопрос об эвакуации Петрограда открыт. Тысячная толпа беженцев тянется к центру России.

Внутреннее положение не менее угрожающее. Главнокомандующий сменен, сам царь поехал на фронт.

Думский блок (ведь он от к.-д. до националистов включительно) получил только свое. На первый же пункт программы (к.-д. пожертвовали «ответственным» министерством, лишь попросили, скромно и неопределенно, «министерство, пользующееся доверием страны») — отказ, а затем Горемыкин привез от царя… роспуск Думы. Приказ еще не был опубликован, когда мы говорили с Керенским о серьезном положении по телефону. Керенский и сказал, что в принципе дело решено. Уверяет, что волнения уже начались. Что получены, вечером, сведения о начавшихся забастовках на всех заводах. Что правительственный акт только и можно назвать безумием. (Не надо думать, что это мы столь свободно говорим по телефону в Петербурге. Нет, мы умеем не только писать, но и разговаривать эзоповским языком.)

— Что же теперь будет? — спрашиваю я под конец.

— А будет... то, что начинается с а...

Керенский прав, и я его понимаю: будет анархия. Во всяком случае, нельзя не учитывать яркой возможности *неорганизованной* революции, вызываемой безумными действиями правительства в ответ на ошибки политиков. Лишь известная политическая неумеренность может добиться необходимого минимума.

А *только он* спасет Россию. Его нет — и каждый день стены сдвигаются: стена немцев и стена хаотического бунта внутреннего. Они сдвинутся и сольются. Какие возможности!

Правительство не боится никаких разумно-вежливых слов. Анархии не боится, ибо ничего не видит и не понимает. В предупреждение «злоумышленных эксцессов» (видали, мол, виды!) этот рамоли-Горемыкин созвал к себе на днях... всех градоначальников. У цензуры пока заметны признаки острого помешательства, но вскоре она просто все закроет, и когда на улицах будут расстрелы — газеты запишут усиленно о театре.

Правительство, в конце концов, не боится и немцев.

Но неужели наши главные «политики», наши думцы, кадеты, неужели они о сю пору еще не убедились бесповоротно, что: *без перемены правительства невозможно остановить нашествие немцев, как невозможно предотвратить бессмысленное восстание?*

Я хочу знать; это нужно знать; ибо если они в этом еще *не* твердо убеждены и действуют, как действуют, — то они только легкомысленные, ошибающиеся *люди*; а если убеждены, и все-таки по-своему, бесплодному (вредному) действуют, — они преступники.

Так или иначе — ответственность лежит на них, ибо, по времени, *им* должно действовать.

В Петербурге нет дров, мало припасов. Дороги загромождены. Самые страшные и грубые слухи волнуют массы. Атмосфера зараженная, нервная и... беспомощная. Кажется, вопли беженцев висят в воздухе... Всякий день пахнет катастрофой.

— Что же будет? Ведь невыноси-тель-но! — говорит старый извозчик.

А матрос Ваня Пугачев пожимает плечами:

— Уж где этот малодушный человек (царь), там обязательно несчастье.

«Только вся Расея — от Алексея до Алексея».

Это, оказывается, Гришка Распутин убедил Николая взять самому командование.

Да, тяжелы, видно, грехи России, ибо горька чаша ее. И далеко не выпита.

Указ о роспуске Думы «приял силу», несмотря на сильное давление союзников. Конечно, они не хотят. Но с достаточной ли ясностью видят они путь гибели наш?

Неужели — поздно?

...И вот Господь неумолимо
Мою Россию отстранит...

Уж и Дурново умер и, мертвый, торжествует больше, чем когда-либо. Вводится предварительная цензура. «Не уявися, что будем!» — восклицает... Б. Суворин.

Родзянке отказано в аудиенции. Депутация московских съездов, думаю, не будет принята. А если и будет...

Умеренные возглашают: «Спокойствие, спокойствие, спокойствие!» — как, бывало, Куропаткин в Японской войне: «Терпение, терпение и терпение».

Зато громко говорят немецкие орудия.

Трагизм превзошел ожидания: вылился в трагическую, каменную успокоенность, полную победу полной реакции.

Когда распустили Думу она громко прокричала «ура» и тихо разошлась. Лозунг депутатов был: «Сохраняйте спокойствие». И сами сохранили его, и помогли, при содействии правительства, другим в этом занятии. Пока что — хлыщ и провокатор Хвостов (новый министр) задействовал, черносотенцы съехались с уволенными (в Государственном Совете сидящими) министрами, «объединенное дворянство» со своей стороны «припало к самодержцу».

На съезде митрополит объявил: не только царь — помазанник, но «соизволением Божиим поставленные министры тоже имеют на себе от Духа Свята» (Хвостов, например, ну и прочие). Таково, мол, «учение Церкви». Своего рода декларация.

В указе о разгоне Думы было определено, что ее вновь соберут «не позже ноября». Однако, вот, не желают. Хвостов смеется: это «каприз»! Отложим лучше.

Блокисты не знают, куда девать глаза. Хранят свое спокойствие, хотя на сердце-то скребет...

...Без утра пробил час вечерний
И гаснет серая заря...
Вы отданы на посмех черни
Коварной волею Царя...

Воистину на посмех. И то ли еще будет!

Войне конца-краю не видать. Германия уже съела, при помощи «коварной» Болгарии — новой союзницы, — Сербию; совсем. Ездят прямо из Берлина в Константинополь. Вот, неославянофилы, ваш Царь-Град, получайте. Закидали шапками?

У нас, и у союзников, на всех фронтах — окостенение. Во всяком случае мы ничего не знаем. Газет почти нельзя читать. Пустота и вялое вранье.

Царь катается по фронту со своим мальчиком и принимает знаки верноподданства. Туда, сюда — и опять в Царское, к престарелому своему Горемыкину.

Впрочем, Николай вовсе не к этому белому дяде рвется в Царское. Там ведь Гришенька, кой, в свободные от блуда и пьянства часы, управляет Россией, сменяет министров и указует линию. В прочее время, Россия ждет... пребывая в покое.

Сто раз мы имели случай лицезреть этого прохвоста; быть может, это упущение с исторической, с литературной, с какой еще угодно точки зрения, однако доводы разума были слабее моей брезгливости. А любопытство... тоже действовало вяло, так как этого сорта «старцев» немало мы перевидали. Этот — что называется «в случае», попал во дворец, а Щетинин, например, только тем от Гришки и отличается, что «неудачник», к царям не попал. Остальное — детально того же стиля, разве вот Щетинин «с теориями» поверх практики (ахинею несет и безграмотно ее записывает, а Гришка ни бе, ни ме окончательно). Гришка начался в те же времена, как и Щетинин, но последний пошел «по демократии» и не успел, до провала, зацепиться (хоть и закидывал удочки в высшие слои); Гришка же, смышленая шельма, никого вокруг не собирал, в одиночку «там и сям» нюхал. То — пропадал, то — опять всплывал. Наконец, наступив на одного лаврского архимандрита (настоящего монаха, имевшего некое, малое, царское благоволение) как на ступеньку, ступеньку продавил, а к «царям» подтянулся. После летнего, перед войной, покушения на него безносой бабы особенно утвердился.

Да, вот годы, как безграмотный буквально, пьяный и болезненно-развратный мужик по своему произволу распоряжается делами государства Российского. И теперь, в это особенное время — *особенно*. Хвостов ненавидит его, а потому думаю, что Хвостов недолговечен. Ненавидит же просто из зависти. Но тот его перетянет. Остальные министры все побывали у Гришки на поклоне и кланялись, целуя край его хламиды. (Это не «художественный образ», а факт: иногда Гришка выходит к посетителю в белом балахоне, значит — надо к балахону прикладываться).

Экая, прости Господи, сумасшедшая страна. И бедный Милюков тут думает «действовать» — в своих европейских манжетах.

Что это, идеализм, слепота, упрямство?

О, наши «реальные» политики!

Плеханов и другие заграничники вредны становятся (мало, ибо значения не имеют). Но они вполне невинны: оттуда не видать. Ничего. Ровно ничего.

Кажется, там разделение по линии войны. Борису я перестала отвечать, бесполезно сквозь такую цензуру. По-видимому, он увлечен войной (еще бы, во Франции!), хотя в «Призыве» не участвует. «Призыв» — это тамошний журнал стоящих за войну русских социалистов. Я его не знаю, но верю тут Керенскому, который им возмущен. Керенский приблизительно на моей позиции стоит не только по отношению к войне, но, главное, по отношению к данному внутреннему положению *военной* России. Он не умнее тамошних эмигрантов, но он *здесь*, а потому он видит, что здесь такое. А эмигранты слепы. Я даже боюсь, что все эмигранты слепы, всех толков, и «призывисты» и не призывисты. По-разному, но в равной степени. Ибо и противо-призывисты, отрицающие войну, тоже путного не говорят, отрицают просто и глупо, вне времени и пространства. А такого узкого и близкого положения, что *при этом правительстве Россия прилично с войной не развяжется*, — не понимают вовсе, и конечно, ничего дальнейшего, что из этой аксиомы вытекает.

Да, вот тут важно: а вдруг — все равно будет... что?

Мои юные поэты, студенты и другие — постепенно преображаются, являясь в защитках. Кого взяли в солдаты, кого в юнкера, кто приспособился к лазарету. Все там будем. Живы еще гимназисты и барышни.

Газеты... пишут о театре. Даже Б. Суворину запретили писать без предварительной цензуры и оштрафовали за заметку на 3 тысячи.

Большею частью газеты белы, как полотно.

Молчание. Мороз крепкий (15° с ветром). «Чертоград» замерз. Ледяной покой... и даже без «капризов».

Хвостов, стиснув зубы, «охраняет» Гришку. Впрочем, черт их разберет, кто кого охраняет. У Гришки охрана, у Хвостова своя, хвостовские наблюдатели наблюдают за гришкиными, гришкины — за хвостовскими.

Господи, как передать сознательное *ощущение* волоска, на котором все висит? Сознательное, но недоказуемое. Видишь — а другой не видит. А издали, как ни расписывай, и самый зрячий не увидит. Ничего. О нашем, русском, внутреннем *военном* положении...

...Споры только сбивают с толку. Замечательная русская черта: непонимание точности, слепота ко всякой мере. Если я не «жажду победы» — значит, я «жажду поражения». Малейшая общая критика «побединцев», просто разбор положения — повергает в ярость и все кончается одним: если ты не националист — значит, ты за Германию. Или открыто будь «пораженцем» и садись в тюрьму, как чертова там Роза Люксембург села, — или закрой глаза и кричи «ура», без рассуждений.

То «или-или» — какого в жизни не бывает.

Да я сейчас даже не именно войной занята и не решением принципиальных вопросов, нет: близким, узким — сейчасной Россией (при войне). Какая-то *чреватость* в воздухе; ведь нельзя же только — *ждать!*

Сыщики не отходят от нашего подъезда.

> И скоро я — который раз!
> Сберу бумажные завалы,
> И отвезу — который раз!
> Чтоб спрятали их генералы.

Право, придется все сбирать, и мои многочисленные стихи и всякую, самую частную литературу. У родственных Д. В. генералов вернее сбережется.

Следят, конечно, не за нами... Хотя теперь следят за всеми. А если найдут о Грише непочтительное...

Хотела бы я знать, как может понять нормальный англичанин вот это чувство слежения за твоими мыслями, когда у него этого опыта не было, и у отца, и у деда его не было?

Не поймет. А я вот чувствую глаза за спиной, и даже сейчас (хоть знаю, что сейчас реально глаз нет, а завтра это будет запечатано до лучших времен и увезено из дома) — я все-таки не свободна и не пишу все, что думаю.

Душа человеческая разрушается от войны — тут нет ничего неожиданного. Для видящих. А другие — что делать! — пусть примут это, неожиданное, хоть с болью — но как факт. Пора.

Лев Толстой в «Одумайтесь» (по поводу Японской войны) потрясающе ярок в отрицательной части и детски-беспомощен во второй, положительной. Именно детски. Требование чуда (внешнего) от человечества не менее «безнравственно» (терминология Вейнингера), нежели требование чуда от Бога. Пожалуй, еще безнравственнее и аналогичное, ибо это — развращение воли.

Кто спорит, что *чудо* могло бы прекратить войну. Момент неделанья, который требует Толстой от людей сразу, сейчас, в то время, когда уже делается война, — чудо. Взывать к чуду — развращать волю.

Все взяты на войну. Или почти все. Все ранены. Или почти все. Кто не телом — душой.

> Роет тихая лопата,
> Роет яму не спеша.
> Нет возврата, нет возврата,
> Если ранена душа...

И душа в порочном круге, всякий день. Вот мать, у которой убили сына. Глаз на нее поднять нельзя. Все рассуждения, все мысли перед ней замолкают. Только бы ей утешение.

Мало мы понимаем. Может быть, живем только по легкомыслию. Легкомыслие проходит (его отпущенный запас) — и мы умираем.

Не пишется о фактах, о слухах, о делах нашего «тыла». Мы верного ничего не знаем. А что знаем — тому не верим; да и таким все кажется ничтожным. Неподобным и нелепым.

Мы стараемся никого не видеть. Видеть — это видеть не людей, а голое страдание.

Интеллигенция загнана в подполье. Копошится там, как белые, вялые мухи.

Если моя непосредственная жажда, чтобы война кончилась, жажда *чуда* — да простит мне Бог. Не мне — *нам*, ибо нас, обуянных этой жаждой, так много, и все больше...

Мое странное состояние (не пишется о фактах и слухах и все ничтожно) не мое только состояние: общее. Атмосферное.

В атмосфере глубокий и зловещий *штиль*. Низкие-низкие тучи — и тишина.

Никто не сомневается, что будет революция. Никто не знает, какая и когда она будет, и — не ужасно ли? — никто не думает об этом. Оцепенели.

Заботит, что нечего есть, негде жить, но тоже заботит полутупо, оцепенело.

Против самых невероятных, даже не дерзких, а именно невероятных, шагов правительства нет возмущения, даже нет удивления. Спокойствие... отчаянья. Право, не знаю.

Очень «притайно». Дышит ли тайной?

Может быть, да, может быть, нет. Мы в полосе штиля. Низкие, аспидные тучи.

Единственно, что написано о войне — это потрясающие литании Шарля Пеги, французского поэта, убитого на Марне. Вот что я принимаю, ни на линию не сдвигаясь с моего бесповоротного и цельного отрицания идеи войны.

Эти литании были написаны за два года *до* войны. Таков гений.

Не заставить ли себя нарисовать жанровую картинку из современной (вориной) жизни? Уж очень банально, ибо воры — все. Все тащат, кто сколько захватит, от миллиона до рубля. Ниже брезгают, да есть ли ниже? Наш рубль стоит копейку.

Был у нас Вол. Ратьков. (Он с первого дня на войне.) Грудь в крестах. А сам, по-моему, сумасшедший. Все они полусумасшедшие «оттуда». Все до слез доводящие одним видом своим.

По местам бунты. Бастовали заводы: солдаты не захотели быть усмирителями. Пришлось вызвать казаков. Не знаю, чем это кончилось. Вообще мы мало (все) знаем. Мертвый штиль, безлюбопытный, не способствует осведомлению.

Понемногу мы все в корне делаемся «цензурными». Привычка. Китайский башмачок. Сними его поздно — нога не вырастет.

В самом деле, темные слухи никого не волнуют, хотя всем им вяло верят. Занимает дороговизна и голод. А фронты... Насколько можно разобраться — кажется, все в падении.

...и дикий мир
В безумии своем застыл.

Люди гибнут, как трава, облетают, как одуванчики. Молодые, старые, дети... все сравнялись. Даже глупые и умные. Все — глупые. Даже честные и воры. Все — воры.

Или сумасшедшие.

Россия — очень большой сумасшедший дом. Если сразу войти в залу желтого дома, на какой-нибудь вечер безумцев, — вы, не зная, не поймете этого. Как будто и ничего. А они все безумцы.

Есть трагически помешанные, несчастные. Есть и тихие идиоты, со счастливым смехом на отвисших устах собирающие щепочки и, не торопясь, хохоча, поджигающие их серниками. Протопопов из этих «тихих». Поджигательству его никто не мешает, ведь его власть. И дарована ему «свыше».

Таково данное.

Первого (ноября) открылась Дума. Милюков произнес длинную речь, чрезвычайно для него резкую. Говорил об «измене» в придворных и правит. кругах, о роли царицы Ал., о Распутине (да, и о Грише!), Штюрмере, Манасевиче, Питириме — о всей клике дураков, шпионов, взяточников и просто подлецов. Приводил факты и выдержки из немецких газет. Но центром речи его я считаю следующие, по существу ответственные, слова: «Теперь мы видим и знаем, что с этим пр-вом мы так же не можем законодательствовать, как не можем вести Россию к победе».

Цитирую по стенограмме. Нового тут ничего нет, дело известное. Милюкову можно бы сказать с горечью: «Теперь видите?» — и прибавить: «Не поздно ли?»

Но не в том дело. Для него лучше поздно, чем никогда. А вот почему эти ответственные слова фактически — безответственны? Увидели, что «ничего не можем с ними»... и продолжаем с ними? Как же так?

Речь произвела в Думе впечатление. Чхеидзе и Керенскому просто закрыли рот. Всем остальным не просто, а по-печатному. Не только речь Милюкова, но и речи правых, и даже все попытки «своими средствами» передать что-либо о думском заседании — было истреблено. Даже заголовки не позволили.

Вечером по телефону из цензуры сказали: «Вы поменьше присылайте, нам приказ поступать *по-зверски*».

На другой день вместо газет вышла небывало белая бумага. Тоже и на третий, и далее.

Министры не присутствовали на этом первом заседании Думы, но им тотчас все было доложено. Собравшись вечером экстренно, они решили привлечь Милюкова к суду по 103 ст. (оскорбление величества). Не верится, ибо слишком это даже для них глупо.

Следующие заседания протекли столь же возбужденно (Аджемов, Шульгин) и столь же бело в газетах.

«Блокисты» решительно стали в глазах пр-ва — «крамольниками». Увы, только в глазах пр-ва. Если бы с горчичное зерно попало в них «крамольства» действительно! Именно крошечное зернышко в них — целый капитал. Но капитала они не приобрели, а невинность потеряли очень определенно.

Сегодня даже было в газетах заявление Родзянко, что «отчеты не появляются в газетах по независящим обстоятельствам». Сегодня же и прᴎвенное сообщение: «Не верить темным слухам о сепаратном мире, ибо Россия будет твердо и неуклонно...» и т. д.

Царь только вчера получил речь Милюкова и дал телеграмму, чтобы Шуваев и Григорович поскорее бросились в Думу и покормили ее шоколадом уверения, заверения и уважения. Эти так сегодня и сделали.

Штюрмеру, видно, несдобровать. Уж очень прискандален. Хотят, нечего делать, его «уйти». Назначить Григоровича исполняющим должность премьера, а выдвинуть снова Кривошеина. Отчего это у нас все или «поздно» — или «рано»? Никогда еще не было — «пора».

Милюков увидел правду — «поздно» (и сам не отрицает), но дальше увидения — идти «рано». Два-три года тому назад, когда лезли с Кривошеиным, было ему «рано». Теперь никто, ни он сам, не сомневаются, что давным-давно — «поздно».

Вот в этом вся суть: у нас, русских, нет внутреннего понятия о времени, о часе, о «пора». Мы и слова этого почти не знаем. Ощущение это чуждо.

Рано для революции (ну, конечно) и поздно для реформ (без сомнения!).

Рано было бороться с пр-вом даже так, как сейчас борются Милюков и Шульгин... и уже поздно — теперь.

Нет выхода. Но и не может быть его у народа, который не понимает слова «пора» и не умеет произнести в пору это слово.

Что нам пишут о фронте — мы почти и не читаем. Мы с ним давно разъединены: умолчаниями, утомлениями, беспорядочно-страшным тыловым хаосом. Грозным.

Да, грозным. Если мы ничего не сделаем — сделается *что-то* само. И лик его темен.

Не знаю, как нынешнюю зиму сложатся собрания нашего Общества. Думаю, мало что выйдет. Первая «военная» зима (14—15) прошла очень остро, в борьбе между «нами», религиозными осудителями войны, как таковой, и «ними», старыми «националистами», вечными. Вторая зима (15—16) началась, после долгих споров, вопросом «конкретным», докладом Дм. Вл. Философова о церкви и государстве, по поводу «записки» думских священников, весьма слабой и реакционной. Были, с одной стороны, эти священники, беспомощно что-то лепетавшие, с другой стороны — видные думцы. Между прочим, говорил тогда и Керенский.

Должна признаться, что я не слышала ни одного слова из его речи. И вот почему: Керенский стоял не на кафедре, а вплотную за моим стулом, за длинным зеленым столом. Кафедра была за нашими спинами, а за кафедрой, на стене, висел громадный, во весь рост, портрет Николая II. В мое ручное зеркало попало лицо Керенского и, совсем рядом, — лицо Николая. Портрет очень недурной, видно похожий (не Серовский ли?). Эти два лица *рядом*, казавшиеся даже на одной плоскости, т. к. я смотрела в один глаз, — до такой степени заинтересовали меня своим гармоничным контрастом, своим интересным «аккордом», что я уже ничего и не слышала из речи Керенского. В самом деле, смотреть на эти два лица рядом — очень поучительно. Являются самые неожиданные мысли, — именно благодаря «аккорду», в котором, однако, все — вопящий диссонанс.

На заседание нынешнего Совета явились к нам два старообрядческих епископа: Иннокентий и Геронтий. И два с ними начетчика. Один сухонький, другой плотный, розовый, бородатый, но со слезой, — меховщик Голубин.

Я тщательно проветрила комнаты и убрала даже пепельницы, не только папиросы.

Сидели владыки в шапочках, кои принесли с собой в саквояжике. Синие пелеринки (манатейки) с красным кантиком. Молодые, истовые. Пили воду (вместо чая). Решительно и положительно, даже как-то мило, ничего не понимают. Еще бы. Консервация — их суть, весь их смысл.

Заседание о Михаиле будет, вероятно, уже после нашего отъезда.

Прошлое, первое нынче осенью, не было очень интересно. Книга Бердяева интересна лишь в смысле ее приближения к полуизуверской секте «Чемряков» — Щетининцев. Эту секту, после провала старца — Щетинина, подобрал прохвост Бонч-Бруевич (Щетинин — неудачливый Распутин) и начал обрабатывать оставшихся последователей на «божественную» социал-демократию большевистского пошиба. Очень любопытно.

И чего только нет в России! Мы сами даже не знаем. Страна великих и пугающих нелепостей.

О данном часе истории и о данном положении России и хочется говорить. Еще о том, как бессильно мы, русские сознательные люди, враждуем друг с другом... не умея даже сознательно определить свою позицию и найти для нее соответственное имя.

Целая куча разномыслящих окрещена именем «пораженцев», причем это слово давно изменило свой смысл первоначальный. Теперь пораженка я, Чхенкели и — Вильсон. А ведь слово Вильсона — первое честное, разумное, по-земному святое слово о войне (мир без победителей и без побежденных как единое разумное и желанное окончание войны).

А в России зовут «пораженцем» того, кто во время войны смеет говорить о чем-либо, кроме «полной победы». И такой «пораженец» равен — «изменнику» родины. Да каким голосом, какой рупор нужен, чтобы кричать: война *все равно* так в России не кончится! Все равно — будет крах! Будет! Революция или безумный бунт: тем безумнее и страшнее, чем упрямее отвертываются от бессомненного те, что ОДНИ могли бы, приняв на руки вот это идущее, сделать из него «революцию». Сделать, чтоб это была ОНА, а не всесметающее Оно.

И ведь видят как будто. Не Милюкова ли слова: «С этим пр-вом мы не можем вести войну!..» Конечно, не можем. Конечно, нельзя. А если нельзя — то ведь ясно же: *будет крах*. Наши политические разумные верхи ведут свою, чисто оппозиционную и

94

абсолютно безуспешную политику (правый блок), единственный результат которой — их полное отъединение от низов. Поэтому то, что будет, — будет голо — снизу.

Будет, значит, крах: бунт, анархия... почем я знаю! Я боюсь, ибо во время войны революция *только снизу* — особенно страшна. Кто ей поставит пределы? Кто будет кончать ненавистную войну? Именно кончать?

«Другой препояшет тебя и поведет, куда не хочешь»... несчастный народ, несчастная Россия... Нет, не хочу. Хочу, чтобы это была именно Революция, чтобы она взяла, честная, войну в свои руки и докончила ее. Если она кончит — то уж прикончит. Убьет.

Вот чего хотим мы, сегодняшние так называемые «пораженцы». Пораженцы?

Нас убеждают еще наши противники, что надо теперь лишь в тиши «подготовлять» революцию, а чтобы была она — *после* войны. После того, как «Россия с этим правительством», с которым она «не может вести войну», доведет ее до конца? О, реальные политики! Такого выбора: революция или революция *после* войны — совсем *нет*. А есть совсем другой. Вот мы, «пораженцы», и выбираем революцию, выбираем нашей горячей надеждой, что будет Она, а не страшное, м. б. длительное, м. б. даже бесплодное *Оно*. Ведь и «по Милюкову» других выборов нет...

Или я во всем ошибаюсь? А если Россия может в позоре рабства до конца войны дотащиться? Может? Не может?

Допускаю, что может. Но допускаю формально вопреки разуму. А уже веры нет ни капли. Я этого не представляю себе и ничего об этом не могу говорить.

А чуть гляжу в другое — я живая мука, и страх, что будет «Оно», гибло-ужасное, и надежда, что нет, что мы успеем...

Даже не помнится об этом жалком дворцовом убийстве пьяного Гришки.

Было — не было, это важно для Пуришкевича. Это не то.

А что России так не «дотащиться» до конца войны — это важно. Не дотащиться. Через год, через два (?), но *будет что-то*, после чего: или мы победим войну, или война победит нас.

Ответственность громадная лежит на наших государственных слоях интеллигенции, которые сейчас одни могут действовать. Дело решится в зависимости от того, в какой мере они окажутся внутри Неизбежного, причастны к нему, т. е. и властны над ним.

Увы, пока они думают не о победе над войной, а только над Германией. Ничему не учатся. Хоть бы узкий переворот подготавливали. Хоть бы тут подумали о «политике», а не о своей доктринской «честной прямоте» парламентских деятелей (причем у нас «нет парламента»).

Я говорю — год, два... Но это абсурд. Скрытая ненависть к войне так растет, что войну надо, и для окончания, *оканчивания*, как-то иначе повернуть.

Надо, чтоб война стала войной для *конца* себя. Или ненависть к войне, распучившись, разорвет ее на куски. И это будет не конец: змеиные куски живут и отдельно.

Вернувшись под аспидное небо, к слепой твердости «приявших войну» — не ослепну ли я? Нет, просто буду молчать — и ждать бессильно. При каждом случае гадая в страхе и сомнении: еще не то. Или то? Нет, еще не сегодня. Завтра? Или послезавтра?

Я ничего не могу изменить, только знаю, что *будет*. А кто мог бы, не линийку, — те не знают, что *будет*. Слова?

> «...Слова — как пена,
> Невозвратимы — и ничтожны...
> Слова измена,
> Когда деянья невозможны...»

Я не фаталистка. Я думаю, что люди (воля) что-то весят в истории. Оттого так нужно, чтобы видели жизнь те, кто может действовать.

Быть может, и теперь уже поздно. А когда придет Она или Оно — поздно наверно. Уж какое будет. Ихнее — нижнее — только нижнее. А ведь война. Ведь *война*!

Если начнется ударами, периодическими бунтами, то авось, кому надо, успеют понять, принять, помочь... Впрочем, я не знаю, как будет. Будет. Надоело все об одном. Выбора нет.

«Не революция — блевотина войны»

Глубокие снега, жестокий мороз. Но по утрам в Таврическом саду небо розово светит. И розовит мертвый, круглый купол Думы.

Убийство Гришки и здесь продолжает мне казаться жалкой вещью. Заговорщиков и убийц, «завистливых родственников», разослали по вотчинам, а Гришку в Царском Селе вся высочайшая семья хоронила.

Теперь ждем чудес на могиле. Без этого не обойдется. Ведь мученик. Охота была этой мрази венец создавать. А пока болото — черти найдутся, всех не перебьешь.

Ради нового премьера Думу отложили на месяц. Пусть к делам приобыкнет, а то ничего не знает.

Да чуть не все новые, незнающие. Т. е. все самые старые. Протопопов набрал. А он крепок, особенно теперь, когда Гришенькино место пусто. Протопопов же сам с «божественной слезой» и на прорицания, хотя еще робко, но уже посягает.

Со стороны взглянуть — комедия. Ну, пусть чужие смеются. Я не могу. У меня смех в горле останавливается.

Ведь это — мы. Ведь это Россия в таком стыде.

И что еще будет!

Петербург полон самыми злыми (?) слухами. Да уж и не слухами только. Очень определенно говорят, что к 14-му, к открытию Думы, будет приурочено выступление рабочих. Что они пойдут к Думе изъявлять поддержку ее требованиям... очевидно, оппозиционным, но каким? Требованиям ответственного министерства, что ли, или Милюковского — «доверия?» Слухи не определяют.

Мне это кажется нереальным. Ничего этого, думаю, не будет. Причин много, почему не будет, а главная и первая (даже упраздняющая перечисление других) это — что рабочие думский блок *поддерживать не будут*.

Керенский возмущенно рассказывал недавнюю историю ареста рабочих из военно-промышленного комитета и поведение, всю позицию Милюкова при этом случае. Керенский кипятился, из себя выходил — а я только пожимала плечами. Ничего нового, Милюков и его блок верны себе. Были слепы и пребывают в слепоте (хотя *говорят*, что видят, значит, «грех остается на них»).

Керенский непоседлив и нетерпелив, как всегда. Но он прав глубоко, даже в нетерпении и возмущении своем. Провожая его, в передней, я спросила (после операции мы еще не видались):

— Ну, как же вы теперь себя чувствуете?

— Я? Что ж, физически — да, лучше, чем прежде, а так... лучше не говорить.

Махнул рукой с таким отчаянием, что я вдруг вспомнила один из его давнишних телефонов: «А теперь будет то, что начинается с а...»

А рабочие все же не пойдут 14-го поддерживать Думу.

Слухи о готовящихся выступлениях так разрослись перед 14-м, что думцы-блокисты стали пускать контрслухи, будто выступления предполагаются провокаторские.

Тогда я позвонила к одному из «нереальных» политиков, т. е. к одному из левых интеллигентов. Правда, лично он звезд не хватает и в политике его, всяческой, я весьма сомневаюсь, — даже в правильной информации сомневаюсь, — однако насчет «провокации» может знать.

Он ее отверг и был очень утвердителен насчет скорых возможностей: «Движение в прекрасных руках».

Между тем 14-го, как я предрекала, ровно ничего не случилось.

Вернее — случилось большое «Ничего». Протопопов делал вид, что беспокоится, наставил за воротами пулеметов (особенно около Думы, на путях к ней; мы, например, кругом в пулеметах), собрал преображенцев...

Но и в Думе было — Ничего. Министров ни малейших. Охота им туда ездить, только время тратить! Блокистам дан был, для точения зубов, один продовольственный Риттих, но он мудро завел шарманку на два часа, а потом блокисты скисли. «Он сорвал настроение Думы», — писали газеты.

Милюков попытался, но не смог. Повторение всем надоело. Кончил: «Хоть с этим правительством Россия не может победить, но мы должны вести ее к полной победе, и она победит» (?).

С тех пор, вот неделя, так и ползет: ни шатко, ни валко. Голицын в Думу вовсе носа не показал и ни малейшей «декларацией» никого не удостоил.

Протопопов предпочитает ездить в Царское, говорить о божественном.

Белые места в газетах запрещены (нововведение), и речи думцев поэтому столь высоко обессмыслены, что даже Пуришкевич застонал: «Не печатайте меня вовсе!»

Говорил дельное Керенский, но такое дельное, что пр-во затребовало его стенограмму. Дума прикрыла, не дала.

С хлебом, да и со всем остальным, у нас плохо.

А в общем — опять *штиль*. Даже слухи, после четырнадцатого, как-то внезапно и странно сгасли. Я слышала, однако, вскользь (не желая настаивать), будто все осталось, а 14-го будто ничего не было, ибо «не желали связывать с Думой». Ага! Это похоже на правду. Если даже все остальное вздор, то вот это психологически верно.

Но констатирую полный внешний штиль всей недели. Опять притайно. Дышит ли тайной?

Может быть — да, может быть — нет. Мы так привыкли к вечному «нет», что не верим даже тому, что наверно знаем.

И раз делать ничего не можем — то боимся одинаково и «да» и «нет».

Я ведь знаю, что... будет. Но нет смелости желать, ибо... Впрочем, об этом слишком много сказано. Молчание.

Театры полны. На лекциях биток. У нас в Рел.-Фил. Об-ве Андрей Белый читал дважды. Публичная лекция была ничего, а закрытое заседание довольно позорное: почти не могу видеть эту праздную толпу, жаждущую «антропософии». И лица с особенным выражением — я замечала его на лекциях-проповедях Штейнера: выражение удовлетворяемой похоти.

Особенно же противен был, вне программы, неожиданно прочтенный патриото-русопятский «псалом» Клюева. Клюев — поэт в армяке (не без таланта), давно путавшийся с Блоком, потом валандавшийся даже в кабаре «Бродячей Собаки» (там он ходил в пиджачной паре), но с войны особенно вверзившийся в «пейзанизм». Жирная, лоснящаяся физиономия. Рот круглый, трубкой. Хлыст. За ним ходит «архангел» в валенках.

Бедная Россия. Да опомнись же!

Беспорядки. Никто, конечно, в точности ничего не знает. Общая версия, что началось в Выборгской, из-за хлеба. Кое-где остановили трамваи (и разбили). Будто бы убили пристава. Будто бы пошли на Шпалерную, высадили ворота (сняли с петель) и остановили завод. А потом пошли покорно, куда надо, под конвоем городовых, — все «будто бы».

Опять кадетская версия о провокации, — что все вызвано «провокационно», что нарочно, мол, спрятали хлеб (ведь остановили железнодорожное движение?), чтобы «голодные бунты» оправдали желанный правительству сепаратный мир.

Вот глупые и слепые выверты. Надо же такое придумать!

Боюсь, что дело гораздо проще. Так как (до сих пор) никакой картины организованного выступления не наблюдается, то очень похоже, что это обыкновенный голодный бунтик, какие случаются и в

Германии. Правда, параллелей нельзя проводить, ибо здесь надо учитывать громадный факт саморазложения правительства. И вполне учесть его нельзя, с полной ясностью.

Как в воде, да еще мутной, мы глядим и не видим, в каком расстоянии мы от краха.

Он неизбежен. Не только избежать, но даже изменить его как-нибудь — мы уже не в состоянии (это-то теперь ясно). Воля спряталась в узкую область просто желаний. И я не хочу высказывать желания. Не нужно. Там борются инстинкты и малодушие, страх и надежда, там тоже нет ничего ясного.

Если завтра все успокоится и опять мы затерпим — по-русски тупо, бездумно и молча, — это ровно ничего не изменит в будущем. Без достоинства бунтовали — без достоинства покоримся.

Ну, а если без достоинства — не покоримся? Это лучше? Это хуже?

Какая мука. Молчу. Молчу.

Думаю о войне. Гляжу в ее сторону. Вижу: коллективная усталость от бессмыслия и ужаса овладевает человечеством. Война верно выедает внутренности человека. Она почти гальванизированная плоть, тело, мясо — дерущееся.

Царь уехал на фронт. Лафа теперь в Царском Г-ке «пресекать». Хотя они «пресекать» будут так же бессильно, как мы бессильно будем бунтовать. Какое из двух бессилий победит?

Бедная земля моя. Очнись!

Однако дела не утихают, а как будто разгораются. Медленно, но упорно. (Никакого систематического

103

плана не видно, до сих пор; если есть что-нибудь — то небольшое, и очень внутри.)

Трамваи остановились по всему городу. На Знаменской площади был митинг (мальчишки сидели, как воробьи, на памятнике Ал. III). У здания Гор. Думы была первая стрельба — стреляли драгуны.

Пр., по настоянию Родзянки, согласилось передать продовольственное дело городскому управлению. Как всегда — это поздно. Риттих клялся Думе, что в хлебе недостатка нет. Возможно, что и правда. Но даже если... то, конечно, и это «поздно». Хлеб незаметно забывается, забылся, как случайность.

Газеты завтра не выйдут, разве «Новое время», которое долгом почтет наплевать на «мятежников». Хорошо бы, чтобы они пришли и «сняли» рабочих.

Все-таки я еще не знаю, чем и как может это (хорошо) окончиться. Ведь — 1905–1906 год пережили, когда сомнения не было, что не только хорошо кончится, но уж кончилось. И вот...

Но не забуду: теперь все другое. Теперь безмернее все, ибо война безмерна.

Карташев упорно стоит на том, что это «балет», — и студенты, и красные флаги, и военные грузовики, медленно двигающиеся по Невскому за толпой (нет проезда), в странном положении конвоирующих эти красные флаги. Если балет... какой горький, зловещий балет! Или...

Предрекают решительный день (воскресный). Не начали бы стрелять вовсю. А тогда... это тебе не Германия, и уж выйдет не «бабий» бунт. Но я боюсь говорить. Помолчим.

Дума — «заняла революционную позицию»... как вагон трамвая ее занимает, когда поставлен поперек рельс. Не более. У интеллигентов либерального толка вообще сейчас ни малейшей связи с движением. Не знаю, есть ли реальная и у других (сомневаюсь), но у либерало-оппозиционистов нет связи даже созерцательно-сочувственной. Они шипят: какие безумцы! Нужно с армией! Надо подождать! Теперь все для войны! Пораженцы!

Никто их не слышит. Бесплодно охрипли в Думе. И с каждым нарастающим мгновением они как будто все меньше делаются нужны. («Как будто!» А ведь они нужны!)

Если совершится... пусть не в этот, в двадцатый раз, — опоздавшим либералам солоно будет это сознание. Неужели так никогда и не поймут они свою ответственность за настоящие и... будущие минуты?

В наших краях спокойно. Наискосок казармы, сзади казармы, напротив инвалиды. Поперек улицы шагает часовой.

Бедная Россия. Незачем скрывать — есть в ней какой-то подлый слой. Вот те, страшные, наполняющие сегодня театры битком. Да, битком сидят на «Маскараде» в Имп. театре, пришли ведь отовсюду пешком (иных сообщений нет), любуются Юрьевым и постановкой Мейерхольда — один просцениум стоил 18 тысяч. А вдоль Невского стрекочут пулеметы. В это же самое время (знаю от очевидца) шальная пуля застигла студента, покупавшего билет у барышника. Историческая картина!

Все школы, гимназии, курсы — закрыты. Сияют одни театры и... костры расположившихся на улицах бивуаком войск. Закрыты и сады, где мирно гуляли дети: Летний и наш, Таврический. Из окон на Невском стреляют, а «публика» спешит в театр. Студент живот свой положил ради «искусства»...

Но не надо никого судить. Не судительное время — грозное. И что бы ни было дальше — *радостное*. Ни полкапли этой странной, внеразумной, живой радости не давала ни секунды война. Нет оправдания войне — для современного человеческого существа. Все в войне кричит для нас: «Назад!» Все в революционном движении: «Вперед!» Даже при внешних сближениях — вдруг, точно искра, *качественное* различие. Качественное.

Слишком ясно вдруг все понялось. Вся позиция Комитета, вся осторожность и слабость его «заявлений» — все это вот отчего: в них теплится еще надежда, что царь утвердит этот комитет, как официальное правительство, дав ему широкие полномочия, может быть, «ответственность» — почем я знаю! Но еще теплится, да, да, как самое желанное, именно эта надежда. Не хотят они никакой республики, не могут они ее выдержать. А вот, по-европейски, «коалиционное министерство», *утвержденное Верховной Властью*... — Керенский и Чхеидзе? Ну, они из «утвержденного»-то автоматически выпадут.

Самодержавие так всегда было непонятно им, что они могли все чего-то просить у царя. Только просить могли у «законной власти». Революция свергла эту власть — без их участия. Они не свергали. Они лишь механически остались на поверхности — сверху. Пассивно-явочным порядком. Но они *естественно* безвластны, ибо *взять* власть они не могут, власть должна быть им дана, и дана сверху; раньше, чем они себя почувствуют *облеченными* властью, они и не будут властны.

Я хочу, явно, чуда.
И вижу больше, чем умею сказать.

Ведь вот: между *эволюционно-творческим* и *революционно-разрушительным* — пропасть в данный момент. И если не будет наводки мостов и не пойдут по мостам обе наши теперешние, сильные, неподвижности, претворяясь друг в друга, создавая третью силу, *революционно-творческую*, — «Россия (да и обе неподвижности) свалятся в эту пропасть.

В аполитических низах, у просто «улицы», переходящей в «демократию», общее настроение: против Романовых (отсюда и против «царя», ибо, к счастью, это у них неразрывно соединено). Потихоньку всплывает вопрос церкви. Ее собственная позиция для меня даже неинтересна, до такой степени заранее могла быть предугадана во всех подробностях. Кое-где на образах — красные банты (в церкви). Кое в каких церквах — «самодержавнейший». А в одной священник объявил притчу: «Ну, братцы, кому башка недорога — пусть поминает, а я не буду». Здесь священник проповедует покорность новому «благоверному правительству» (во имя невмешательства церкви в политику); там — плачет о царе-помазаннике, с благодатью... К такому плачу слушатели относятся разно: где-то плакали вместе с проповедником, а на Лиговке солдаты повели батюшку вон. Не смутился; можете, говорит, убить меня за правду... Не убили, конечно.

Со жгучим любопытством прислушиваюсь тут к аполитической, уличной, широкой демократии. Одни искренно думают, что «свергли царя» — значит, «свергли и церковь» — «отменено учреждение». Привыкли сплошь соединять вместе, неразрывно. И логично. Хотя говорят «церковь» — но весьма подразумевают «попов», ибо насчет церкви находятся в самом полном, круглом невежестве. (Естественной.) У более безграмотных это более выпукло: «Сама видела, написано: долой монахию. Всех, значит, монахов по шапке». Или: «А мы нынче нарочно в церкву пошли, слушали-слушали, дьякон бормочет, поминать не смеет, а других слов для служения нет, так и кончили, почитай, без службы...»

Солдат подхватывает:

— Понятное дело. Как пойдут, бывало, частить и старуху и родичей... Глядь — и обедня...

В Кронштадте и Гельсингфорсе убито до 200 офицеров. Гучков прямо приписывает это Приказу № 1. Адм. Непенин телеграфировал: «Балтийский флот, как боевая единица, не существует. Пришлите комиссаров».

Поехали депутаты. Когда они выходили с вокзала, а Непенин шел к ним навстречу, — ему всадили в спину нож.

Здесь, между «двумя берегами», правительственным и «советским», нет не только координации действий (разве для далекого и грубого взора), но почти нет контакта.

Интеллигенция силой вещей оказалась на ЭТОМ берегу, т. е. на правительственном, кроме нескольких: 1) фанатиков, 2) тщеславцев, 3) бессознательных, 4) природно-ограниченных. В данный момент и все эти разновидности уже не владеют толпой, а она ими владеет. Да, Россией уже правит «митинг» со своей митинговой психологией, а вовсе не серое, честное, культурное и бессильное (а-революционное) Вр. пр-во. Пока, впрочем, не Россией, а лишь Петербургом правит; но Россия — неизвестность.

Контакта с вооруженным митингом у нас, интеллигентов правительственной стороны, очень мало и через отдельных интеллигентов-выходцев, ибо они очень охраняют «тот берег».

Есть еще средняя часть, безвластная абсолютно: распыленные эсеры, например. Они «туда» лишь вхожи. Большинство из них просто в ужасе, как Ив. Разумник и Мстиславский.

Керенский — сейчас единственный ни на одном из «двух берегов», а там, где быть надлежит: с русской революцией. Единственный. Один. Но это страшно, что один. Он гениальный интуит, однако не «всеобъемлющая» личность: одному же вообще никому сейчас быть нельзя. А что на верной точке сейчас только один — прямо страшно.

Или будут многие и все больше, — или и Керенский сковырнется.

Роль и поведение Горького — совершенно фатальны. Да, это милый, нежный готтентот, которому подарили бусы и цилиндр. И все это «эстетное» трио по «устройству революционных празднеств» (похорон?) весьма фатально: Горький, Бенуа и Шаляпин. И в то же время, через Тихоно-Сухановых, Горький опирается на самую слепую часть «митинга».

В России, по газетам, спокойно. Но и в Петербурге, по газетам, спокойно. И на фронте, по газетам, спокойно. Однако Рузский просит прислать делегатов.

Бывают моменты дела, когда нельзя смотреть только на количество опасностей (и пристально заниматься их обсуждением). А я, на *этом* берегу, — ни о чем, кроме «опасностей революции», не слышу. Неужели я их отрицаю? Но верно ли это, что все (здесь) *только* ими и заняты? Я невольно уступаю, я говорю и о «митинге» и о Тришке-Ленине (о Ленине — это специальность Дмитрия: именно от Ленина он ждет самого худого), о проклятых «социалистах» (Карташев), о фронте и войне (Д. В.) и о каких-то планомерных «четырех опасностях» Ганфмана.

Я говорю, — но опасностей столько, что если говорить серьезно обо всех, то уже ни минуты времени ни у кого не останется.

Честное слово, не «с заячьим сердцем и огненным любопытством», как Карташев, следила я за революцией. У меня был тяжелый скепсис (он и теперь со мной, только не хочу я его *примата*), а карташевское слово «балет» мне было оскорбительно...

Но зачем эти рассуждения? Они здесь не нужны. Царь арестован. О Нилове и Воейкове умалчивается. Похорон на Дворцовой площади, кажется, не будет. Но где-нибудь да будут. От чего от чего, а от похорон никогда русский человек не откажется.

Можно бояться, можно предвидеть, понимать, можно знать, — все равно: этих дней наших предвесенних, морозных, белоперистых дней нашей революции у нас уже никто не отнимет. Радость. И такая... сама по себе радость, огненная, красная и белая. В веках незабвенная. Вот когда можно было себя чувствовать со *всеми*, вот когда... (а не в войне).

У нас «двоевластие». И нелепости Совета с его неумными прокламациями. И «засилие» большевиков. И угрожающий фронт. И... общее легкомыслие. Не от легкомыслия ли не хочу я ужасаться всем этим до темноты?

Но ведь я все вижу.

Время острое — я не забываю. Время страшное, я не забываю. И все-таки надо же немного верить в Россию. Неужели она никогда не нащупает *меры*, не узнает своих времен?

Бог спасет Россию.

Николай был дан ей мудро, чтобы она проснулась.

Какая роковая у него судьба. *Был ли он?*

Он, молчаливо, как всегда, проехал тенью в Царскосельский дворец, где его и заперли.

Вернется ли к нам цезаризм, самодержавие, державие? Не знаю; все конвульсии и петли возможны в истории. Но это всегда лишь конвульсии, лишь петли, которыми заворачивается единый исторический путь.

Россия освобождена — но не очищена. Она уже не в муках родов, — но она еще очень, очень больна. Опасно больна, не будем обманываться, разве этого я хочу? Но первый крик младенца *всегда радость*, хотя бы и знали, что еще могут погибнуть и мать и дитя.

Я подхожу к самому главному, чего доселе почти намеренно не касалась. Подхожу к самому сейчас острому вопросу — *вопросу о войне*.

Длить умолчаний дольше нельзя. Завтра в Совете он, кажется, будет обсуждаться решительно. В Совете? А в правительстве? Оно будет молчать.

Вопрос о войне должен, и немедля, найти свою дорогу.

Для меня, просто для моего человеческого здравого смысла, эта дорога ясна.

Это лишь продолжение той самой линии, на которой я стояла с начала войны. И, насколько я помню и понимаю, — Керенский. (Но знать — еще ничто. Надо *осуществлять знаемое*. Керенский теперь — при возможности осуществления знаемого. Осуществит ли? Ведь он — один.)

Для памяти, для себя, обозначу, хоть кратко, эту сегодняшнюю линию «о войне».

Вот: я *за* войну. То есть: за ее наискорейший и достойный *конец*.

Долой побединство! Война должна изменить свой лик. Война должна теперь стать действительно войной за свободу. Мы будем защищать *нашу* Россию от Вильгельма, пока он идет на нее, как защищали бы от Романова, если бы шел он.

Война, как таковая, — горькое наследие, но именно потому, что мы так рабски приняли ее и так долго сидели в рабах, — мы виноваты в войне. И теперь надо принять ее, как свой же грех, поднять ее, как подвиг искупленья, и с не прежней, новой, силой донести до настоящего конца.

Ей не будет настоящего конца, если мы отвернемся от нее. Мы отвернемся — она застигнет и задавит.

Безумным и преступным ребячеством звучат эти корявые прокламации: «...немедленное прекращение кровавой бойни...» Что это? «Глупость или измена?» — как спрашивал когда-то Милюков (о другом). Прекратите, пожалуйста, немедля. Не убивайте немцев — пусть они нас убивают. Но не будет ли именно тогда — «бойня»? Прекратить «по соглашению»? Согласитесь, пожалуйста, с немцами немедля. Ведь они-то — не согласятся. Да, в этом «немедля» только и может быть: или извращенное толстовство, или неприкрытое преступление.

Но вот что нужно и можно «немедля». Нужно, не медля ни дня, объявить, именно от нового русского, *нашего* правительства, русское новое военное «во

113

имя». Конкретно: необходима абсолютно ясная и совершенно твердая декларация насчет наших целей войны. Декларация, прежде всего чуждая всякому *побединству*. Союзники не смогут против нее протестовать (если бы втайне и хотели), особенно если хоть немного взглянут в нашу сторону и учтут наши «опасности» (им же грозящие).

Наши времена сократились. И наши «опасности» неслыханно, все, возрастают, если теперь, после революции, мы будем тянуть в войне ту же политику, совершенно ту же самую, форменно, как при царе. Да мы не будем — так как это *невозможно*; это само, все равно, провалится. Значит — изменить ее нужно...

Может быть, то, что я пишу — слишком общо, грубо и наивно. Но ведь я и не министр иностранных дел. Я намечаю сегодняшнюю схему действий — и, вопреки всем политикам мира, буду утверждать, что сию минуту, для нас, для войны, она верна. Осуществима? Нет?

Даже если неосуществима. Долг Керенского — пытаться ее осуществить.

Он один. Какое несчастие. Ему надо *действовать обеими руками (одной — за мир, другой — за утверждение защитной силы)*. Но левая рука его схвачена «глупцами или изменниками», а правую крепко держит Милюков с «победным концом». (Ведь Милюков — министр иностранных дел.)

Если будет крах... не хочу, не время судить, да и не все ли равно, кто виноват, когда уже будет крах! Но как тяжело, если он все-таки придет и если из-за него выглянут не только глупые и изменческие рожи, но лица людей честных, искренних и слепых; если еще раз выглянет лик думского «блока» беспомощной гримасой.

И к чему кипим мы во всем этом с такой глупой самоотверженностью? Самим нам негде своего слова сказать, «партийность» газетная теперь особенно расцветает, а туда «свободных» граждан не пускают. Внепартийная же наша печать вся такова, что в нее, особенно в данное время, мы сами не пойдем. Вся вроде «Русской воли» с ее красным бантом.

Писателям писать негде. Но мы примиряемся с ролью «тайных советников» и весьма самоотверженно ее исполняем. Сегодня я серьезно потребовала у Сытина, чтобы он поддержал газету Зензинова, а не Горького, ибо за Зензиновым стоит Керенский.

Керенский — тот же Керенский, что кашлял у нас в углу, запускал попавшийся под руку случайный детский волчок с моего стола (во время какого-то интеллигентского собрания. И так запустил, что доселе половины волчка нету, где-нибудь под книжными шкафами или архивными ящиками). Тот же Керенский, который говорил речь за моим стулом в Религ.-Филос. собрании, где дальше, за ним, стоял во весь рост Николай II, а я, в маленьком ручном зеркале, сблизив два лица, смотрела на них. До сих пор они остались у меня в зрительной памяти — рядом. Лицо Керенского — узкое, бледно-белое, с узкими глазами, с ребячески оттопыренной верхней губой, странное, подвижное, все — живое, чем-то напоминающее лицо Пьеро. Лицо Николая — спокойное, незначительно приятное (и, видно, очень схожее). Добрые... или нет, какие то «молчащие» глаза. Этот офицер был — точно отсутствовал. Страшно *был* — и все-таки страшно *не был*. Непередаваемое впечатление (и тогда) от сближенности обоих лиц. Торчащие кверху, короткие, волосы Пьеро-Керенского — и реденькие, гладенько-причесанные волосики приятного офицера. Крамольник — и царь. Пьеро — и «чародей». С.-р. под наблюдением охранки — и Его Величество Император Божьей милостью.

Сколько месяцев прошло? Крамольник — министр, царь под арестом, под охраной этого же крамольника. Я читала самые волшебные страницы самой интересной книги — Истории; и для меня, современницы, эти страницы иллюстрированы. Чародей, бедный, как смотрят теперь твои голубые глаза? Верно, с тем же спокойствием Небытия.

Но я совсем отошла в сторону — в незабываемое впечатление аккорда двух лиц — Керенского и Николая II. Аккорда такого диссонирующего — и пленительного, и странного.

Возвращаюсь. Итак, сегодня — это все тот же Керенский. Тот же... и чем-то неуловимо уже *другой*. Он в черной тужурке (министр-товарищ), как никогда не ходил раньше. Раньше он даже был «элегантен», без всякого внешнего «демократизма». Он спешит, как всегда, сердится, как всегда... Честное слово, я не могу поймать в словах его перемену, и, однако, она уже *есть*. Она чувствуется.

Бранясь «налево», Керенский о группе Горького сказал (чуть-чуть «свысока»), что очень рад, если будет «грамотная» большевистская газета, она будет полемизировать с «Правдой», бороться с ней в известном смысле. А Горький с Сухановым будто бы теперь эту борьбу и ставят себе задачей. «Вообще, ведут себя теперь хорошо».

Быть может, он на одну линийку *более* уверен в себе и во всем происходящем — *нежели нужно?*

Не знаю. Определить не могу.

Весенний день, не оттепель — а дружное таяние снегов. Часа два сидели на открытом окне и смотрели на тысячные процессии.

Сначала шли «женщины». Несметное количество; шествие невиданное (никогда в истории, думаю). Три, очень красиво, ехали на конях. Вера Фигнер — в открытом автомобиле. Женская и цепь вокруг. На углу образовался затор, ибо шли по Потемкинской войска. Женщины кричали войскам — «ура».

Буду очень рада, если «женский» вопрос разрешится просто и радикально, как «еврейский» (и тем падет). Ибо он весьма противен. Женщины, специализировавшиеся на этом вопросе, плохо доказывают свое «человечество». Перовская, та же Вера Фигнер (да и мало ли) занимались не «женскими», а общечеловеческими вопросами, наравне с людьми, и просто *были* наравне с людьми. Точно можно, у кого-то попросив, — *получить* «равенство»! Нелепее, чем просить у царя «революцию» и ждать, что он ее даст из рук в руки, готовенькую. Нет, женщинам, чтобы равными быть, — нужно равными становиться. Другое дело внешне облегчить процесс *становления* (если он действительно возможен). Это — могут женщинам дать мужчины, и я, конечно, за это дарование. Но процесс будет долог. Долго еще женщины, получив «права», не будут понимать, какие они с ними получили «обязанности». Поразительно, что женщины, в большинстве, понимают «право», но что такое «обязанность»... не понимают.

Когда у нас поднимался вопрос «польский» и т. п. (а вопросы в разрезе национальностей проще и целомудреннее «полового» разреза) — не ясно ли было, что думать следует о *вопросе русском*, остальные разрешатся сами — им? «Приложится». Так и «женские права».

Если бы заботу и силы, отданные «женской» свободе, женщины приложили бы к общечеловеческой, — они свою имели бы попутно, и не получили бы от мужчин, а завоевали бы *рядом* с ними.

Всякое специальное — «женское» движение возбуждает в мужчинах чувства весьма далекие именно от «равенства». Так, один самый обыкновенный человек, — мужчина, — стоя сегодня у окна, умилялся: «И ведь хорошенькие какие есть!» Уж, конечно, он за всяческие всем права и свободы. Однако на «женское шествие» — совсем другая реакция.

Вам это приятно, амазонки?

Газета Горького будет называться «Новая жизнь» (прямо по стопам «великого» Ленина в 1905–6 году). Так как редакция *против войны* (ага, безумцы! Это теперь-то!), а высказывать это в виду общего настроения будто бы невозможно (врут; а не врут — так в «настроение» вцепятся, его будут разъедать!), то газета будто бы этого вопроса вовсе не станет касать-

118

ся (еще милее! О «бо-зарах» начнут писать? Какое вранье!).

Правительство о войне (о целях войны) — молчит.

А Милюков, на днях, всем корреспондентам заявил опять, *прежним голосом*, что России нужны проливы и Константинополь. «Правдисты», естественно, взбесились. Я и секунды не останавливаюсь на том, нужны ли эти чертовы проливы нам или не нужны. Если они во сто раз нужнее, чем это кажется Милюкову, — во сто раз непростимее его фатальная *бестактность*. Почти хочется разорвать на себе одежды. Роковое непонимание момента, на свою же голову! (И хоть бы только на свою.)

Керенский должен был официально заявлять, что это личное мнение Милюкова, а не пр-ва. То же заявил и Некрасов. Очень красиво, нечего сказать. Хорошая дорога к «укрепление» пр-ва, к поднятию «престижа власти». А декларации нет как нет.

Нет покоя, все думаю, какая возможна бы мудрая, новая, крепкая и достойная декларация пр-ва о войне, обезоруживающая всякие Советы — и честная. Возможна?

Поехали мы, все трое, по настоянию Макарова, в Зимний Дворец, на «театральное совещание». Это было 29 марта. Головин, долженствовавший председательствовать, не прибыл, вертелся, вместо него, бедный Павел Михайлович.

Была, наконец, эта долгожданная, запоздавшая, декларация пр-ва о войне.

119

Хлипкая, слабая, безвластная, неясная. То же, те же, «без аннексий», но с мямленьем, и все вполголоса, и жидкое «оборончество» — и что еще?

Если теперь не время действовать смелее (хотя бы с риском), то когда же? Теперь за войну мог бы громко звучать только голос того, кто ненавидел (и ненавидит) войну.

Тех «действий *обеими руками*» Керенского, о которых я писала, из декларации не вытекает. Их и не видно. Незаметно реальной и властной заботы об армии, об установлении там твердых линий «свобод», в пределах которых *сохраняется* сила армий как сила. (Ведь Приказ № 1 еще не парализован. Армию свободно наводняют любые агитаторы. Ведь там не чувствуется *новой* власти, а только исчезновение старой!)

Одна рука уже бездействует. Не лучше и с другой. За *мир* ничего явного не сделано. Наши «цели войны» не объявлены с несомненной определенностью. Наше военное положение отнюдь не таково, чтобы мы могли диктовать Германии условия мира, куда там! И однако мы *должны бы* решиться на нечто вроде этого, прямо должны. Всякий день, не уставая, пусть хоть полуофициально, твердить о наших условиях мира. В сговоре с союзниками (вдолбить им, что нельзя упустить этой минуты...), но и до фактического сговора, даже ради него, — все-таки не мямлить и не молчать, — диктовать Германии «условия» приемлемого мира.

Это должно делать почти грубо, чтобы было понятно всем (всем — только, грубое и понятно). Облекать каждодневно в реальную форму, выражать денно и нощно согласие на немедленный, справедливый и бескорыстный мир — хоть завтра. Хоть через час. Орать на весь фронт и тыл, что если час прошел и мира нет — то лишь потому, что Германия на мир не соглашается, не хочет мира и все равно полезет на нас. И тогда все равно не будет мира, а будет война — или бойня.

В конце концов «условия» эти более или менее известны, но они *не сказаны*, поэтому они не существуют, нет для них *одной* формы. Первый звук, в этом смысле, не найден. Да его сразу и не найдешь, — но нужно все время искать, пробовать.

Да, великое горе, что союзники не понимают важности момента. У них ничего не случилось. Они думают в прежней линии и о себе — и о нас. Пусть они заботятся о себе, я это понимаю. Но для себя же им нужно учитывать нас!

Общая робость и мямленье. Что хранит правительство? Чего кто боится? Ну, Германия все это отвергнет. Ну, она даже не ответит. Так что же?

Быть может, я мечтаю. Я говорю много вздору, конечно, — *но я стою за линию* и буду утверждать, что она, в общем, верна. Скажу (шепотом, про себя, чтобы потом не очень стыдиться) еще больше. В стороне от союзников (если они так нисколько не сдвинутся) можно бы рискнуть вплоть до мысли о «сепаратном» мире. Это во всяком случае заставило бы их задуматься, взглянуть внимательнее в нашу сторону. А то они слишком спокойны. Не знают, что мы — во всяком случае *не Европа*. Странно думать о России и видеть ее в образе... Милюкова.

Впрочем, я Бог знает куда залетела. Сама себя перестала понимать. В голове все самые известные вещи… Но форма — это не мое дело, всякий оформит лучше меня, — и *можно* найти форму, от которой не отвертелись бы союзники.

Будь что будет. Я хочу думать, хочу, — что будет хорошее. Я верю Керенскому. Лишь бы ему не мешали. Со связанными руками не задействуешь. Ни твердости, ни власти не проявишь (именно *власть* нужна).

Пока — кроме *слов* (притом безвластных и слов-то) ничего от пр-ва нашего нет.

Керенский — настоящий человек на настоящем месте. The right man on the right place[3], как говорят умные англичане. Или — The right man on the right moment?[4] А если только for one moment?[5] Не будем загадывать. Во всяком случае, он имеет право говорить о войне, за войну — именно потому, что он против войны (как таковой). Он был «пораженцем» — по глупой терминологии «побединцев». (И меня звали «пораженкой».)

Главные вожаки большевизма — к России никакого отношения не имеют и о ней меньше всего заботятся. Они ее не знают — откуда? В громадном большинстве не русские, а русские — давние эмигранты. Но они нащупывают инстинкты, чтобы их использовать в интересах… право, не знаю точно,

---

[3] Человек на своем месте (*англ.*).
[4] Человек в нужный момент (*англ.*).
[5] На время (*англ.*).

своих или германских, только не в интересах русского народа. Это — наверно.

Цинически-наивный эгоизм дезертиров, тупоневежественный («я молодой, мне пожить хочется, не хочу войны»), вызываемый проповедью большевиков, конечно, хуже всяких «воинственных» настроений, которые вызывала царская палка. Прямо сознаюсь — хуже. Вскрывается животное отсутствие *совести*.

Немилосердна эта тяжесть «свободы», навалившаяся на вчерашних рабов. Совесть их еще не просыпалась, и проблеска сознания нет, одни инстинкты: есть, пить, гулять... да еще шевелится темный инстинкт широкой русской «вольницы» (*не* «воли»).

Хочется взывать к милосердию. Но кто способен дать его сейчас России? Несчастной, невиновной, опоздавшей на века России, — опять, и здесь, опоздавшей?

Оказать им милосердие — это сейчас значит: создать власть. Человеческую, — но настоящую власть, суровую, быть может, жестокую, — да, да, — *жестокую* по своей прямоте, если это нужно.

Такова минута.

Какие люди сделают? Наше Вр. пр-во — Церетели, Пешехонов, Скобелев? Не смешно, а невольно улыбаюсь. Они только умели «страдать» от «власти» и всю жизнь ее ненавидели. (Не говорю уже о личных их способностях.) Керенский? Я убеждена, что он *понимает* момент, *знает*, что именно это нужно: «взять на себя и дать им», но... я далеко не убеждена, что он: 1) сможет взять на себя и 2) что, если

123

бы смог взять, — тяжесть не раздавила бы слабых плеч.

Не сможет потому уже, что хотя и понимает, — но и в нем сидит то же впитанное отвращение к власти, к ее непременно внешним, обязательно насильническим, приемам. Не сможет. Остановится. Испугается.

Носители власти должны не бояться своей власти. Только тогда она будет настоящая. Ее требует наша историческая минута. И такой власти нет. И, кажется, нет для нее людей.

Нет сейчас в мире народа более безгосударственного, бессовестного и безбожного, чем мы. Свалились лохмотья, почти сами, и вот, под ними голый человек, первобытный — но слабый, так как измученный, истощенный. Война выела последнее. И война тут. Ее надо кончить. Оконченная без достоинства — не простится.

А что, если слишком долго стыла Россия в рабстве? Что, если застыла, и теперь, оттаяв, не оживает, — а разлагается?

Не могу, не хочу, нельзя верить, что это так. Но время единственное по тяжести. Война, война. Теперь все силы надо обратить на войну, на ее *поднятие* на плечи, на ее напряженное заканчивание.

Война — единое возможное искупление прошлого. Сохранение будущего. Единое средство опомниться. Последнее испытание.

Правительство Керенским составлено — неожиданное и (боюсь) мертворожденное. Не видно его принципа. Веет случайностью, путаностью. Противоречиями.

Премьер, конечно, Керенский (он же военный министр), его фактический товарищ («управляющий военным ведомством») — наш Борис Савинков (как? когда, откуда? Но это-то очень хорошо). Остались: Терещенко, Пешехонов, Скобелев, да недавний, несуществующий, Ефремов, явились Никитин (?), Ольденбург и — уже совершенно непонятным образом — опять явился Чернов. Чудеса; хорошо, если не глупые. Вместо Львова — Карташев. (Как жаль его. Прежде только бессилие, а теперь, сверх него, еще и ответственность. Из этого для него ничего доброго, кроме худого, не выйдет.)

Ушел, тоже не понять почему, Церетели.

Нет, надо знать *изнутри*, что это такое.

На фронте то же уродство и бегство. В тылу крах полный. Ленина, Троцкого и Зиновьева привлекают к суду, но они не поддаются судейской привлекательности и не намерены показываться. Ленин с Зиновьевым прозрачно скрываются, Троцкий действует в Совете и ухом не ведет.

Несчастная страна. Бог, действительно, наказал ее: отнял разум.

Но надо же верить в хорошее. Ведь «хорошее» или «дурное» — не предопределено заранее, не написано; ведь это наши человеческие дела; ведь от нас (в громадной доле) зависит, куда мы пойдем: к хорошему или дурному. Если не так, то жить напрасно.

У нас ожидаются территориальные потери. На севере — Рига и далее, до Нарвы, на юге — Молдавия и Бессарабия. Внутренний развал экономический и политический — полный. Дорога каждая минута, ибо это минуты — предпоследние. Необходимо ввести военное положение по всей России. Должен приехать (послезавтра) из Ставки Корнилов, чтобы предложить, вместе с Савинковым, Керенскому принятие серьезных мер. На предполагающееся через несколько дней Московское совещание правительство должно явиться не с пустыми руками, а с определенной программой ближайших действий. *Твердая власть.*

Дело, конечно, ясное и неизбежное, но... что случилось? Где Керенский? Что тут произошло? Керенского ли подменили, мы ли его ранее не видели? Разрослось ли в нем вот это — останавливающееся перед прямой необходимостью: «*взять власть*», начало, я еще не вижу. Надо больше узнать. Факт, что Керенский — боится. Чего? Кого?

Что же сталось с Керенским? По рассказам близких — он неузнаваем и невменяем. Идея Савинкова такова: настоятельно нужно, чтобы явилась, наконец, действительная власть, вполне осуществимая в обстановке сегодняшнего дня при такой комбинации: Керенский остается во главе (это непременно), его ближайшие помощники-сотрудники — Корнилов и Борис. Корнилов — это значит опора войск, защита России, реальное возрождение армии; Керенский и Савинков — защита свободы. При определенной и ясной тактической программе, на которой должны согласиться Керенский и Корнилов (об этой программе скажу в свое время

126

подробнее), нежелательные элементы в пр-ве вроде Чернова выпадают автоматически.

Савинков понимает и положение дел, — и вообще все, — самым блистательным образом. И я должна тут же, сразу, сказать: при всей моей к нему зрячести я не вижу, чтобы Савинковым двигало *сейчас* его громадное честолюбие. Напротив, я утверждаю, что главный двигатель его во всем этом деле — подлинная, умная любовь к *России* и к ее *свободе*. Его честолюбие — на втором плане, где его присутствие даже требуется.

Вижу я это, помимо взора на предмет, — взора, совпадающего с Савинковым, — по тысяче признаков. Нет стремления создать из Керенского с его помощниками форменную «диктатуру»: широкие полномочия Корнилова и Савинкова ограничены строгими линиями принятой, очень подробной, тактической программы. Если Савинков хочет быть одним из этих «помощников» Керенского, то ведь он и *может* им действительно быть. Тут *его* место. И данный миг России — (ее революции) тоже *его*, — российского революционера-государственника (суженного, конечно, и подпольной своей биографией, и долгой эмиграцией, однако данная минуточка требует именно такого, пусть суженного; она сама узкоостра).

Когда еще, и где, может до такой степени понадобиться Савинков? Горючая беда России, что все ее люди не на своих местах; если же попадают случаем — то не в свое время: или «рано», или «поздно».

На Корнилова Савинков тоже смотрит очень трезво. Корнилов — честный и прямой солдат. Он, главным образом, хочет спасти Россию. Если для этого пришлось бы заплатить свободой, он заплатил бы, не задумываясь.

— Да и заплатит, если будет действовать один и после очередных разгромов, — говорит Савинков. — Он любит свободу, я это знаю совершенно твердо. Но Россия для него первое, свобода — второе. Как для Керенского (поймите, это факт, и естественный) свобода, революция — первое, Россия — второе. Для меня же (м. б., я ошиблась), для меня эти оба сливаются в одно. Нет первого и второго места. Неразделимы. Вот потому-то я хочу непременно соединить сейчас Керенского и Корнилова. Вы спрашиваете, останусь ли я действовать с Корниловым или с Керенским, если их пути разделятся. Я представляю себе, что Корнилов не захочет быть с Керенским, захочет против него, один, спасать Россию. В ставке есть темные элементы; они, к счастью, ни малейшего влияния на Корнилова не имеют. Но допустим... Я, конечно, не останусь с Корниловым. Я в него, без Керенского, не верю. Я это в лицо говорил самому Корнилову. Говорил прямо: тогда мы будем врагами. Тогда и я буду в вас стрелять, и вы в меня. Он, как солдат, понял меня тотчас, согласился. Керенского же я признаю сейчас как главу возможного русского правительства, необходимым; я служу Керенскому, а не Корнилову; но я не верю, что и Керенский, один, спасет Россию и свободу; ничего он не спасет. И я не представляю себе, как я буду служить Керенскому, если он сам захочет оставаться один и вести далее ту колеблющуюся политику, которую ведет сейчас. Сегодня, в нашем ночном разговоре, подчеркнулись эти колебания. Я счел своим долгом подать в отставку. Он ее не то принял, не то не принял. Но дело нельзя замазывать. Завтра я ее повторю решительно.

Я свела многое из слов Савинкова вместе. Начинаю кое-что улавливать.

Поразительно: Керенский точно лишился всякого понимания. Он под перекрестными влияниями. Поддается всем чуть не по-женски. Развратился и бытовым образом. Завел (живет — в Зимнем дворце!) «придворные» порядки, что отзывается несчастным мещанством, parvenu[6]. Он никогда не был умен, но, кажется, и гениальная интуиция покинула его, когда прошли праздничные, медовые дни прекраснодушия и наступили суровые (ой, какие суровые!) будни. И опьянел он... не от власти, а от «успеха» в смысле шаляпинском. А тут еще, вероятно, и чувство, что «идет книзу». Он не видит людей. Положим, этого у него и раньше не было, а теперь он окончательно ослеп (теперь, когда ему надо выбирать людей!). Он и Савинкова принял за «верного и преданного ему душой и телом слугу» — только. Как такого «слугу» и вывез его, скоропалительно, с собой — с фронта. (Кажется, они были вместе во время июньского наступления.) И заволновался, забоялся, когда приметил, что Савинков не без остроты... Стал подозревать его... в чем? А тут еще миленькие «товарищи» с.-ры, ненавидящие Савинкова-Ропшина...

_____
[6] Выскочка (*фр.*).

А Керенский их боится. Когда он составлял последнее министерство, к нему пришла троица из Ц. И. Ком. эс-эровской п. с ультиматумом: или он сохраняет Чернова, или партия с-ров не поддерживает пр-во. И Керенский взял Чернова, все зная и ненавидя его.

Да, ведь еще 14 марта, когда Керенский был у нас впервые министром (юстиции тогда), в нем уже чувствовалась, абсолютно неуловимая, перемена. Что это было? Что-то... И это «что-то» разрослось...

Корнилов подписал знаменитую записку (программу) о необходимых мерах в армии и в тылу. Подписал ее и Савинков. И приехавший с Корниловым помощник Савинкова в бытность его комиссаром — Филоненко. (Неизвестный нам, но почему-то Борис очень стоит за него.)

После этого Керенский опять потребовал к себе Корнилова, *отменив* общее прав-ное заседание, а допустив лишь Терещенку и еще кого-то.

А Савинков поехал к нам. Корнилов сегодня же уезжает обратно. Савинков отправится провожать его в вагон, часам к 12 ночи.

— Хотите, я прочту вам записку? — предложил Борис. — Она со мной, у меня в автомобиле.

Сбегал, принес тяжелый портфель. И мы принялись за чтение.

Прочел ее нам Савинков всю, полностью. Начиная с подробнейшего, всестороннего отчета о фактическом состоянии фронта (потрясающе оно даже внешне!) и кончая таким же отчетливым изложением тех немедленных мер, какие должны быть приняты и на фронте, и в тылу. Эта длиннейшая записка, где обдумано и взвешено каждое слово, найдет когда-нибудь своего комментатора — во всех случаях не пропадет. Я скажу лишь главное: это без спора тот minimum, который еще мог бы спасти честь революции и жизнь России при ее данном, неслыханном, положении.

Дима, впрочем, находит, что «кое-что в записке продумано недостаточно, а кое-что поставлено слишком остро, напр., милитаризация железных дорог». Но важен ее принцип: «соединение с Корниловым, поднятие боеспособности армии *без* помощи советов, оборона, как центральная пр-ная деятельность, беспощадная борьба с большевиками».

Я думаю, что да, будет еще с Керенским торговля... Но, кажется, это и в деталях minimum, вплоть до милитаризации железных дорог и смертной казни в тылу (какое же иначе общее военное положение?). Воображаю, как заорут «товарищи!» (А Керенский их боится, вот это надо помнить.)

Они заорут, ибо увидят тут «борьбу с Советами» — безобразным, уродливо разросшимся явлением, рассадником большевизма, явлением, перед которым и ныне «демократические лидеры» и подлидеры, не большевики, благоговейно склоняются. Какая-то непроворотимая, глупая преступность!

Они будут правы, это борьба с Советами, хотя *прямо* в записке ничего не сказано об уничтожении Советов. Напротив, Борис сказал даже, что «нужно сохранить войсковые организации, без них невозможно». Но никакие комитеты не должны, конечно, вмешиваться в дела командования.

Их деятельность (выборных организаций) ограничивается.

А все же это (наконец-то!) борьба с Советами. И как иначе, если вводится серьезная настоящая борьба с большевиками?

Уже почти в 12 часов ночи мы кончили записку. Борис очень скоро уехал — на вокзал, провожать Корнилова. Карташев, пользуясь отменой заседания, ушел в один старый «интеллигентский» кружок (где — отсюда слышу — они будут болты болтать и гадать, какими еще аудиенциями «надавить» на Керенского)...

Совещание в Москве открылось (там — частичная забастовка, у нас — тихо).

Керенский сказал длинную речь. Если не считать появившегося у него заплетания языка, — обыкновенную свою речь: пафотическую, местами недурную. Только уже несовременную, ибо опять не деловую, а «праздничную». (Праздник у нас, подумаешь!) Затем говорил Авксентьев, затем Прокопович. И затем... мы ничего не знаем, ибо вечерних газет не было, редакции пусты, да и завтра не будет газет — «товарищи»-наборщики «праздничают».

Часто видела я летний Петербург. Но в таком сером, неумытом и расхлястанном образе не был он никогда. Кучами шатаются праздные солдаты, плюя подсолнухи. Спят днем в Таврическом саду. Фуражка на затылке. Глаза тупые и скучающие. Скучно здоровенному парню. На войну он тебе не пойдет, нет! А побунтовать... это другое дело. Еще не отбунтовался, а занятия никакого.

Наш «быт» сводится к заботе о «хлебе насущном». После юга мы сразу перешли почти на голодный паек. О белом хлебе забыли и думать. Но что еще будет!

Московское Сов., по-видимому, скрипит и трещит. Все полно глупыми слухами, как дымом... которого, однако, нет без огня. Факт тот, что Корнилов торжественно явился в Москву, *не встреченный* Керенским, и даже будто бы вопреки категорическому приказу Керенского не являться, — торжественным кортежем проследовал к Тверской, и толпы народа кричали «ура». Затем он выступал на совещании. Тоже овация. А кучке, демонстративно молчащей, кричали: «Изменники! Гады!»

Впрочем, тут же и Керенскому сделали овацию.

Керенский — вагон, сошедший с рельс. Вихляется, качается болезненно и — без красоты малейшей. Он близок к концу, и самое горькое, если конец будет без достоинства.

Я его любила прежним (и не отрекаюсь), я понимаю его трудное положение, я помню, как он в первые дни свободы «клялся» перед Советами быть всегда «демократией», как он одним взмахом пера «навсегда» уничтожил смертную казнь... Его стали носить на руках. И теперь у него, вероятно, двойной ужас, и праведный и неправедный, когда он читает ядовитенькие стишки в поднимающей голову «Правде»:

Плачет, смеется,
В любви клянется,
Но кто поверит —
Тот ошибется...

Праведный ужас: ведь если соединиться с Корниловым и Савинковым, ведь это измена «клятвам Совету», и опять «смертная казнь» — «измена *моей* весне». Я клялся быть с демократией, «умереть за нее» — и должен действовать без нее, даже как бы против нее. В этом ужасе есть внутренний трагизм, хотя при большей глубине ума и души — он не последний. Т. е. это драма, а не трагедия.

Но перед Керенским сейчас только два пути достойных, только два. Или въедь вместе с Корниловым, Савинковым и знаменитой программой, или, если не можешь, нет нужной силы, объяви тихо и открыто: вот какой момент, вот что требуется, но я этого не вмещаю, и потому ухожу. И уйти... уже не бутафорски, а по-человечески, бесповоротно. Я боюсь, что оба пути слишком героичны... *для Керенского*. Оба, даже второй, человеческий. И он ищет третьего пути, хочет что-то удержать, замазать, длить дленье... Третьего нет, и Керенский найдет «беспутность», найдет бесславную гибель... и хорошо, если только свою. В такой момент и на таком месте человек *обязан* быть героичен, обязан выбрать, или...

Или — что? Ничего. Посмотрим. Увидим. Не время еще задавать «последние» вопросы. Один из них хотела я задать себе: а понимает ли Керенский маленькое, коротенькое, простое словечко — *Россия?*

К Керенскому, когда он нынче утром приехал, пошли с докладом Якубович и Туманов. Очень долго и, по видимости, бесплодно, с ним разговаривали. Он — ни с чем не соглашается. Филоненку ни за что не хочет оставить. (Тут же и телогрей его Барановский; он тоже за Савинкова, хотя и робеет.) Каждый раз, когда Туманов и Якубович предлагали вызвать самого Савинкова, — Керенский делал вид, что не слышит, хватался за что ни попадя на столе, за газету, за ключ... обыкновенная его манера. Отставку Савинкова, которую они опять ему преподнесли (для «резолюции», что ли? Неужели ту, исчерченную?) — небрежно бросил к себе в стол. Так ни с чем они и ретировались.

Между тем *в это же время* Савинков получает через адъютанта приглашение явиться к Керенскому. По дороге сталкивается с выходящими из кабинета своими защитниками. По их перевернутым лицам видит, что дело плохо. В этом убеждении идет к «г. министру».

Свидание произошло наедине, даже без Барановского.

— Он мне сказал, — повествует Савинков, — и довольно спокойно, вот что: «На московском совещании я убедился, что власть правительства совершенно подорвана — оно не имеет силы. Вы были причиной, что и в Ставке зародилось движение контрреволюционное, — теперь вы не имеете права уходить из правительства, свобода и родина требуют, чтобы вы остались на своем посту, исполнили свой долг перед ними...» Я так же спокойно ему ответил, что могу служить только при условии доверия с его стороны — ко мне и к моим помощникам... «Я вынужден оставить Филоненко», — перебил меня Керенский. Так и сказал — «вынужден». Все, более или менее, выяснилось. Однако мне надо было еще сказать ему несколько слов частным образом. Я напомнил ему, как оскорбителен был последний его разговор со мною. — Тогда я вам ничего не ответил, но забыть этого еще не могу. Вы разве забыли?

Он подошел ко мне, странно улыбнулся... «Да, я забыл. Я, кажется, все забыл. Я... больной человек. Нет, не то. Я умер, меня уже нет. На этом совещании я умер. Я уже никого не могу оскорбить, и никто меня не может оскорбить...»

Савинков вышел от него и сразу был встречен сияющими и угодливыми лицами. Ведь тайные разговоры во дворцах мгновенно делаются явными для всех...

Как все это странно, если вдуматься. Какая драма для благородной души. Быть может, душа Керенского умирает перед невозможностью для себя —

«...Нельзя! Ведь душа, неисцельно потерянная,
Умрет в крови.
И надо! — твердит глубина неизмеренная
Моей любви».

Есть души, которые, услыхав повелительное «Иди, убей», — умирают, не исполняя.

(Впрочем, я увлекаюсь во всех смыслах. Драмы личные здесь не пример. Здесь они отступают.)

В Савинкове — да, есть что-то страшное. И ой-ой, какое трагичное. Достаточно взглянуть на его неправильное и замечательное лицо со вниманием.

Сейчас он, после всего этого дня, сидел за моим столом (где я пишу) и вспоминал свои новые стихи (рукописи у него за границей). Записывал. И ему ужасно хотелось, чтобы это были «хорошие» стихи, чтобы мне понравились. (Ропшин-поэт — такой же мой «крестник», как и Ропшин-романист. Лет 6 тому назад я его толкнула на стихи, в Каннах, своим сонетом, затем терцинами.)

— Знаете, я боюсь... Последнее время я писал несколько иначе, свободным стихом. И я боюсь... Гораздо больше, чем Корнилова.

Я улыбаюсь невольно.

— Ну что ж, надо же и вам чего-нибудь бояться. Кто это сказал: «Только дурак решительно ничего не боится»?..

Кстати, я ему тут же нашла одно его прежнее стихотворение, со словами:

> ...«Убийца в Божий град не внидет...
> Его затопчет Рыжий Конь...»

Он прочел (забыл совсем) и вдруг странно посмотрел:

— Да, да... так это и будет. Я знаю, что я... умру от покушения.

Это был вовсе не страх смерти. Было что-то больше этого.

Взята.

Мы отходим на линию Чудского озера — Псков. Очень хорошо. Правительство отнеслось к этому фаталистически-вяло. Ожидали, мол.

Города не разобрать. Что — он? Очевидно, нет воображения. На Выборгской заходили большевики с плакатами: «Немедленный мир!» Все, значит, идет последовательно. Дальше.

Все согласны, что революция у нас произошла не вовремя. Но одни говорят, что «рано», другие, что «поздно». Я, конечно, говорю — «поздно». Увы, да, поздно. Хорошо, если не «слишком», а только «немного» поздно.

Царя увезли в Тобольск (наш Макаров, П. М., его и вез). Не «гидры» ли боятся (главное и, кажется, единственное занятие которой — «подымать голову»)? Но сами-то гидры бывают разные.

Стыдно сказать — нельзя умолчать: прежде во дворцах жили все-таки воспитанные люди. Даже присяжный поверенный Керенский не удержался в пределах такта. А уж о немытом Чернове не стоит и говорить.

Отчего свобода, такая сама по себе прекрасная, так безобразит людей? И неужели это уродство обязательно?

Я долго с Мережковским говорила.

Вот его позиция: *никакой революции у нас не было*. Не было борьбы. Старая власть саморазложилась, отпала, и народ оказался просто голым. Оттого и лозунги старые, вытащенные наспех из десятилетних ящиков. Новые рождаются в процессе борьбы, а процесса не было. Революционное настроение, ища выхода, бросается на призраки контрреволюции, но это призраки, и оно — беспредметно...

Кое-какая доля правды тут есть, но с общей схемой согласиться нельзя. И во всяком случае я не вижу *действенного* отсюда вывода. Как прогноз — это печально; не ждать ли нам второй революции, которая, сейчас, может быть только отчаянной — омерзительной?

Сбивался, конечно, М. на обобщения и отвлеченности. Однако можно было согласиться, что есть два пути: воздействие внутреннее (разговоры, уговоры) и внешнее (военные меры). Первое, сейчас, неизбежно переливается в демагогию. Демагогия — это беспредельная выдача векселей, заведомо неоплатных, непременно беспредельна (всякая попытка поставить предел — уничтожает работу). М. отвергал и целесообразность этого «насилия над душами». Путь второй (нынешние меры, «насилие над телами») — конечно, лишь отрицательный, т. е. могущий не двинуть вперед, но возвратить сошедший с рельс поезд — на рельсы (по которым уже можно двигаться вперед). Но он не только бывает целесообразен: в иные моменты он один и целесообразен.

26-го в субботу, к вечеру, приехал к Керенскому из Ставки Вл. Львов (бывший об. прокурор Синода). Перед своим отъездом в Москву и затем в Ставку, дней 10 тому назад, он тоже был у Керенского, говорил с ним наедине, разговор неизвестен. Точно так же наедине был и второй разговор с Львовым, уже приехавшим из Ставки. Было назначено вечернее заседание; но когда министры стали собираться в Зимний дворец, из кабинета вылетел Керенский, один, без Львова, потрясая какой-то бумажкой с набросанными рукой Львова строками, и, весь бледный и «вдохновенный», объявил, что «открыт заговор ген. Корнилова», что это тотчас будет проверено и ген. Корнилов немедленно будет смещен с должности главнокомандующего как «изменник».

Можно себе представить, во что обратились фигуры министров, ничего не понимавших. Первым нашелся услужливый Некрасов, «поверивший» на слово г-ну премьеру и тотчас захлопотавший. Но, кажется, ничего еще не мог понять Савинков, тем более, что он лишь в этот день сам вернулся из Ставки, от Корнилова. Савинкова взял Керенский к прямому проводу, соединились с Корниловым: Керенский заявил, что рядом с ним стоит В. Львов (хотя ни малейшего Львова не было), запросил Корнилова: «Подтверждает ли он то, что говорит от него приехавший и *стоящий перед проводом Львов*». Когда выползла лента с совершенно покойным «да» — Керенский бросил все, отскочил назад, к министрам, уже в полной истерике, с криками об «измене», о «мятеже», о том, что немедленно он смещает Корнилова и дает приказ о его аресте в Ставке.

Тут я подробностей еще не знаю, знаю только, что Керенский *приказал* Савинкову продолжать разговор с Корниловым и на вопрос Корнилова, когда Керенский с членами пр-ва прибудет, как условлено, в Ставку, — отвечать: «Приеду 27-го». Приказал так ответить — уже посреди всей этой бучи, уже крича и думая об аресте Корнилова, а не о поездке к нему. Объяснил, что это «необходимая уловка», чтобы пока — Корнилов ничего не подозревал, не знал, что все открыто (???). Карташев присутствовал при разговоре этом, стоял у провода.

Опять не знаю никаких дальнейших точных подробностей сумасшедше-истерического вечера. Знаю, что к Керенскому даже Милюкова привозили, но и тот отступился, не будучи в состоянии ни толку добиться, ни каким бы то ни было способом уяснить себе, в чем дело, ни задержать поток действий Керенского хоть на одну минуту. Кажется, все сплошь хватали Керенского за фалды, чтобы иметь минуту для соображения, — напрасно! Он визжал свое, не слушая и, вероятно, даже физически не слыша никаких слов, к нему обращенных.

По отрывочным выкликам Керенского и по отрывочным строкам невидимого Львова (арестован), набросанным тут же, во время свиданья, — выходило как будто так, что Корнилов как будто послал Львова к Керенскому чуть ли не с ультиматумом, с требованием какой-то диктатуры, или директории, или чего-то вроде этого. Кроме этих, крайне сбивчивых, передач Керенского, министры не имели никаких данных и никаких ниоткуда сведений; Корнилов только подтвердил «то, что говорит Львов», а «что говорил Львов» — никто не слышал, ибо никто Львова так и не видал.

До утра воскресенья это не выходило из стен дворца; на другой день министры (чуть ли там не ночевавшие) вновь приступили к Керенскому, чтобы заставить его путем объясниться, принять разумное решение, но... Керенский в этот день окончательно и уже бесповоротно огорошил их. Он *уже послал* приказ об отставке Корнилова. Ему велено немедля сложить с себя верховное командование. Это командование принимает на себя сам Керенский. Уже написана (Некрасовым, «не видевшим, но уверовавшим») и разослана телеграмма «всем, всем, всем», объявляющая Корнилова «мятежником, изменником, посягнувшим на верховную власть» и повелевающая никаким его приказам не подчиняться. Наконец, для полного вразумления министров, стоявших с открытыми ртами, для отнятия у них последнего сомнения, что Корнилов мятежник и изменник, и заговорщик, — открыл им Керенский: «С фронта уже двинуто на Петербург несколько мятежных дивизий», они уже идут. Необходимо организовать оборону «Петрограда и революции».

Только что ошеломленные министры хотели и это как-нибудь осмыслить — «верующий» Некрасов вырвался к газетчикам и жадно, со смаком, как первый вестник объявил им все, вплоть до всероссийского текста о гнусном «мятеже» и об опасности, грозящей «революции» от корниловской дивизии.

И «революционный Петроград» с этой минуты забыл об отдыхе: единственный раз, когда газеты вышли в понедельник. Вообще — легко представить, что началось. «Правительственные войска» (тут ведь не немцы, бояться нечего) весело бросились разбирать железные дороги, «подступы к Петрограду», красная гвардия бодро завооружалась, кронштадтцы («краса и гордость русской революции») прибыли немедля для охраны Зимнего дворца и самого Керенского (с крейсера «Аврора»).

Корнилов, получив нежданно-негаданно, — как снег на голову, — свою отставку, да еще всенародное объявление его мятежником, да еще указания, что он «послал Львова к Керенскому», — должен был в первую минуту подумать, что кто-то сошел с ума. В следующую минуту он возмутился. Две его телеграммы представляют собою первое настоящее сильное слово, сказанное со времени революции. Он там называет вещи своими именами... «Телеграмма министра председателя является со всей своей первой части сплошной ложью. Не я послал В. Львова к Вр. пр-ву, а *он* приехал ко мне, как посланец Минра Пред.»... «так совершилась великая провокация, которая ставит на карту судьбу отечества»...

Не ставит. Решает. Уже решила. Я поклялась воздерживаться от выводов... Ибо не все еще знаю. Но это я знаю, ведь уже с первого момента всем видно было, что *нет никакого корниловского мятежа*. Я фактически не знаю, что говорил Львов, и вообще не знаю (кто знает?) этот инцидент, но абсолютно не верю ни в какие «ультиматумы». Дурацкий вздор, чтоб Корнилов ни с того ни с сего послал их с Львовым! А что касается «мятежных дивизий», идущих на Петроград, то не нужно быть ни особенным психологом, ни политиком, а довольно иметь здравое соображение, чтобы, зная детально все предыдущее со всеми действующими лицами, — догадаться: эти дивизии, по всем признакам, шли в Петербург с ведома Керенского, быть может, даже по его условию с Корниловым через Савинкова (который только что ездил в Ставку) ибо: 1) на очереди были меры корниловской записки, ее Керенский всякий день намеревался утвердить, а это предполагало посылку войск с фронта, 2) бесспорно ожидался в Петербурге — самим Керенским — большевистский бунт, ожидался ежедневно, и это само собой разумело войска с фронта.

Я почти убеждена, что знаменитые дивизии шли в Петербург для Керенского — с его полного ведома или по его форменному распоряжению.

Поведение же его столь сумасшедше-фатально, что... это уже почти не вина, это какой-то Рок.

«Керенский в эти минуты был жалок», — говорит Карташев.

Но не менее, если не более, жалки были и окружающие этого опасно обезумевшего человека. Ничего разумно не понимающие (да и можно ли понять?), чующие, что перед ними совершается непоправимое, — и бессильные что-нибудь сделать.

Действительно, с того момента, как на всю Россию раздался крик Керенского об «измене» главнокомандующего, — все стало непоправимым. Возмущенный Корнилов послал свои воззвания с отказом «сдать должность». Лихорадочно и весело «революционный гарнизон» стал готовиться к бою с «мятежными» дружинами, которые повел Корнилов на Петроград. Время ли, да и кому было задумываться над простым вопросом: как это «повел» Корнилов свои войска, когда сам он спокойно сидит в Ставке? И что это за «войска» — много ли их? Годные весьма для приструнивания «большевистских» здешних трусов, для укрепления существующей власти, но что же это за несчастный «заговорщик», посылающий горсточку солдат для борьбы и свержения всероссийского правительства, чуть ли не для «насаждения монархизма»?

Полагаю, если бы черные элементы Ставки имели на Корнилова серьезное влияние, если бы Корнилов вместе с ними начал «заговор», — он был бы немного иначе обставлен, не столь детски (хотя успех его и тогда для меня еще под сомнением).

Да, произошло громадной важности событие, но все целиком оно произошло *здесь*, в Петербурге. Здесь громыхнулся камень, сброшенный рукой безумца, отсюда пойдут и круги. Там, со стороны Корнилова, просто *не было ничего*.

Здесь все началось, здесь будет и доигрываться. Сюда должны быть обращены взоры. Я — созерцатель и записчик — буду смотреть со вниманием на здешнее. Кто хочет и еще надеется действовать — пусть тоже пытается действовать здесь.

Но что можно еще сделать?

Ни секунды я не была «на стороне Корнилова», уже потому, что этой «стороны» вовсе не было. Но и с Керенским — рабом большевиков, я бы тоже не осталась. Последнее — потому, что я уже совершенно не верю в полезность каких-либо действий около него. Зная лишь внешние голые факты — объясняю себе поступок Бориса, остававшегося у Керенского (лишь через 3 дня удаленного), двояко: быть может, он еще верил в действие, а если верить — то, конечно, оставаться здесь, у истока происшествия, на месте преступления; быть может также, Борис, учитывая всеобщую силу гипноза «корниловщи-

145

ны», сотворения бывшим небывшего, увидел себя (если б сразу ушел) в положении «сторонника Корнилова» — против Керенского. То (пусть призрачное) положение — именно то, которое он для себя отвергал. Если Корнилов захочет один спасать Россию, пойдет против Керенского... — «это невероятно, но допустим, — я, конечно, не останусь с Корниловым. Я в него без Керенского не верю»... (Это он говорил в начале августа.) И вышло как по нотам. «Невероятное» (выступление Корнилова) не случилось, но оказалось «допустимым». *Как бы* случившимся. И Борис не мог *как бы* остаться с Корниловым.

А то, что он остался с Керенским, уж само собой вышло тоже «как бы».

Теперь или ничего не делать (деятелям), или свергать Керенского. Х. тотчас возражает мне: «Свергать! А кого же на его место? Об этом надо раньше подумать». Да, нет «готового» и «желанного», однако эдак и Николая нельзя было свергать. Да всякий лучше теперь. Если выбор — с Керенским или без Керенского валиться в яму (если уж «поздно»), то, пожалуй, все-таки лучше без Керенского.

Керенский — самодержец-безумец и теперь раб большевиков.

Большевики же все, без единого исключения, разделяются на:

1) тупых фанатиков;

2) дураков природных, невежд и хамов;

3) мерзавцев определенных и агентов Германии:

Николай II — самодержец-упрямец...

Оба положения имеют один конец — *крах.*

Я сказала, что теперь «всякий будет лучше Керенского». Да, «всякий» лучше для борьбы с контрреволюцией, т. е. с большевиками. Чернов — объект борьбы: он сам — контрреволюция, как бы сам большевик.

«Краса и гордость» непрерывно орет, что она «спасла» Вр. пр-во, чтобы этого не забывали и по гроб жизни были ей благодарны. Кто, собственно, благодарен — неизвестно, ибо никакого прежнего пр-ва уже и нет, один Керенский. А Керенского эта «краса», отнюдь не скрываясь, хочет съесть.

Петербург в одну неделю сделался неузнаваем. Уж был хорош! — но теперь он воистину страшен. В мокрой черноте кишат, — буквально, — серые горы солдатского мяса; расхлястанные, грегочущие и торжествующие... люди? Абсолютно праздные, никуда не идущие даже, а так, шатущие и стоящие, распущенно самодовольные.

Все дальнейшее развивается нормально. Травля Керенского Черновым началась. И прямо, и перекидным огнем. Вчера были прямые шлепки грязи («Керенский — подозрителен» и т. п.), а сегодня — «Керенский — жертва» в руках Савинкова, Филоненко и Корнилова, гнусных мятежников и контрреволюционеров», пытавшихся «уничтожить демократию» и превратить «страну в казарму». Эти «гнусные черносотенные замыслы», интриги, подготовление восстания и мятежа велись «за спиною Керенского», говорит Чернов (сегодня, а завтра в «деле Чернова» опять пойдет непосредственная еда и Керенского).

Ах, дорогие товарищи, вы ничего не знали? Ни о записке, ни о колебаниях Керенского, ни о его полусогласиях — вы не знали? Какое жалкое вранье! Не выбирают средств для своих целей.

Керенский давно уехал в Ставку и там застрял. Не то он переживает события, не то подготовляет переезд пр-ва в Москву. Зачем? Военные дела наши хуже нельзя (вчера — обход Двинска), однако теперь и военные дела зависят от *здешних* (которые в состоянии, кажется, безнадежном). Немцы, если придут, то в зависимости от здешнего положения. И все же не раньше весны. Слухам о мире даже «на наш счет» — мало верится, хотя они растут.

Д. В. от всего отстраняется. Дмитрий весь в мгновенных впечатлениях, линии часто не имеет.

Нужно иметь недюжинные силы, чтобы не пасть духом. Я почти пала. Почти...

Керенский настоял, чтобы пр-во уезжало в Москву. И с «Предпарламентом», который, под именем «Совета Российской Республики», вчера открылся в Мариинском дворце. (Я и не написала, что у нас объявлено: пусть Россия называется республикой. Ну что ж, «пусть называется». Никого «слово» не утешило, ровно ничего не изменило.)

Когда история преломит перспективы, — быть может, кто-нибудь вновь попробует надеть венец героя на Керенского. Но пусть зачтется и мой голос. Я говорю не лично. И я умею смотреть на близкое издали, не увлекаясь. Керенский *был* тем, чем был в начале революции. И Керенский сейчас — малодушный и несознательный человек; а так как фактически он стоит наверху — то в падении России на дно кровавого рва повинен — он. Он. Пусть это помнят.

Жить становится невмоготу.

Собственно все, даже мелкие течения жизни сейчас важны. Но почему-то, от «революционной привычки», что ли, я впала в тупую скуку. Особенная, атмосферная скука. Душенье.

Это *мы* еще сохраняли остатки наивности, веря иной раз оповещенным намерениям «власти». Стоит этой власти что-либо пропикать, как знай: именно этого не будет. Просто замнется. С переездом пр-ва в Москву: уже замялось. Хотя я думаю, что Керенский, попробовав почву и видя, что ниоткуда не одобрен, решил пришипиться и удрать молчком — ища ветра в поле! Притом ищи пешком, ибо всякое пассажирское движение проектируется приостановить. Или это тоже вранье и дороги просто сами собой остановятся? Ну, Керенский все-таки удерет, в последнюю минуту.

У Глазберга (крупного дельца) из Вас. Остр., по инициативе М., вкупе с теми интеллигентскими кружками (ныне раздробленными остатками, непристроенными или полупристроенными к пр-ву), что процветали у нас до революции. Ну, и всякого жита по лопате. Цель — посовещаться о «возможности коллективного протеста интеллигенции против большевиков». Больше всех меня поразила

Кускова, эта «умная» женщина, отличающаяся какой-то исключительной политической и жизненной индивидуальностью. И знаю я это ее свойство, и каждый раз поражаюсь.

Она говорила длинно-предлинно, и смысл ее речи был тот, что «ничего не нужно», а нужно все продолжать, что интеллигенция делала и делает. Подробно и не без умиления рассказывала о митингах, и «как слушают, даже солдаты», и о том, что где на оборону или вообще какой-нибудь сбор, «то ни один солдат мимо не пройдет, каждый положит»... ну и дальше все в том же роде. Назад она везла нас в своем министерском автомобиле и еще определеннее высказывалась все в том же духе. Допускала, что «может быть, и нужна борьба с большевиками, но это дело не наше, не интеллигентское (и выходило так, что и не «правительственное»), это дело солдатское, может быть, и Бориса Викторовича дело, только не наше». А «наше» дело, значит, работать внутри, говорить на митингах, убеждать, вразумлять, потихоньку, полегоньку свою линию гнуть, брошюрки писать...

Да где она?! Да когда это все?! Завтра эти «солдатики» в нас из пушек запалят, мы по углам попрячемся, а она — митинги? Я не слепая, я знаю, что от этих пушек никакие и манифесты интеллигентские не спасут, но чувство чести обязывает нас вовремя поднять голос, чтобы знали, на стороне *каких* мы пушек, когда они будут стрелять друг в друга; *отвечать* за одни пушки, как за свои. Как за свое дело. А не то что «пусть там разные» Борисы Викторовичи с большевиками как хотят, а мы свою, внутреннюю, мирно-демократическую, возродительную линийку, ниточку будем тащить себе.

И вот все оно и правительство — подобное же. Из этих же интеллигентов-демократов, близоруких на 1 №, без очков.

Я уж потом замолчала. Потом она увидит, скоро. Пушка далеко стреляет.

Дело в том, что многие хотят бороться с большевиками, но никто не хочет защищать Керенского. И пустое место — Временное правительство. Казаки будто бы предложили поддержку под условием освобождения Корнилова. Но это глупо: Керенский уже не имеет власти ничего сделать, даже если б обещал. Если б! А он и слышать ничего не слышит.

Сейчас скучно уже потому, что слишком все видно было заранее.

Скучно и противно до того, что даже страха нет. И нет — нигде — элемента борьбы. Разве лишь у тех горит «вдохновение», кто работает на Германию.

Возмущаться *ими* — не стоит. Одураченной темнотой — нельзя. Защищать Керенского — нет охоты. Бороться с ордой за свою жизнь — бесполезно. В эту секунду нет *стана*, в котором надо быть. И я определенно вне этой унизительной... «борьбы». Это пока что не революция и не контрреволюция, это просто — «блевотина войны».

Была сильная стрельба из тяжелых орудий, слышная здесь. Звонят, что будто бы крейсера, пришедшие из Кронштадта (между ними и «Аврора»), команду которой Керенский взял для своей охраны в корниловские дни), обстреливали Зимний дворец. Дворец будто бы уже взят. Арестовано ли сидевшее там пр-во — в точности пока неизвестно.

Город до такой степени в руках большевиков, что уже «директория», или нечто вроде, назначена: Ленин, Троцкий — наверно; Верховский и другие — по слухам.

Опровергается весть о взятии б-ми Зимнего дворца. Сраженье длится. С балкона видны сверкающие на небе вспышки, как частые молнии. Слышны глухие удары. Кажется, стреляют и из дворца, по Неве и по «Авроре»? Не сдаются. Но — они почти голые: там лишь юнкера, ударный батальон и женский батальон. Больше никого.

Керенский уехал раным-рано, на частном автомобиле. Улизнул-таки. А эти сидят, не повинные ни в чем, кроме своей пешечности и покорства, под тяжелым обстрелом.

Если еще живы.

Торжество победителей. Вчера, после обстрела, Зимний дворец был взят. Сидевших там министров (всех до 17, кажется) заключили в Петропавловскую крепость.

Интересны подробности взятия министров. Когда, после падения Зимнего дворца (тут тоже много любопытного, но — после), их вывели, около 30 человек, без шапок, без верхней одежды, в темноту, солдатская чернь их едва не растерзала.

Отстояли. Повели по грязи, пешком. На Троицком мосту встретили автомобиль с пулеметом; автомобиль испугался, что это враждебные войска, и принялся в них жарить; и все они, — солдаты первые, с криками, — должны были лечь в грязь.

Но надо все знать: женский батальон, израненный, затащили в Павловские казармы и там поголовно изнасиловали...

«Министров-социалистов» сегодня выпустили. И они... вышли, оставив своих коалиционистов-кадет в бастионе.

В городе полуокопавшиеся в домовых комитетах обыватели да погромщики. Наиболее организованные части большевиков стянуты к окраинам, ждя сражения. Вечером шлялась во тьме лишь вооруженная сволочь и мальчишки с винтовками. А весь «вр. комитет», т. е. Бронштейны-Ленины, переехал из Смольного... не в загаженный, ограбленный и разрушенный Зимний дворец — нет! а на верную «Аврору»... Мало ли что...

Все газеты, оставшиеся (3/4 запрещены), вплоть до «Нов. жизни», отмежевываются от большевиков, хотя и в разных степенях. «Нов. ж.», конечно, менее других. Лезет, подмигивая, с блоком и тут же «категорически осуждает» — словом, обычная подлость. «Воля народа» резка до последней степени. Почти столь же резко и «Дело» Чернова. Значит: кроме групп с. д. и главная группа — с-эры Черновцы — от большевиков отмежевываются? Но... в то же время намечается у последних с-эров, очень еще прикрыто, *желание использовать аван-*

тюру для себя. (Широкое движение, уловимое лишь для знающего все кулисы и мобили.)

То есть: левые, за большевиками, партии, особенно с-эры Черновцы, как бы *переманивают* «товарищей» гарнизона и красногвардейцев (и т. д.): большевики, мол, обещают вам мир, землю и волю, и социалистическое устройство, но все это они вам не дадут, а могут дать — и дадим в превосходной степени! — *мы.* У них только обещания, а у нас это же — немедленное и готовое. *Мы* устроим настоящее социалистическое правительство без малейших буржуев, *мы* будем бороться со всякими «корниловцами», *мы* вам дадим самый мгновенный «мир» со всей мгновенной «землей». С большевиками же, товарищи дорогие, и бороться не стоит; это провокация, если кто говорит, что с ними нужно бороться; просто мы возьмем их под бойкот. А так как мы — все, то большевики от нашего бойкота в свое время и «лопнут, как мыльный пузырь».

Вот упрощенный смысл народившегося движения, которое обещает... не хочу и определять, что именно, однако очень много и, между прочим, *гражданскую войну без конца и края.*

Вместо того чтобы помочь поднять опрокинутый полуразбитый вагон, лежащий на насыпи верх колесами, — отогнав от вагона разрушителей, конечно, — напрячь общие силы, на рельсы его поставить, да осмотреть, да починить, — это наша упрямая «дура», партийная интеллигенция, — желает только сама усесться на этот вагон... Чтобы наши «зады» на нем были — не большевистские. И обещает никого не подпускать, кто бы ни вздумал вагон начать поднимать... А какая это и без того будет тяжкая работа!

Нечего бездельно гадать, чем все кончится. Шведы — (или немцы?) — взяли острова, близок десант в Гельсингфорсе. Все это по слухам, ибо из Ставки вестей не шлют, вооруженные большевики у проводов, но... быть может, просто — «вот приедет немец, немец нас рассудит»...

Господи, но и это еще не конец!

Толпа, чернь, гарнизон — безотносительны абсолютно и сами не понимают, на кого и за кого они идут.

Газеты все задушены, даже «Рабочая»; только украдкой вылезает «Дело» Чернова (ах, как он жаждет, подпольно, соглашательства с большевиками!), да красуется, помимо «Правды», эта тля — «Новая жизнь».

Петербург, — просто жители, — угрюмо и озлобленно молчит, нахмуренный, как октябрь. О, какие противные, черные, страшные и стыдные дни!

Положение неопределенное, т. е. очень плохое. Почти ни у кого нет сил выносить напряжение, и оно спадает, ничем не разрешившись.

Войска Керенского не пришли (и не придут, это уж ясно). Не то — говорят — в них раскол, не то их мало. Похоже, что и то и другое. Здесь усиливаются «соглашательные» голоса, особенно из «Новой жизни». Она уж готова на правительство с большевиками — «левых дем. партий». (Т. е. *мы* — с ними.)

Телефон не действует, занят красной гвардией. Зверства «большевицкой» черни над юнкерами — несказанны. Заключенные министры, в Петропавловке, отданы «на милость»(?) «победителей». Ушедшая было «Аврора» вернулась назад вместе с другими крейсерами. Вся эта храбрая и грозная (для нас, не для немцев!) флотилия — стоит на Неве.

Дело не в том, что у Керенского «мало сил». Он мог бы иметь достаточно, прийти и кончить все здешнее 3 дня тому назад; но... (нет слов для этого, и лучше я никак и не буду говорить) — *он опять колеблется!* Отсюда вижу, как он то падает в прострации на диван (найдет диван!), то вытягивает шею к разнообразным «согласителям», предлагающим ему всякие «демократические» меры «во избежание крови». И это в то время, когда здесь уже льется кровь детей-юнкеров, женщин, а в сырых казематах сидят люди пожилые, честные, ценные, виноватые лишь в том, что *поверили* Керенскому, взяли на себя каторжный и унизительный (при нем) правительственный труд! Сидят под ежеминутной угрозой самосуда пьяных матросов — озверение растет по часам.

А Керенский — не все договорил еще! Его еще зудит выехать в автомобиле к «своему народу», к знаменитому «петроградскому гарнизону» — и поуговаривать. *Уж было.* Оказывается — выезжал. И не раз. Гарнизон не уговорился нисколько. Но он и не сражается. Постоит — и назад с позиций, спать.

Сражается сброд и красная армия, мальчишки-рабочие с винтовками.

Казаки озлоблены до последней степени. Еще бы! Каково им там, в этом, поистине дурацком, положении? И Борису, если он тоже там с ними. Каждое столкновение казаков с «красными» — (столкновений все же предотвратить нельзя — Керенский, верно, смахивает слезу пальцем перчатки) — кончается для красных плохо.

Керенский имеет сношение со здешними соглашателями-черновцами? Они же (как я верно писала) выбиваются из сил, желая воспользоваться *для себя* делом большевиков, которые исполнили грязную работу захватчиков и убийц. Черновцы мечтают приступить к дележке добычи, и непременно с тем, чтобы вся добыча была ихняя; вам же, грабители и убийцы, мы обещаем полную безнаказанность... Мало? Ну, вот вам уголок стола во время пира, мы ничего... (Уже не говорят о «бойкоте», уже «согласны спустить и кое-каких большевиков в свое министерство»... А что говорят большевики? Они-то — согласились делить по-черновски свою добычу? Они ничего не говорят. Они делают — свое.)

Черновцы и всякие другие интернационалисты этим молчаньем не смущены. Убеждены, что все равно — разбойникам одним с добычей не справиться. Действительно, у них сейчас: служащие не служат, министерства не работают, банки не открываются, телефон не звонит. Ставка не шлет известий, торговцы не торгуют, даже актеры не играют. Весь Петербург озлоблен не менее казаков, но молчит и сопротивляется лишь пассивно.

Однако страшно ли «обезьяне со штыком» пассивное сопротивление? И на что разбойникам министерства? На что им банки? Им сейчас нужны деньги, а для этого штык лучше служащих откроет банк. Они старались — и отдадут крупинку награбленного Чернову или кому бы то ни было?! У них можно только *отнять*, а они уж носом чуют, что «отнимаем» не очень пахнет. Еще боятся, еще шлют своих копьеносцев к «позициям» с колючей проволокой и хромыми пушками (оружие, однако, почти все в их руках), — но уже понемногу смелеют, тянут лапу... щупают; попробуют — можно. Дальше валяй.

Не бесцельно ли позорятся соглашатели, деля капитал (Россию) без «хозяев»?

Я лишь рисую сегодняшнее положение. И вот, наконец, последнее известие, естественно вытекающее из предыдущих: *три дня перемирия* между войсками Керенского и большевиками. Во всех случаях это великолепно для большевиков. В три дня многое сделается и многое для них выяснится. Можно еще «на всякий случай» укрепить свои позиции, подзуживая победительное торжество и терроризуя обывателей. Можно, кроме того, и поагитировать в «братских» войсках, теряющих терпение и, конечно, не пылающих высоким духом. Много, много можно сделать, пока болтают Черновцы.

А немец — что? Или он — не сейчас?

О Москве: там 2000 убитых? Большевики стреляли из тяжелых орудий прямо по улицам. Объявлено было «перемирие», превратившееся в будущее черни, пьяной, ибо она тут же громила винные погреба.

Да. Прикончила война душу нашу человечью. Выела — и выплюнула.

В чисто большевистских газетах трактуется с подробностями «бегство» Керенского. Будто бы в Гатчине его предали изменившие казаки и он убежал на извозчике, переодевшись матросом. И даже, наконец, что в Пскове, окруженный враждебными солдатами, он застрелился.

Из этого верно *только одно*, конечно: что Керенский куда-то скрылся, его при «его» войсках нет и никаких уже «его войск» — нет.

Соглашательские потуги (вчерашнее «министерство») стыдливо затихли.

Масса явных вздоров о Германии, о наступлении Каледина на Харьков (психологически понятные легенды). А вот не вздор: в Москве, вопреки вчерашним успокоительным известиям, полнейшая и самая страшная бойня: расстреливают Кремль, разрушают Национальную и Лоскутную гостиницу. Штаб на Пречистенке. Много убитых в частных квартирах — их выносят на лестницу (из дома нельзя выйти). Много женщин и детей. Винные склады разбиты и разграблены. Большевистские комитеты уже не справляются с толпой и солдатами, взывают о помощи к здешним.

Черно-красная буря над Москвой. Перехлест.

Уехать нельзя и внешне (*и внутренне*). Да и некуда.

Николай II начал, либералы политики продолжили — поддержали, Керенский закончил.

Я не переменилась к Керенскому. Я всегда буду утверждать, как праведную, его позицию во время войны, во время революции — до июля. Там были ошибки, человеческие; но в марте он буквально *спас* Россию от немедленного безумного взрыва. После конца июня (благодаря накоплению ошибок) он был кончен и, оставаясь, конченный, во главе, держал руль *мертвыми* руками, пока корабль России шел в водоворот.

Это конец. О начале — Николае II — никто не спорит. О продолжателях-поддерживателях, кадетах, правом блоке и т. д. — я довольно здесь писала. Я их не виню. Они были слепы и действовали, как слепые. Они не взяли в руки *неизбежное*, думали, отвертываясь, что оно — избежно. Все видели, что *камень упадет*, все, кроме них. Когда камень упал, и тут они почти ничего не увидели, не поняли, не приняли. Его свято принял на свои слабые плечи Керенский. И нес, держал (один!), пока не сошел с ума от непосильной ноши и камень — не без его содействия, — не рухнул всею своею миллионнопудовой тяжестью — на Россию.

В Царском убили священника за молебен о прекращении бойни (на глазах его детей). Здесь тишина, церковь все недавние молитвы за Врем. пр-во тотчас же покорно выпустила. Банки закрыты.

Расстрелянная Москва покорилась большевикам.

Столицы взяты вражескими — и варварскими — войсками. Бежать некуда. Родины нет.

Приехал Горький из Москвы. Начал с того, что объявил: «Ничего особенного в Москве не происходило(?!) Х. видел его мельком, когда он ехал в свою «Нов. жизнь». Будто бы «растерян», однако «Нов. жизнь» поддерживает; помогать заключенным (у него масса личных друзей среди б-кого «правительства») и не думает.

В стане захватчиков есть брожения, но что это, когда два столпа непримиримых и непобедимых на своих местах: Ленин и Троцкий. Их дохождение до последних пределов и незыблемость объясняется: у Ленина — попроще, у Троцкого — посложнее.

Войска начинают с озлобления, со стычек, с расстрела... а большевики, не сражаясь, постепенно их разлагают, заманивают и, главное, как зверей, *прикармливают*. Навезли туда мяса, хлеба, колбас — и расточают, не считая. Для этого они специально здесь ограбили все интендантство, провиант, заготовленный для фронта. Конечно, и вином это мясо поливается. Видя такой рай большевицкий, такое «угощение», эти изголодавшиеся дети-звери тотчас становятся «колбасными» большевиками. Это очень страшно, ибо уж очень явственен — дьявол.

Керенский, действительно, убежал — во время начавшихся «переговоров» между «его» войсками и б-цкими. Всех подробностей еще не знаю, но общая схема, кажется, верна; эти «переговоры» — результат его непрерывных колебаний (в такие минуты!), его зигзагов. Он медлил, отдавал противоречивые приказы Ставке, то выслать войска, то не надо, вызванные возвращал с дороги, торговался и тут (наверно, с Борисом и с казаками: их было мало, они должны были требовать подкреплепия). Устраивал «перемирия» для выслушивания приезжающих «соглашателей»... Словом, та же преступная канитель, — наверно.

Рассказывают (очевидцы), что у него были моменты истерического геройства. Он как-то остановил свой автомобиль и, выйдя, один, без стражи, подошел к толпе бунтующих солдат... которая от него шарахнулась в сторону. Он бросил им: «Мерзавцы!» — пошел, опять один, к своему автомобилю и уехал.

Да, фатальный человек; слабый... герой. Мужественный... предатель. Женственный... революционер. Истерический главнокомандующий. Нежный, пылкий, боящийся крови — убийца. И очень, очень, весь — несчастный.

Среди красного тумана, среди этих омерзительных и небывалых ужасов, на дне этого бессмыслия — скука. Вихрь событий и — неподвижность. Все рушится, летит к черту и — нет жизни. Нет того, что делает жизнь: элемента борьбы. В человеческой жизни всегда присутствует элемент волевой борьбы; его сейчас почти нет. Его так мало в центре событий, что они точно сами делаются, хотя и посредством людей. И пахнут мертвечиной. Даже в землетрясении, в гибели и несчастии совсем внешнем, больше жизни и больше смысла, чем в самой гуще ныне происходящего, — только начинающего свой круг, быть может. Зачем, к чему теперь какието человеческие смыслы, мысли и слова, когда стреляют вполне бессмысленные пушки, когда все делается посредством «как бы» людей и уже не людей? Страшен автомат — машина в подобии человека. Не страшнее ли человек — в полном подобии машины, т. е. без смысла и без воли?

Это — война, только в последнем ее, небывалом, идеальном пределе: обнаженная от всего, голая, последняя. Как если бы пушки сами застреляли, слепые, не знающие, куда и зачем. И *человеку* в этой «войне машин» было бы — сверх всех представимых чувств — еще *скучно*.

К весне 1919 года положение было такое: в силу бесчисленных (иногда противоречивых и спутанных, но всегда угрожающих) декретов, приблизительно все было «национализировано» — «большевизировано». Все считалось принадлежащим «государству» (большевикам). Не говоря о еще оставшихся фабриках и заводах, — но и все лавки, все магазины, все предприятия и учреждения, все дома, все недвижимости, почти все движимости (крупные) — все это по идее переходило в ведение и собственность государства. Декреты и направлялись в сторону воплощения этой идеи. Нельзя сказать, чтобы воплощение шло стройно. В конце концов это просто было желание прибрать все к своим рукам. И большею частью кончалось разрушением, уничтожением того, что объявлялось «национализированным». Захваченные магазины, предприятия и заводы закрывались; захват частной торговли повел к прекращению вообще всякой торговли, к закрытию *всех* магазинов и к страшному развитию торговли нелегальной, спекулятивной, воровской. На нее большевикам поневоле приходилось смотреть сквозь пальцы и лишь периодически громить, ловить и хватать покупающих-продающих на улицах, в частных помещениях, на рынках; рынки, единственный источник питания решительно для всех (даже для большинства коммунистов), — тоже были нелегальщиной. Террористические налеты на рынки, со стрельбой и смертоубийством, кончались просто разграблением продовольствия в пользу отряда, который совершал налет. Продовольствия прежде всего, но так как нет вещи, которой нельзя встретить на рынке, — то забиралось остальное, — старые онучи, ручки от дверей, драные штаны, бронзовые подсвечники, древнее бархатное Евангелие, выкраденное из какого-нибудь книгохранилища, дамские рубашки, обивка мебели... Мебель тоже считалась собственностью государства, а так как под полой дивана тащить нельзя, то люди сдирали обивку и норовили сбыть ее хоть за полфунта соломенного хлеба... Надо было видеть, как с визгами, воплями и стонами кидались торгующие врассыпную, при слухе, что близки красноармейцы! Всякий хватал свою рухлядь, а часто, в суматохе, и чужую; бежали, толкались, лезли в пустые подвалы, в разбитые окна... Туда же спешили и покупатели, — ведь покупать в Совдепии не менее преступно, чем продавать, — хотя сам Зиновьев отлично знает, что без этого преступления Совдепия кончилась бы, за неимением подданных, дней через 10.

Мы называли нашу «республику» не Р.С.Ф.С.Р., а между прочим — «Р.Т.П.» — республикой торгово-продажной. Так оно фактически и было. Надо отметить главную характерную черту в Совдепии: есть факт, над каждым фактом есть вывеска, и каждая вывеска — абсолютная ложь по отношению к факту.

Здесь скажу о петербургских домах. Это полупустые, грязные руины, — собственность государства, — управляются так называемыми «комитетами домовой бедноты». Принцип ясен по вывеске. На деле же это вот что: власти в лице Чрезвычайки совершенно открыто следят за комитетом каждого дома (была даже «неделя чистки комитетов»). По возможности комитетчиками назначаются «свои» люди, которые, при постоянном контакте с районным Совдепом (местным полицейским участком), могли бы делать и нужные доносы. Требуется, чтобы в комитетах не было «буржуев», но так как действительная «беднота» теперь именно «буржуи», то фактически комитеты состоят из лиц, находящихся на большевицкой полицейской службе, или спекулянтов, т. е. менее всего из «бедноты». Нейтральные жильцы дома, рабочие или просто обывательские низы, обыкновенно в комитет не попадают, да и не стремятся туда.

Бывают счастливые исключения. Например, в доме одного писателя — «очень хороший комитет: младший дворник, председатель, такой добрый. Он нас не притесняет, он понимает, что все это рано или поздно кончится...». А вот другой, очень известный мне дом: вечные доносы, вечное врыванье в квартиры, вечное преследование «буржуазии» — такой, например, как три барышни, жившие вместе: две учительницы, в большевицких (других нет) школах, и третья — врач, в большевицкой (других нет) больнице. Эту третью даже несколько раз арестовывали; то когда вообще всех врачей арестовывали, то по доносу комитетчика, который решил, что у нее какая-то подозрительная фамилия.

Наш дом около Таврического дворца был самым счастливым исключением из общего правила. И не случайно, а благодаря незабвенному другу нашему, удивительнейшему человеку, И. И. (Манухину).

На нем я должна остановиться. Он — и жена его — люди, с которыми мы действительно вместе, почти не разлучаясь физически и душевно, переживали годы петербургской трагедии. Слишком много нужно бы говорить о нем, я не буду здесь вспоминать страницы моего зарытого дневника. Скажу лишь кратко, что И. И. редкое соединение очень серьезного ученого, известного своими творческими работами в Европе, — и деятельного человека жизни, отзывчивого и гуманного. Типичные черты русского интеллигента, — крайняя прямота, стойкость, непримиримость, — выражались у него не словесно, а именно действенно. Он жил в нашем доме, на той же лестнице, наверху, и во время войны: но мы не были знакомы. Сочувствуя со дней юности партии, нам далекой — социал-демократической, — он сталкивался преимущественно с людьми, с которыми мы уже были в идейной борьбе. Правда, у нас имелась некоторая связь через Горького: И. И. был лично близок с Горьким, он оказал Горькому в свое время неоценимые услуги; Горького же мы знали давно, лет двадцать; он даже бывал у нас во время войны. Но с Горьким мы не сходились ни-

166

когда, странная чуждость разделяла нас. Даже его несомненный литературный талант, сильный и неровный, которым мы порою восхищались, не сближал нас с ним. Впрочем, окружение Горького, постоянная толпа ничтожных и корыстных льстецов, которых он около себя терпел, отталкивала от него очень многих.

Эти льстецы обыкновенно даже не партийные люди; это просто литературные паразиты. Подобный «двор» — не редкость у русского писателя-самородка, имеющего громкий успех, если писатель притом слабохарактерен, некультурен и наивно-тщеславен.

Паразитов горьковских И. И. весьма не любил, но по доброте своей Горькому их прощал, а с партийными людьми горьковского круга вел давнее знакомство.

И в дни февральской революции, когда вокруг Думы, — вокруг Таврического дворца, — кипели и подымались человеческие волны, когда в нашу квартиру втекали, попутно, люди, более близкие нам, — наверху, у И. И. собирались другие, иного толка. Казалось, — в первые дни, — что смешались все толки, что нет разделения; но оно уже было. И чем дальше, тем делалось резче. Во время июльского восстания, определенно с.-д.-большевицкого, — у И. И. в квартире скрывались социал-демократы, еще не вполне примкнувшие к большевизму, но уже чувствующие, что у них рыльце в пушку. Известный когда-то лишь своему муравейнику литературно-партийный хлыщ — Луначарский, ставший с тех пор литературным хлыщом «всея Совдепии», — во

167

время июльского бунта жалобно прятался у И. И. (давнего своего знакомого) чуть не под кроватью. И так «дрянно» (по словам жены И. И.) трусил, так дрожал за свою особу, гадая, куда бы ему удрать, что внушил отвращение даже снисходительным его укрывателям.

Вскоре после этого восстания, когда линия с.-д.-большевиков ярко определилась, когда все честные люди из не потерявших разум ее совершенно поняли, — мы встретились с И. И. и его женой. Встретились и сразу сошлись крепко и близко.

Надвигалась буря. Лед гудел и трещал. Действительно, скоро он сломался на куски, разъединяя прежде близких, — и люди понеслись — куда? — на отдельных льдинках. Мы очутились на одной и той же льдине с И. И. Когда по месяцам нельзя было физически встретиться, даже перекликнуться, с давними, милыми друзьями, ибо нельзя было преодолеть черных пространств страшного города, — каким счастьем и помощью был стук в дверь и шаги человека, сбежавшего к нам вниз по внутренней лестнице, — человека, то же самое понимающего, так же чувствующего, о том же ревнующего, тем же страдающего, чем страдали мы!

Деятельная, творческая природа И. И. не позволяла ему глядеть на совершающееся сложа руки. Он вечно бегал, вечно за кого-то хлопотал, кому-то помогал, кого-то спасал. Он делал дела и крупные, и мелкие, ни от чего не отказывался, лишь бы кому-нибудь, чему-нибудь помочь. При всей своей непримиримости и кипучей ненависти к большевикам, при очень ясном взгляде на них — он не впадал в уныние; он до конца, — до дня нашей разлуки, — таким и остался: жарко верующим в Россию, верующим в ее непременное и скорое освобождение. Зная все, что мы переносили, какие темные глубины мы проходили, — я знаю, какая нужна сила духа и сила жизни, чтобы не потерять веру, чтоб устоять на ногах — остаться *человеком*. С нежной благодарностью обращается мысль моя к И. И. Он помог нам — он и его жена, — более, чем сами они об этом думают.

Не могу не прибавить, что сильнее чувства благодарности по отношению к этим людям, а также к другим, там оставшимся, там нечеловечески страдающим и погибающим, к миллионам людей с душой живой — сильнее всех чувств во мне говорит пламенное чувство долга. Я никогда не знала ранее, что оно может быть *пламенным*. Мы — здесь; наши тела уже не в глубокой темной яме, называемой Петербургом; но не ради нашего избавления избавлены мы, нет у нас чувства избавления — и не может быть его, пока звучат в ушах эти голоса оттуда, — de profundis. Каждая минута, когда мы не стремимся приблизить хоть на линию, на полмиллиметра освобождение сидящих в яме, — наш собственный провал; если есть эта минута — не оправдано избавление наше, и да погибнем мы здесь, как погибли бы там. Все равно, сколько у каждого сил. Сколько бы ни было, он обязан положить их на дело погибающих — все.

И это я говорю не только себе, не только нам; говорю всякому русскому в Европе, даже всякому вообще *человеку*, если только он знает или может как-нибудь понять, что сейчас делается в России.

Я верю, что людям, достойным называться людьми, доступно и даже свойственно именно пламенное чувство долга...

И. И. с самого начала, когда назначения в домовые комитеты не были так строги, пошел в этот комитет — «спасать квартиры от разграбления, жильцов от унижения». Сначала он был там председателем, но затем его не утвердили — председателем стал хитрый мужик, смекающий, что не век эта «ерунда» будет длиться и что ссориться ему с «господами» не расчет. Он охотно уступал И. И. К тому же более думал, как бы «спекульнуть» без риска, и был малограмотен. Остальная «беднота», состоявшая уже окончательно из спекулирующих, воров (один шофер, хапнул на 8 миллионов, попался и чуть не был расстрелян), тайных полицейских («чрезвычайных»), дезертиров и т. д., благодаря тому же малограмотству и отсутствию интереса ко всему, кроме наживы, — эта «беднота» тоже не особенно восставала против энергичного И. И.

Надо все-таки видеть, что за колоссальная чепуха — домовый комитет! Противная, утомляющая работа, обходы неисполнимых декретов, извороты, чтобы отдалить ограбления, разговоры с тупыми посланцами из полиции... А вечные обыски! Как сейчас вижу длинную худую фигуру И. И. без воротника, в стареньком пальто, в 4 часа ночи среди подозрительных, подслеповатых людей с винтовками и кучи баб — новых сыщиков и сыщиц. Это И. И. в качестве уполномоченного от «Комитета» сопровождает обыски уже в двадцатую квартиру.

Шепчет мне: «Я их к вам нарочно напоследях... Они уже устали...»

Но сам он, кажется, больше всех устал, хотя крепится.

Как известно, все население Петербурга взято «на учет». Всякий, так или иначе, обязан служить «государству» — занимать место если не в армии, то в каком-нибудь правительственном учреждении. Да ведь человек иначе и заработка никакого не может иметь. И почти вся оставшаяся интеллигенция очутилась в большевицких чиновниках. Платят за это ровно столько, чтобы умирать с голоду медленно, а не быстро. К весне 19 года почти все наши знакомые изменились до неузнаваемости, точно другой человек стал. Опухшим — их было очень много — рекомендовалось есть картофель с кожурой, — но к весне картофель вообще исчез, исчезло даже наше лакомство — лепешки из картофельных шкурок. Тогда царила вобла — и кажется, я до смертного часа не забуду ее пронзительный, тошный запах, подымавший голову из каждой тарелки супа, из каждой котомки прохожего.

Новые чиновники, загнанные на службу голодом и плеткой, — русские интеллигентные люди, — не изменились, конечно, не стали большевиками. Водораздел между «склонившимися» и «сдавшимися», между служащими «за страх» и другими, «за совесть» — всегда был очень ясен. Сдавшиеся, передавшиеся насчитываются единицами; они усердствуют, якшаются с комиссарами, говорят высокие слова о «народном гневе», но менее ловкие все-таки голодают (и все говорю о «чиновниках», а не об откровенных спекулянтах). Есть еще «приспособившиеся»; это просто люди обывательского типа; они тянут лямку, думая только о еде; не прочь извернуться, где могут, не прочь и ругнуть, за углом, «советскую» власть. Но к чести русской интеллигенции надо сказать, что громадная ее часть, подавляющее большинство, состоит именно из «склонившихся», из тех, что с великим страданием, со стиснутыми зубами несут чугунный крест жизни. Эти виноваты лишь в том, что они не герои, т. е. даже герои, но не активные. Они нейдут активно на немедленную смерть, свою и близких; но нести чугунный крест — тоже своего рода геройство, хотя и пассивное.

К ним надо причислить и почти всех офицеров красной армии — бывших офицеров армии русской. Ведь когда офицерство мобилизуют (такие мобилизации объявлялись чуть не каждый месяц), — их сразу арестовывают; и не только самого офицера, но его жену, его детей, его мать, отца, сестер, братьев, даже двоюродных дядей и теток. Выдерживают офицера в тюрьме некоторое время непременно вместе с родственниками, чтобы понятно было, в чем дело, и если увидят, что офицер из «пассивных» героев, — выпускают всех; офицера — в армию, родных — под неусыпный надзор. Горе, если прилетит от армейского комиссара донос на этого «военспеца» (как они называются). Едут дяди и тетки, — не говоря о жене с детьми, — куда-то на принудительные работы, а то и запираются в прежний каземат.

Среди офицеров, впрочем, немало оказалось героев и активных. Этих расстреливали почти буквально на глазах жен. В моих листках приведены факты; они происходили на глазах близкого мне человека, женщины-врача, арестованной... за то, что у нее подозрительная фамилия.

Я веду вот к чему. Я хочу в грубых чертах определить, как разделяется сейчас все население России вообще по отношению к «советской» власти. Последние годы много дали нам; много видели мы со всех сторон, и я думаю, что не очень ошибусь в моей сводке. Делаю ее по главным линиям и совершенно объективно. Она относится к второй половине 19 года; вряд ли могло в ней потом что-либо измениться коренным образом.

1. Собственно народ, низы, крестьяне, в деревнях и в красной армии, главная русская толща в подавляющем большинстве — нейтралы. По природе русский крестьянин — ярый частный собственник, по воспитанию (века длилось это воспитание) — раб. Он хитер — но послушен, внешне, всякой силе, если почувствует, что это действительно грубая сила. Он будет молчать и ждать без конца, норовя за уголком устроиться по-своему, но лишь за уголком, у себя в уголке. Он еще весьма узко понимает и пространство, и время. Ему довольно безразличен «коммунизм», пока не коснулся его самого, пока это вообще какое-то «начальство». Если при этом начальстве можно забрать землю, разогнать помещиков и поспекулировать в городе — тем лучше. Но едва коммунистические лапы тянутся к деревне — мужик ершится. Упрямство у него такое же бесконечное,

173

как и терпение. Землю, захваченное добро он считает своими, никакие речи никаких «товарищей» не разубедят его. Он не хочет работать «на чужих ребят»; и когда большевики стали посылать отряды, чтобы реквизировать «излишки», — эти излишки исчезли, а где не были припрятаны — там мужики встретили реквизиторов с винтовками и даже с пулеметами. Вскоре мужик сообразил, что спокойнее вырабатывать хлеба лишь столько, сколько надо для себя, его уж и защищать. И половина полей просто начала пустовать. Нахватанные керенки все зарываются да зарываются в кубышки; и вот мужик начинает хмуриться: да скоро ли время, чтобы свободно попользоваться накопленным богатством? Он ни минуты не сомневается, что «они» (большевики) кончатся: но когда? Пора бы... И «коммунисты» — уже ругательное слово в деревне.

Воевать мужик также не хочет, как не хотел при царе, и так же покоряется принудительному набору, как покорялся при царе. Кроме того, в деревне, особенно зимой, и делать нечего, и хлеб на счету; в красной же армии — обещают паек, одевку, обувку; да и веселее там молодому парню, уже привыкшему лодырничать. На фронт — не всех же на фронт! Посланные на фронт покоряются, пока над ними зоркие очи комиссаров; но бегут кучами при малейшей возможности. Панике поддаются с легкостью удивляющей, и тогда бегут слепо, невзирая ни на что. Веснами, едва пригреет солнышко и можно в деревню, — бегут неудержимо и без паники: просто текут назад, прячась по лесам, органически превращаясь в «зеленых».

Большевики отлично все это знают. Прекрасно понимают своих подданных, свою армию — учитывают все. Но они так же прекрасно учитывают, что их враги, — европейцы ли, собственные ли белые генералы, — ничего не понимают и ничего не знают. На этой слепоте, я полагаю, они и строят все свои главные надежды.

2. Рабочие? Пролетариат? Но собственно пролетариата в России почти не было и раньше, говорить же о нем сейчас, когда девять десятых фабрик закрылись, — просто смешно. Российские рабочие те же крестьяне, и с закрытием заводом они расплылись — в деревню, в красную армию. За оставшимися в городах, на работающих фабриках, большевики следят особенно зорко, обращаются с ними и осторожно — и беспощадно. Периодически повторяются вспышки террора именно рабочего. И это понятно, ибо громадное большинство оставшихся рабочих уже не нейтрально, оно враждебно большевикам. Большевикам не по себе от этой, глухой пока, враждебности, и они ведут себя тут очень нервно: то заискивают, то неистовствуют. На официальных митингах все бродят какие-то искры, и порою достаточно одному взглянуть исподлобья, проворчать: «Надоело уж все это...» — чтобы заволновать собрание, чтобы занадрывались одни ораторы, чтобы побежали другие, черным ходом, к своим автомобилям. Слишком понятна эта неудержимо растущая враждебность к большевикам в средней массе рабочих: беспросветный голод, несмотря на увеличение ставок («Чего на эти ленинки купишь? Тыща тоже называется! Куча...» — следует непе-

175

чатное слово), беззаконие, расхищение, царящие на фабриках, разрушение производительного дела в корне и, наконец, неслыханное количество безработных — все это слишком достаточные причины рабочего озлобления. Пассивного, как у большинства русских людей, и особенно бессильного, потому что «власти» особенно заботятся о разъединении рабочих. Запрещены всякие организации, всякие сходки, сборища, митинги, кроме официально назначаемых. Сколько юрких сыщиков шныряет по фабрикам! Русские рабочие очутились в таких ежовых рукавицах, какие им не снились при царе. Вывеска — уверения, что их же рукавицы, «рабочее» же правительство, на них более не действуют и никого не обманывают.

3. Городское обывательское население, полуинтеллигенты, интеллигенты, чиновники, а также верхи и полуверхи красной армии, ее командный состав — об этом слое уже было упомянуто. Взятый en gros — он в подавляющем большинстве непримирим по отношению к «советской власти». Нейтралов сравнительно немного, да и нейтралами они могут быть названы лишь в той мере, в какой было названо нейтральным крестьянство. Под тончайшей пленкой тупого равнодушия или мгновенной беззаботности — и у них, у нейтралов, лежит самая определенная враждебность к данной власти — трусливая ненависть или презрение. С каким злорадством накидывается обывательщина, верхняя и нижняя, на всякую неудачу большевиков, с какой жадностью ловит слухи о их близком падении! Не раз и не два мне собственными ушами приходилось

176

слышать, как ждут освободителей: «Хоть сам черт, хоть дьявол, — только бы пришли! И чего они там, союзники эти самые! Часок только и пострелять с моря, и готово дело! Уж мы бы тут здешней нашей сволочи удрать не дали — нет! Уж мы бы с ней тогда сами расправились!» Но этого «часочка стрельбы» настоящей не было, и разочарованные жители Петербурга после взрыва надежды молчаливо-злобными взглядами провожают всякий автомобиль. (Автомобиль — это, значит, едут большевики. Автомобилей других нет.)

Вот моя сводка. И не моя вовсе: ее, такую, делают все в России, все знают, что в грубых и общих чертах отношение русского населения к большевицкой власти именно таково. Я ничего не сказала о чистых спекулянтах. Но это не слой и не класс. Спекулянты, сколько бы их ни было, все-таки отдельные личности и принадлежат ко всем слоям и классам. Они, конечно, рады, что подвернулись такие роскошные условия — власть большевиков — для легкой наживы. Но, в целом, и на армию спекулянтов большевики не могут рассчитывать, как на твердую опору. Происходит та же, приблизительно, история, как с крестьянами. Кучи спекулянтов уже стонут: да когда же? Долго ли? Когда же попользоваться награбленным? А жить все дороже, грабить надо шире, значит, и рисковать больше... Расчетливый спекулянт с таким же нетерпеливым ожиданием считает дни, как иной чиновник.

Да, вот факт, вот правда о России в немногих словах: *Россией сейчас распоряжается ничтожная кучка людей, к которой вся остальная часть на-*

177

селения, в громадном большинстве, относится отрицательно и даже враждебно. Получается истинная картина чужеземного завоевания. Латышские, башкирские и китайские полки (самые надежные) дорисовывают эту картину. Из латышей и монголов составлена личная охрана большевиков. Китайцы расстреливают арестованных — захваченных. (Чуть не написала «осужденных», но осужденных нет, ибо нет суда над захваченными. Их просто так расстреливают.) Китайские же полки или башкирские идут в тылу посланных в наступление красноармейцев, чтобы, когда они побегут (а они побегут!), встретить их пулеметным огнем и заставить повернуть.

Чем не монгольское иго?

Я знаю вопрос, который сам собой возникает после моих утверждений. Вот он: если все это правда, если это действительно власть кучки, беспримерное насилие меньшинства над таким большинством, как *почти все* население огромной страны, — почему нет внутреннего переворота? Почему хозяйничанье большевиков длится вот уже три года? Как это возможно?

Это не только возможно — это даже не удивительно для того, кто знает Россию, русский народ, его историю, — и в то же время знает большевиков. Россия — страна всех возможностей, сказал кто-то. И страна всех невозможностей, прибавлю я. О причинах такой, на первый взгляд, неестественной нелепости — длящегося владычества кучки партийных людей, недавно подпольных, над огромным народом вопреки его воле — об этом я говорю много

178

в моем дневнике. Почти весь он, пожалуй, об этом. Здесь подчеркну только еще раз: мы знаем, что это именно так и должно было быть; но мы знаем еще, — и это страшно важно! — что малейший внешний толчок, малейший камешек, упавший на черную недвижность сегодняшней России, — произведет оглушительный взрыв. Ибо это чернота не болота, но чернота порохового погреба.

Никаких тут нет сомнений у большевиков. Никаких нет и не было сомнений у нас, всех остальных русских людей. Отсюда понятно, что переживали мы в мае 19 года, мы — и они, большевики. Они, впрочем, трусы, а у страха глаза велики; при одном лишь том факте, что наступает лето, делается возможным удар на Петербург и все в городе ждут удара, — большевики засуетились, заволновались. А когда началось наступление с Ямбурга, — паника их стала неописуема. Мы были гораздо скептичнее. Мы совершенно не знали, кто наступает, с какими силами, а главное, — есть ли там, на Западе, какая-нибудь согласованность, есть ли единая воля у идущих — воля дойти во что бы то ни стало. Для внешнего толчка, самого легкого, но вполне достаточного, чтобы опрокинуть центральную власть, это единство воли необходимо. Паника большевиков, цену которой мы знали, не доказывала еще, что общий удар на Петербург предрешен. Напряжение в городе, однако, все возрастало и ширилось.

Нельзя передать словами краску, запах, воздух в такие дни и минуты ожидания. Уже потому нельзя, что дни эти особенно тихи, молчаливы, никаких слов никто не говорит. Да и зачем слова? Надо ждать и слушать; надо угадать, захватить мгновение... не переворота, а то последнее мгновение, когда можно сказать «пора!», когда можно встать действенно за «тех» — против «этих».

Целые коллективы, по вывеске большевицкие, в неусыпном напряжении ждали такой минуты. (Меня поймут, мне простят, конечно, мою бездоказательность и неопределенность: я пишу это в 20 году, во время длящегося царства большевиков.) Красноармейцы, посылаемые на фронт, были проще и разговорчивее: «Мы до первого кордона. А там сейчас — на ту сторону». Помню их весело и глупо улыбающиеся лица.

События на Красной Горке (почти у самого Кронштадта) неизвестны в подробностях; но по всем вероятиям, это была ошибка, обман момента; слишком измученные ожиданием люди сказали себе «пора!» — а было вовсе не пора. Да настоящего момента для внутреннего восстания тогда и совсем не было (как не было его и после осенью, во время наступления Юденича). Не было, видим мы теперь, единой воли у идущих, не было ее еще ни разу... Будет ли когда-нибудь?

Майская эпопея скатилась, как волна, оставив после себя полосы опустошения; нас только сдавили, задушили новыми распоряжениями и декретами, новыми запрещениями и ограничениями, — новые замки повесили на двери тюремные. Да цены сразу удвоились, так что волей-неволей приходилось думать о последней рубашке — когда, сегодня или завтра снимать ее, чтоб послать на рынок.

Но думалось и об этом как-то тупо. Не уныние, а именно тупость начинала все больше овладевать всеми. Собственно наша внешняя жизнь изменялась так медленно и незаметно, что на первый взгляд, вот тогда весной 19 года, все было как бы то же: та же квартира, сохраненная заботами И. И., в кухне та же старенькая няня моя, та же преданная им служанка, деревенская девушка, с отвращением и покорностью глядящая на «этих коммунистов». Правда, пустели полки с книгами, унесли пианино, постепенно срывались занавесы с окон и дверей, а в кухне бедная моя, едва живая старушка тщетно суетилась над полупустыми горшками и бранилась с таинственными личностями, на ухо обещающими картофель по сту рублей фунт. Кухня — была у нас самое оживленное место в квартире. Кого-кого там не приходилось мне видеть! Кухонные митинги порою давали нам очень живую информацию.

Все пустеющая рабочая комната, балкон, с которого, поверх зеленых шапок Таврического сада, можно видеть главы страшного Смольного, бледно-золотые в белую майскую ночь, — о, какое странное томление, какая — словно предсмертная — тоска!

Какие-то сны... О большевиках... Что их свалили... Кто? Новые, странные люди. Когда? Сорок седьмого февраля...

«Дяденька, я боюсь!» — пищит мальчишка в Тургеневском сне «Конец света». И вдруг: «Гляньте! земля провалилась!»

У нас улица провалилась. Окна закрыты, затыканы чем можно. Да и нету там, за окнами, ничего. Тьма, тишина, холод, пустота.

Не было в истории. Все аналогии — пустое. Громадный город — самоубийца. И это на глазах Европы, которая пальцем не шевелит, не то обыдиотев, не то осатанев от кровей.

Одно полено стоит 40 рублей, но достать нельзя ни одного... «под угрозой расстрела».

Летом дни катились один за другим, кругло щелкая, словно черепа. Катились, катились — вдруг съежились, сморщились, черные, точно мороженые яблочки, — и еще скорее защелкали, катясь.

Неужели мне кажется, что уже нет спасения?

Прислали нам, в виде милостыни, немного дров. Надо было самим перетаскать их в квартиру. Сорок раз по лестнице!

Я поняла, что холод хуже голода, а тьма хуже и того, и другого вместе.

Но и голод, и холод, и тьма — вздор! Пустяки! Ничто — перед одним, еще худшим, непереносимым, кажется в самом деле не-вы-но-симым... Но нельзя, не могу, потом! после!

Мило сказал Ллойд-Джордж о России: «Пусть они там поразмышляют в течение зимы». Очень недурно сказал. Кажется, этот субъект самый бесстыдный из бесстыднейших. Но логика истории беспощадна. И отомстит ему — рано или поздно. Не мы — так она.

Большевики ликуют. Победы — и вдали мир с покоренной Антантой. Все думаю, думаю над одним вопросом, но решить его не могу. А вопрос такой: правительство Англии, что оно — бесчестно или безмозгло? Оно непременно или то, или другое, тут сомнений нет.

На Николаевской улице вчера оказалась редкость: павшая лошадь. Люди, конечно, бросились к ней. Один из публики, наиболее энергичный, устроил очередь. И последним достались уже кишки только.

А знаете, что такое «китайское мясо»? Это вот что такое: трупы расстрелянных, как известно, «Чрезвычайка» отдает зверям Зоологического сада. И у нас, и в Москве. Расстреливают же китайцы. И у нас, и в Москве. Но при убивании, как и при отправке трупов зверям, китайцы мародерничают. Не все трупы отдают, а какой помоложе — утаивают и продают под видом телятины. У нас — и в Москве. У нас — на Сенном рынке. Доктор N (имя знаю) купил «с косточкой» — узнал человечью. Понес в Ч.К. Ему там очень внушительно посоветовали не протестовать, чтобы самому не попасть на Сенную. (Все это у меня из первоисточников.)

В Москве отравилась целая семья.

А на углу Морской и Невского, в реквизированном доме, будет «Дворец искусств». По примеру Москвы. Устраивают Максим Горький и... Прости им Бог, не хочу имен.

Трамваи иной день еще ползают, но по окраинам.

С тех пор, как перестали освещать дома — улицы совсем исчезли: тихая, черная яма, могильная.

Ходят по квартирам, стаскивают с постелей, гонят куда-то на работы.

Диму-таки взяли в каторжные («общественные») работы. Завтра в 6 утра — таскать бревна.

И вовсе, оказалось, не бревна!.. Несчастный Дима пришел сегодня домой только в 4 ч. дня, мокрый буквально по колено. Он так истощен, слаб, страшен, — что на него почти нельзя смотреть. (Он занимает очень важный пост в Публичной библиотеке, но более занят дежурством на канале [сторожит дрова на барке], чем работой с книгами. Сторожить дрова — входит в службу.)

Сегодня его гоняли далеко за город, по Ириновской дороге, с партией других каторжан, — *рыть окопы!!* Погода ужасная, оттепель, грязь, мокрый снег.

Пока я Диму разувала, терла ему ноги щеткой, он мне рассказывал, как их собирали, как гнали...

На месте дали кирку. Потрясающе не нужно и бесплодно. И всякий знал, что это принудительная бесполезность (вспоминаю «Мертвый дом» Достоевского. Его отметку, что самое тяжелое в каторжных работах — сознание ненужности твоей работы. А тут еще хуже: *отвратительность* этой ненужной работы).

Никто ничего не нарыл, да никто и не смотрел, чтобы рыли, чтоб из этого вышли какие-нибудь окопы. Самое откровенное издевательство.

После долгих часов в воде тающего снега — толстый, откормленный холуй (бабы его тут же, в глаза, осыпали бесплодными ругательствами: «Ишь, отъелся, морда лопнуть хочет!») — стал выдавать «арестантам», с долгими церемониями, по 1 ф. хлеба. Дима принес этот черный, с иглами соломы, фунт хлеба — с собой.

Ассирийское рабство. Да нет, и не ассирийское, и не сибирская каторга, а что-то совсем вне примеров. Для тяжкой ненужной работы сгоняют людей полураздетых и шатающихся от голода, — сгоняют в снег, дождь, холод, тьму... Бывало ли?

Отмечаю *засилие безграмотных*. Явившийся властитель — красноармеец — требовал на «работы» — 95 рабов и неистово зашумел, когда ему сказали, что это невозможно, ибо у нас всех жильцов валовых, с грудными детьми — 81.

Не понимал, слушать не хотел, но скандалил даром, ибо против арифметики не пойдешь, из 81 не сделаешь 95. Обещал кары.

Неужели есть какая-нибудь страна, какое-нибудь правительство (не большевиков), думающее, что *может* быть, *физически* может — мир с ними? Черт с ней, с моралью. Я сейчас говорю о конкретностях. «Они» подпишут всякие бумажки. Примут все условия, все границы. Что им? Они безграничны.

Что им условия с «незаконным» (не «советским») правительством? Самый их принцип требует неисполнения таких условий. Но фикция мира в их интересах. Одурманив ею народ, приведя его к разоружению, — они тихими стопами внедрятся в беззащитную страну... ведь это же, прежде всего, партия «подпольных» действий. А в кармане у них уже готовые составы «национальных» большевистских правительств любой страны. Только подточить и посадить. Выждать, сколько нужно. «Мирный» переворот, по воле народа!

Каждое правительство каждой страны, — какой угодно, хоть самой Америки! — подписывая «мир» с большевиками — подписывает прежде всего смертный приговор себе самому. Это $2 \times 2 = 4$.

Ну, а если после войны Европа стала думать, что $2 \times 2 = 5$?

Англия, в лице Ллойд-Джорджа, вероятно, и не очень честна, и не очень умна, а к тому же крайне невежественна.

В последнем она сама наивно признается.

Почти юродивое идиотство со стороны Европы посылать сюда «комиссии» или отдельных лиц для «ознакомления». Ведь их посылают — к большевикам в руки. Они их и «ознакомливают». Строят декорации, кормят в «Астории» и открыто сторожат денно и нощно, лишая всякого контакта с внешним миром. Попробовал бы такой «комиссионер» хотя бы на улицу один выйти! У дверей каждого — часовой.

Отсюда и г-н Форст (о нем я своевременно писала, да он, как немец, чувствует органическое «влечение, род недуга» к большевизму... русскому), отсюда и этот махровый дурак мистер Гуд, разъезжающий в поезде Троцкого и, купленный вниманием добрых большевиков к его особе, — весь растекшийся от умиления.

Нет! Пришлите, голубчики, кого-нибудь «инкогнито». Пришлите не к ним — а к нам. Пусть поживут, как мы живем. Пусть увидят, что мы все видим. Пусть полюбуются и как существует «смысл» страны — ее интеллигенция. Вот будет дело.

А приезжающие к большевикам... могли бы и не трудиться. Пусть читают, не двигаясь с места, большевистские прокламации. Совершенно так же будут «осведомлены».

Неужели и добровольцев не найдется для «инкогнито»?

Кричу, никогда не кончу кричать об этом!

Живых людей, *не связанных по рукам и ногам,* — здесь нет. А связанных, с кляпом во рту, ждущих только первой помощи — о, этих довольно! Такие «живые» люди почти все, кто еще жив физически.

Вот точная формула: если в Европе может в XX веке существовать страна с таким феноменальным, в истории небывалым, всеобщим *рабством* и Европа этого не понимает или это принимает — Европа должна провалиться. И туда ей и дорога.

Да, рабство. Физическое убиение духа, всякой личности, всего, что отличает человека от животного. Разрушение, обвал всей культуры. Бесчисленные тела белых негров.

Да что мне, что я оборванная, голодная, дрожащая от холода? Что — мне? Это ли страдание? Да я уж и не думаю об этом. Такой вздор, легко переносимый, страшный для слабых, избалованных европейцев. Не для нас. Есть ужас ужаснейший. Тупой ужас потери лица человеческого. И моего лица, — и всех, всех кругом...

Мы лежим и бормочем, как мертвецы у Достоевского, бессмысленный «бобок... бобок...».

Кстати еще о большевистских школах. Это, с известной точки зрения, самое отвратительное из большевистских деяний. Разрушение *вперед*, изничтожение будущих поколений. Не говоря уже о детских телах (что уж говорить, и так ясно!) — но происходит систематическое внутреннее разлагательство. Детям внушается беззаконие и принцип «силы как права». Фактически дети превращены в толпу хулиганов. Разврат в этих школах — такой, что сам Горький плюет и ужасается, я уже писала. Девочки 12—13 лет оказываются беременными или сифилитичками. Ведь бывшие институты и женские гимназии механически, сразу, сливают с мужскими школами и с уличной толпой подростков, всего повидавших — юных хулиганов, — вот общий, первый принцип создания «нормальной» большевистской школы. Никакого «ученья» в этих школах не происходит, да и не может происходить, кроме декоративного, для коммунистов-контролеров, которые налетают и зорко следят:

ведется ли школа в коммунистическом духе, поют ли дети «Интернационал» и не висит ли где в углу забытая икона. Насчет ученья — большевики, кажется, и сами понимают, что нельзя учиться 1) без книг, 2) без света, 3) в температуре, в которой замерзают чернила, 4) с распухшими руками и ногами, обернутыми тряпками, 5) с теми жалкими отбросами, которые посылаются раз в день в школу (знаменитое большевистское «питание детей!»), и, наконец, с малым количеством обалделых, беспомощных, качающихся от голода учительниц, понимающих одно: что ничего решительно тут нельзя сделать. Просто — служба; проклятая «советская» служба — или немедленная гибель. Учителей нет совершенно естественно: старые умерли, все более молодые мобилизованы.

Американцев бы сюда, так заботящихся о детях, что даже протестовавших против блокады: бедным большевичкам, мол, самим кушать нечего, и то они у себя последний кусок вырывают, чтобы деток попитать; снимите, злые дяди, блокаду — и расцветут бедные «красные» детки бывшей России!.. Кажется, и мистер Гуд, разъезжающий в императорском поезде Троцкого и кушающий там свежую икру, — лепетал что-то в этом роде.

Ну, да все равно. Бог с ней и с Америкой. Какая там Америка! Далеко Америка! И довольно об этом. Скажу еще только, что случай позволил мне наблюдать внешнюю и внутреннюю жизнь «советских школ» очень близко и что все, что я говорю, я говорю ответственно и с полным знанием дела. Я имею осязательные фактические данные и — полное беспристрастие, ибо *лично* тут никак не заинтересована. Все дети для меня равны. Ибо всякий *человек* должен прийти в такой же бездонный ужас, как и я, — если он только действительно увидит, своими глазами, то, что вижу я.

Я обвиняю Европу, но как ей видеть, как понимать, что слышать? Будем объективны, будем справедливы. Россия гробово молчит: отсюда до Европы доходит лишь то, что угодно сказать большевикам.

А они и говорят, и очень громко, и очень настойчиво, вот что:

у нас — *революция*;

у нас *диктатура пролетариата*, а коренной наш принцип — правительство *рабоче-крестьянское*. Мы постепенно вводим в жизнь, воплощаем все идеи научного *социализма*, мы уничтожили капитал, уничтожаем частную собственность, идем к уничтожению денег. Мы за полное равенство всех. У нас система *Советов* — совершеннейший из всех выборных институтов. Перевыборы строго совершаются каждые полгода — сам народ управляет страной. Мы за мир всего мира, но так как враги наши не оставляют нас в покое, то для защиты своего социалистического строя народ создал могущественнейшую красную армию и борется за социализм, не жалея крови, терпит голод, нужду, лишения, — только бы не отняли у него «собственного» правительства. С внутренними врагами русский народ — рабочие и крестьяне — борются посредством созданных им правительственных учреждений — Исполкомы, Че-ка и др. Все враги Советской власти, без исключения, желают отдать фабрики — капиталистам, отняв у рабочих, а землю — помещикам, отняв у крестьян.

Революция — это мы.

Социализм и, как совершеннейшая его точка, коммунизм — это мы.

Рабочие и крестьяне — это мы.

Поэтому:

кто против *нас* — тот против революции (контрреволюционер), против социализма (социал-предатель), против рабочих, крестьян (буржуй — помещик, капиталист).

Вот, в главной черте, то, что говорят большевики в Европе. Говорят упорно и громко. Еще бы не громок был их голос, когда он не заглушается ничьим, когда это *единственный* голос, идущий из России. Эту единственность они взяли силой, но главный их принцип, которого они не скрывают, — *«сила есть право»*.

Я утверждаю, что ничего из того, о чем говорят большевики в Европе, — нет.

Революции — *нет*.

Диктатуры пролетариата — *нет*.

Социализма — *нет*.

Советов, и тех — *нет*.

Мне хотелось бы предложить рабочим всех стран следующее. Пусть каждая страна выберет *двух* уполномоченных, двух лиц, честности которых она бы верила (или ни в одной стране не найдется двух абсолютно честных людей?). И пусть они поедут *инкогнито* (даже полуинкогнито!) в Россию. Кроме честности нужно, конечно, мужество и бесстрашие, ибо такое дело — подвиг. Но не хочу я верить, что на целый народ в Европе не хватит двух подвижников!

И пусть они, вернувшись (если вернутся), скажут «всем, всем, всем»: есть ли в России революция? Есть ли диктатура *пролетариата*? Есть ли сам пролетариат? Есть ли «рабоче-крестьянское» правительство? Есть ли хоть что-нибудь похожее на проведение в жизнь принципов «социализма»? Есть ли Совет, т. е. существует ли в учреждениях, называемых Советами, хоть тень выборного начала?

В громадном *нет*, которым ответят на все эти вопросы *честные* люди, *честные* социалисты, вскроется и коренной, основной абсурд происходящего.

Пока он не вскрыт, пока далекие рабочие массы и социалистические партии верят плакатам, которыми большевики завесили границу России (я говорю о верящих наивно, а не о тех, кто ради собственного интереса, личного властолюбия и т. п. притворяется, что верит) — пока это так — до тех пор бесцельно осведомлять о тех фактах русской жизни, которых большевики скрыть не могут. Они оправданы.

Террор, — но ведь революция!

Поголовный набор, принудительный, — но ведь на «Советскую» власть нападают, принуждают воевать!

Голод и разруха, — но ведь блокада! Ведь буржуазные правительства не признают «социализма»!

Все нищие, — но ведь равенство! (Равенства тоже нет, ибо нигде нет таких богачей, таких миллиардеров, как сейчас в России. Только их десятки — при миллионах нищих.)

Уничтожение науки, искусства, техники, всей культуры вместе с их представителями, интеллигенцией, — но ведь диктатура пролетариата! Все это — наука, искусство, техника — должно быть пролетарским, а интеллигенция, кроме того, — контрреволюционеры.

Нет свободы ни слова, ни передвижения, и вообще никаких свобод, все, вплоть до земли, взято «на учет» и в собственность правительства, — но ведь это же «рабоче-крестьянское» правительство, и поддержанное всем народом, который дает своих собственных представителей — в Советы!

Да, надо повалить основные абсурды. Разоблачить сплошную, сумасшедшую, основную *ложь*.

Основа, устой, почва, а также главное, беспрерывно действующее оружие большевистского правления — *ложь*.

Для новорожденных пуговиц, вроде Эстонии, Латвии и т. д., они держат в одной руке заманчивую конфетку «независимости», другой протягивают петлю и зовут: «Эстоша, пойди в петельку! Латвийка уже протянула шейку!»

Перед далекими великими и глупыми (оглупевшими) державами они будут бряцать красным золотом и помавать мифическими «товарами» (?). Все это объявлено и расписано. Так и будет.

Порою изумляешься: и как это они воюют? Как это они, раздетые, наступают? Ведь *лютая* зима! Вот сегодня 26° мороза по Реомюру!

Но и не воевать, сидеть дома, здесь, не легче. Даже когда топим печку, выше 7° не подымается. Мерзнут руки, все, за что ни возьмешься, — ледяное. Спим почти одетые. Окна к утру покрываются ледяной корой.

Я давно поняла, что холод тяжелее голода. И все-таки, опять повторю, голод и холод вместе — ничто перед внутренним, душевным, духовным смертным страданием нашим — единственным.

А теперь коснусь, кстати, того, чего я намеренно здесь еще не касалась.

Церкви.

Очень много можно тут сказать. Но я ограничусь самыми краткими словами и фактами. И эти-то факты упоминать тяжело.

Следует, говоря о данном моменте, разделить так:

1) Православие, Церковь — иерархия.

2) Народ.

3) Тактика большевиков.

Летнее письмо патриарха, унизительное и заискивающее, к «Советской власти», «всегда бережно относившейся» и т. д. Большевики с упоением напечатали его во всех газетах, но не преминули снабдить своими победно-ликующими комментариями. На униженную просьбу «не расстреливать священников» ответили просто ляганьем. С другой стороны — здешний митрополит, при той же, лишь более скрытой политике, ходит пешком, одемократился и благосклонен к интеллигентному кружку некоторых священников вроде А. В. и Е., пустившихся в новшества и делающихся все популярнее. Св. А. В. (мы его знали еще студентом) склоняется к кликушеству (говорю резко) — им поработилась даже Анна Вырубова, знаменитая «дочь Гришки Распутина» когда-то. Измученная интеллигенция влечется туда же.

Священники простецкие, не мудрствующие, — самые героичные. Их-то и расстреливают. Это и будут настоящие православные мученики.

Народ? Церкви полны молящихся. Народ дошел до предела отчаяния, отчаяние это слепое и слепо гонит его в церковь. Народ русский никогда не был православным. Никогда не был религиозным сознательно. Он имел данную форму христианства, но о христианстве никогда *не думал*. Этим объясняется та легкость, с которой каждый, если ему как бы предлагается выход из отчаянного положения — залгаться в коммунисты, — тотчас сбрасывает всякую «религиозность». Отрекается, не почесавшись. (Даже Г. удивлялся.) Невинность ребенка или идиота. Женщины в особенности. Внешние традиции у многих под шумок хранятся. Так — любят венчаться в церкви. Не жалеют на это денег и очень хитрят. Ну, а кому все равно нет выбора, все равно отчаяние и некуда идти — идут в церковь. Кланяются, крестятся — молятся, в самом деле молятся, ибо Кому-то, Кого не знают, несут душу, полную темного отчаяния.

Большевики сначала грубо наперли на Церковь (истории с мощами), но теперь, кажется, изменяют тактику. Будут только презирать, чтобы ко времени, если понадобится, и Церковь использовать.

195

Некоторые, поумнее, говорят, что потребность «церковности» будет и должна удовлетворяться «их церковью» — коммунизмом. Это даже по-чертовски глубоко!

Почти невыносимо говорить об этом! Страшно.

Савинков

Слава Богу, около пятнадцати лет я его знаю, и несмотря на всю (мою) дружбу — это было в корне исключено между нами, в голову не приходило, ни мне, да и, очевидно, ни ему.

Первые дни в Варшаве Савинков еще ничего не начинал — да и Пилсудский был в отъезде, — а предстояло решительное с ним свидание. Собственно, оно уже было ясно. Предстояла большая ломка для Савинкова, — еще так недавно бывшего Колчако-Деникинцем, большие, может быть, унижения... Савинков это понимал, был неспокоен. До этого свидания с Пилсудским избегал какого-нибудь «оказательства» в польском обществе. Бывал только у нас. Ко мне проявлял особое внимание, и за глаза — и в глаза. Это было естественно — не я ли верно хранила всегда его для нас, не я ли одна писала ему, и прежде — и в последнее время, не я ли особенно настаивала на его приезде, на его нужности здесь?

Меня не удивило, когда однажды, в жаркий солнечный день (у нас сидели, как почти всегда, люди — Родичев, Буланов, еще кто-то), пришел Дерenталь и сказал: «З. Н., Б. В. хочет иметь с вами партикулярный разговор, он у себя, просит вас прийти к нему сейчас». Я надела другие туфли, шляпу и потом пошла. Через сад. Сад был напротив нас. Если его пересечь — то выходишь прямо на маленькую тихую уличку, где помещается Брюловская гостиница, тоже окнами в сад.

В маленьком номере Савинкова я уже бывала. Он нам трогательно там устраивал обед (всем трем), очень заботился, чтоб была скатерть, — в Варшаве нет скатертей, — и добыл все-таки нечто, похожее на простыню больше. Номер узкий, длинный, в одно окно, выходящее на сад (высоко).

Наша долголетняя дружба делала наши отношения близкими и, как мне казалось, очень верными и очень прямыми. Если слово «любовь» взять, как слово совсем исключительное, высшее, редкое во *всяких* отношениях, то я не могу сказать, что я люблю С-ва. Но я чувствовала к нему совершенно особую, редкую близость, глубоко человеческую, доверие, понимала его ценность и думала, что до дна понимаю его слабости, принимаю его с ними. Все это в то время еще подчеркнулось радостью несказанной, что вот — этот человек здесь, внутренно с нами, в той правде, которую мы видим, и будет в нужной борьбе, и сделает то, что нужно, ибо у него сила, которой у нас нет. Только о том и думалось, как бы ему тут помочь, пригодиться, хоть на линийку увеличить его силу. Ведь это «борьба» — только она и заполняла все наши помыслы, чувства — все. Я как-то, почти не думая, ощущала тогда всех нас, — и его, — *вместе*. И за Диму перестала бояться (что он опять пойдет против Савинкова). Слишком важно было первое, главное.

Мы говорили очень хорошо. Я понимала остро «боренье духа», в котором находился этот властный, одинокий человек. Такому нужно вдруг, порою, поговорить с кем-нибудь вот так, близко. И то, что предстояло, — было так трудно, так важно, так нужно. Трудно передать разговор, и тогда я не могла бы. Переплеталось внешнее и внутреннее, личное и общее. Говорил — о себе — тоже и внешне, и внутренне. Какое странное смешение в нем доверчивости, ребяческой, — мрачности, самоуверенности — суеверия, остроты и слепоты, расчета и безрассудства; то он сознателен — то инстинктивен. Сколько примитива, кроме того. Нет, никогда не встречала я таких сложностей в единой душе… И даже не сложностей. Ведь он *как будто* тонок, но не тонок. Он никогда не владеет всем, что у него есть, но всегда чем-нибудь одним, и незаметно это одно начинает владеть им.

Я давно пересела к нему на диванчик, обнимала его полусмеясь, нежно, целовала его. (Мы часто, всегда целовались, особенно прощаясь — мы ведь расставались каждый раз как бы «навсегда».) Говорила, что все понимаю и его сейчасного понимаю (что была правда), — ведь мы с вами «однотипны».

Он тихо соглашался: «Да, мы похожи». Разговор не переходил на отвлеченности. Иногда мы просто «молчали вместе». Я знаю, что ему в эту минуту дорога была бы та интуитивная ласка, тот духовный знак, которым так богаты женщины. К этому он бессознательно тянулся. Я знаю, что тут мой провал, и я уже в первое это свидание как-то дрожала, что сумею и не умею создать именно этой атмосферы, дать и это. Нет у меня этой интуиции! А что у меня есть — сейчас, в данную секунду, не нужно. Впрочем, это было не так резко тогда, а смутно. Всей доброй волей моей я смутно искала путей к такому проникновению. Впрочем, во мне столько было бездонного человеческого чувства к С-ву и такой подъем духа, что я ничего еще не боялась.

— Я даже не честолюбив... Я властный, но это другое... И уж таким я родился...

Когда надо было уходить — идти ужинать, — он меня не отпускает. «Ведь вы понимаете, я один, один с моими мыслями и борениями. Придет Деренталь... Потом уйдет... Больше ничего... Эти дни пройдут, я справлюсь с собой. Когда решу — будет легче. Но теперь мне трудно». — «Хорошо, я пойду домой, скажу, что буду ужинать с вами, — и вернусь. Хотите? Я приду через четверть часа».

Дома я застала Володю (он ужинал всегда с нами), сказала, что опять ухожу. «Да. Пожалуйста, придите за мной в Брюль в 11 часов». (В Варшаве можно было ходить вечером лишь до $11\frac{1}{2}$, и одной неприятно.)

Итак — я вернулась. Мы ужинали на том же столике, пили кофе, курили. Он был очень рад мне. Не помню хорошо, но, кажется, настроение было не такое интимное, как дневное. Или, кажется, оно несколько изменилось, когда я (довольно бестактно) сказала:

— Я просила «моего Деренталя» прийти за мной в 11 часов.

— Зачем? — как-то недовольно сказал он. — Я бы вас сам проводил.

Ровно в 11 часов Володя пришел, и мы тотчас же ушли.

Эта крошечная тень не имела никакого значения. И опять я не удивилась, когда, на другой день, возвратясь из пансиона, где мы обедали, нашла записку от Деренталя: «Б. В. будет ждать вас все время...» И я пошла опять.

Наши «сидения» вдруг стали приобретать совершенно неожиданный оттенок. Я сначала отказывалась верить себе, но уже не замечать этого сделалось нельзя, а скоро и вид делать, что не замечаешь, уж нельзя стало. Меня просто ужас взял, ибо я сразу охватила все возможности тупика. Безысходность я поняла чуть не раньше, чем его импульсы. Конечно, он в меня не влюблен (еще бы?). Я даже нарочно, говоря о прошлом, подчеркнула: «Я ведь никогда не была влюблена в вас», — на что он тотчас ответил: «Вот и я тоже»; допустить грубое «желание» — тоже глупей глупого, слава Богу, что я на «мужчинский» вкус из себя представляю? Несмотря на известную моложавость — подумаешь!!! Я соображаю, что это было, в сущности, все опять то же стремление к близости «женского» в его интуитивной силе, утешающей и поддерживающей; его собственное объяснение, очень индивидуальное, свойское, как будто этому не противоречит... «Я совсем не грубый в этом смысле... Меня не знают... И не «брачник»...» — «Неужели вы думаете, что если б я хотел женского тела... Нет, я не понимаю близости духовной только. Вместе видеть смерть лицом к лицу — это

200

сближает действительно, физически...» — «Но я не думаю так. Я не могу». — «Тогда не нужно целовать в уста...» — сказал он, слегка отодвигаясь. Думая все о том же, о тупике, который все равно грозит, раз уж такое случилось и он так думает, я взволнованно сказала: «Я ведь ничья...» Он, не понимая, ответил: «И я ничей...»...

Смотрел прямо, мимо меня.

Тут я опять сказала, что в него — никогда не была влюблена, что у нас с ним другая близость, совершенно единственная, что тут мы чересчур «однотипны»... Уже не помню, что я говорила, но была искренна и опять с болью чувствовала, что дело в «атмосфере» женской, и что дать ее я не могу никогда, и что тупик готов во всех случаях, даже в том, если бы я внутренно решилась пойти на все жесты женские... Это была бы сплошная жертва, так как Савинков, по сплошному «мужчинству» своему, вообще убивает во мне всякий пол. Но это была бы жертва *бесплодная*, она не спасла бы ничего. Твердое сознание бесплодности подобной жертвы меня и подавляло. И я без всякого честного выбора (не хочу щадить себя) пошла по линии наименьшего сопротивления... Была еще глупая надежда, что это «так», а завтра и он забудет. Или еще: что он вдруг «поймет» мои отвлеченные слова, не будет их слушать, как «заговаривание зубов». Под этими глупостями я, однако, знала все простые и неизбежные вещи: это человек исключительного самолюбия и в данной, как во всех других сторонах. Он не привык ни к *какому* сопротивлению. Он его не простит, даже если бы и хотел...

В этот день я ушла до ужина, и мне удалось сделать это, как хотелось, без тени разрыва... Без «да», без «нет»...

Помню, как я шла через сад домой, по ближайшей аллее, мимо пруда. Было солнечно, каблуки моих туфель стучали по землистому тротуару этой пересекающей сад аллеи... А исхода не было. Сколько ни думай — все равно. Вдолге, вскоре, так, иначе, — *мое* устранение придет логически. В это время, впрочем, главной моей заботой было — «как не повредить». Вот это.

(Вспоминаю еще, что Савинков очень откровенно говорил со мной о своей коренной «одинокости». Я, впрочем, никогда не сомневалась, что он коренным образом «одиночка». Мы так понимали друг друга, что, когда я с улыбкой напомнила ему конец его второго романа, неожиданно кончающегося «народом», он произнес тихо: «...это я написал *для других*...». Но, несмотря на такое значение, я тогда считала его *уми* его *волю* в большей гармонии... Впрочем, это отступление сюда не относится.)

Я была так взволнована неожиданным несчастием, что дома намекнула об этом Дм. (слегка) и сказала Диме. Быть может, не в этот день, а на следующий, — не припомню. Ибо на следующий день я тоже обещала прийти, и пришла, и было опять то же мое «верченье», и разговоры, и жесты, и мое внутреннее отчаянье, и мой смех... И опять я ушла с тем же безысходным обещанием прийти завтра. Кажется, он меня провожал на этот раз. Опять было солнечно. Он рассказывал что-то о своем путешествии...

Было решено, что я приду завтра. Опять. (Окончательно не помню, сколько было этих свиданий. Может быть, больше, чем пишу. Все равно.) На другой день утром получила записку: «Дорогая З. Н. Я буду в два часа у Сосновского (это военный министр), а с 3 $\frac{1}{4}$ буду дома...» Я дошла до того, что стала просить Диму прийти днем к Савинкову — чтобы «прервать» как-нибудь свидание. Все по той же линии наименьшего сопротивления! Дима обещал, с неохотой; но дела были.

В половине четвертого я пошла. Говорили об делах, о Сосновском. Еще о чем-то. Но я уж видела, что опять будет то же. Дима пришел как-то очень скоро. Я подумала, что это плохо. Не может же и он весь день сидеть. А я хотела с ним уйти. Но Дима и не подумал об этом. Говорили опять о делах. О Пилсудском, который чуть ли не сегодня-завтра приезжает... И Дима скоро взял и ушел. Я осталась.

Это свиданье, так неожиданно последнее, было, в сущности, очень похоже на предыдущие... И я ему говорила: «Послушайте, милый. Ведь вы же заставляете меня бороться с вами. А это смешно. И некрасиво. И я к этому не привыкла». Он остановился, потом снова и, натыкаясь на мое невольное сопротивление, — шептал: «Не боритесь»... Позволить ему решительно все — так же глупо, как не позволить. Т. е. совершенно так же поведет «к худу». Это будущее «худо», неизвестное, уже где-то совершилось. Мог быть один вопрос: в каком из двух случаев оно будет менее важно для общего? Но я не могла этого решить. Мне казалось, впрочем, и весьма разумно и ясно я это сознавала, — что «худо» будет, главным образом, для меня, для наших отношений с Сав. и для *моего* участия в деле, которое было для меня дорого, как свое (и вообще дороже всего). И по чести скажу, не рисуясь, что тут и была моя единственная надежда, спасавшая от отчаяния. Да, непредвиденное несчастье. Да, моя мечта была тут, вместе, помогать, делать — провалится, провалилась... чувство твердое. Да, у меня есть силы, я могу быть нужна делу (так я тогда думала крепко), но... даже когда этот *мой* провал и воплотится? Ведь дело останется? Ведь Сав. останется? Ведь вся беда — моя только, и так ли она важна, моя-то?

Я была столь же осторожна, как он, — я избегала «борьбы» физической, но, конечно, он чувствовал же мое весьма несоответствующее состояние. Рядом с большой внутренней горестью у меня был на все это наблюдающий взгляд. И, признаться, меня таки душил неудержимый смех.

— ??

— Я смеюсь потому, что вы ужасно не умеете обращаться со мною!

— Научите!

Весьма просто было сказать, что он этому обращению (*со мной*) никогда не научится, но я ничего не говорила, только смеялась... Я надела шляпу и стала уходить, все время что-то говоря, уже не смеясь, полушутливо, полу... нежно? Не знаю. Мы стояли у двери, я все говорила, неизвестно что... «Нет, нет, я завтра приду, завтра...» — «Завтра?» — «Нет, вы не грубый... Что? О, нет...» — «А посмотрите, разве я не тоненький, как вы?» Он распахнул пиджак, я на секунду обняла его за талию. «Я завтра приду... Сегодня я взволнована... завтра...» Я, действительно, была взволнована, но совсем не так, как хотела показать. О завтра почему-то не думала. Точно зналось, что его не будет... Назавтра он был вызван к Пилсудскому, дело решилось. Началась работа — каждую минуту дня. И наши «сидения» прекратились «*как будто*» сами собою.

Не знаю, как, но чувствовалось, что приезд Савинкова в Польшу — окончательный, что плохо или хорошо обернется дело — в Париж он не вернется, и вообще у него везде сожженные корабли. Кто стоит за ним — мы не знали, но точно и никого. Впрочем, это нам тогда было все равно. Савинков говорил о двух генералах, из которых одного ждал на днях — Глазенапа.

День аудиенции наступил как-то внезапно. Помню Савинкова, приехавшего к нам прямо из Бельведера. Мы были одни, с Димой. Бросились, конечно, навстречу: «Ну что?» Савинков еще не успел дойти до угла, где у меня стояли кресла и диван, первое его слово было: «По-моему, он провалился».

Т. е. внутренно провалился. А с виду, внешне, все обстояло как бы наилучшим образом: решено было формирование русского отряда на польские средства. Пока — не официально объявленное, под прикрытием «Эвакуационного комитета». Председатель — Савинков.

— Вам, — сказал Савинков очень серьезно, обращаясь к Диме, — я предлагаю быть моим ближайшим помощником и заместителем, товарищем председателя этого комитета.

— Не смею отказаться, — ответил Дима.

Как ни были мы в этот миг все одинаково взволнованы и как бы все решительно *вместе* — мне почему-то показалось вот это мгновенье и этот Димин ответ — какой-то чертой отделяющей... что от чего? Кого от кого?

С этого дня все завертелось. Пристегнули Буланова, Гершельмана... Других всяких. Предполагался «отдел пропаганды», в котором я должна была играть роль. Тут не сразу стала образовываться газета. Дима вызвал из Минска этого хама — Гзовского. Родичев подходил несколько сбоку, но тоже подходил.

Глазенапа Савинков привел тотчас же к нам с Дмитрием. Бледный, одутловатый, с гладкими черными волосами. Одутловатость какая-то у него самодовольная. Савинков его точно не совсем понимал (он вообще мало видит людей) и беспокоился. Но другого не было.

Конкретные последствия, первые, начатой «работы» Савинкова были таковы, что мы почти перестали видеться. Если бы Дима не перешел на чисто военную работу с Савинковым и Глазенапом, а со мной и Дмитрием стал бы, в этом же деле, устраивать газету, пропаганду и т. д., — это было бы одно; но у Савинкова не было ни одного серьезного человека, которому он бы доверял, на которого мог бы опереться, и Савинков схватился за Диму. При совершенной закулисности и притом спешности этой громадной сложной работы формирования армии, работы нам с Дм. неизвестной и остающейся неизвестной, — мы и оказались сразу как бы в пустоте, впрочем ее не чувствуя и не сознавая, — разве предчувствуя. Разумных возражений нельзя было и представить: им — Савинкову и Диме — дохнуть некогда, они и с польскими властями, они и офицеров принимают, они и с Глазенапом заседают, когда же кому же еще бегать к нам — докладывать, что ли? Предполагалось, что я сама по себе, одна, только с деньгами, буду устраивать какой-то «отдел пропаганды» с Володей в виде моего личного секретаря.

Я, впрочем, ничего не боялась и была готова на все, но решительно не могла ступить. Да и некуда было мне ступить. Дима приходил иногда, измученный, раздраженный. Дали мне в помощники Лесновского, этого плюнь-киселя. А хуже всего, что чуть началась газета — мне в этой «Свободе» свободы не дали. Гзовский сразу начал хамить, и пошла чепуха, неизвестно, кто был хозяином, со всем нужно было обращаться к Савинкову, и ничего не понять. Являлся Дима — и опять не разберешь, какая «коллегия» распоряжается в газете. Гзовский ни с кем, кроме Савинкова, разговаривать не желал, от меня только требовал материала! материала! а иначе грозил свою дрянь вставлять.

Все это было глупо. Может быть, и моя внешняя беспомощность и непривычка «организовывать» тут виною, но что я могла «организовать», когда, при отсутствии помощи, у меня не было и полномочий, никакого маленького дела с *моим* хозяйством и собственной хозяйственностью. Даже статьи, которые я писала в хвост и в гриву, даже за обедом (материала!!), и те, когда вечером я приезжала в редакцию

207

править корректуру, сказывались с Димиными исправлениями «резкостей»...

С-ва я с Дмитрием видим все реже и реже.

Да, собственно, все разыгралось в течение июля, т. е. наша работа с Савинковым, и начало нашего разрыва было уже положено.

Как я уже писала — работа Савинкова, в которую плотным образом, сразу, был вовлечен Дима, по своему характеру, чисто военному и конспиративному, оказывалась такого рода, что я и Дмитрий фактически остались сбоку. Т. е. мы, не участвуя в военной работе (естественно), просто реже стали видаться с ними, и никакой *общественной* работы не было, все наши отношения в Варшаве сделались как-то ни к чему: ведь главное дело было не официально, и Пилсудский ни за что не хотел его сделать главным. С самого начала Савинков держал себя конспиративно, в польском обществе не показывался, даже у нас при других не бывал.

Не знаю, как я могла, при этих условиях, без прямого контакта и дельных помощников, поставить «отдел пропаганды», который мне будто бы был поручен. Но не спорю, может быть, и могла (не имея власти даже в газете), — но факт тот, что пошла везде великая чепуха... и первые трения с Савинковым. Они начались нелепо. Непонятно. (Или так всегда бывает?)

Он как-то вырвался, и мы условились пойти вместе, втроем, обедать. Так как стояла жара, то пошли просто в Саксонский сад, напротив, в открытый ресторан. Невозможно уследить и нельзя передать как — но разговор принял чуть не сразу самый неприятный оттенок. Могу только утвердить, что ни я, ни Дмитрий не были в этом повинны, и нас это изумило и даже поразило. Дмитрий самым благодушным образом, в тоне старых наших, близко-дружеских, отношений, начал говорить об общем — о борьбе с большевиками, конечно, но об идеях, о работе, о Смысле ее... может быть, и сказал что-нибудь о слишком узко-военном характере дела, благодаря которому мы не можем иметь более тесного контакта. Вдруг Савинков сделался аррогантен, стал говорить, что это «экзамен» ему, что ему теперь не до разговоров, что он работает — он не привык отвечать на чужие сомнения, и держать экзамены ему некогда. Каким-то образом, уже к полному нашему изумлению, заговорил о Володе и стал его неистово ругать, зачем он не пошел к нему записываться в армию. «Ему надо бы мгновенно прийти, умолять меня, а он — что? Он, сукин сын, вишни ест! И не пошелохнулся! Стихи пишет? Да черт ли в них, когда перед ним прямое дело!»

Мы, конечно, Володю не защищали, но с непривычки не сумели сразу замолчать, а пытались еще спорить. Я привыкла за годы Савинкова нисколько не бояться и очень в него верить. Мне казалось, что это случайное что-то, а ведь он «все поймет всегда». (Я забыла «перевернутые страницы». Да ведь как забыла!)

Удивленный Дмитрий вечером не знал, что и сказать. На другой день пришел Дима и говорил: «Борис мне рыдал в жилет, что вы его экзамену подвергали и что он экзамена не выдержал». Странно было и с Димой спорить.

После этого было как-то свидание днем, у нас. Не помню точно глупого разговора, но, кажется, был момент, когда я рассердилась (все по старой моей вере) и сказала: «Это вздор, сколько я ни думаю о вас, но Россия для меня первая; и если я верю, что вы будете нечто для России, может быть, — но я имею право смотреть, судить и узнавать вас». Что-то в этом роде. На это он сказал: «Как вы резки», — но сказал уже тише.

Польские дела шли очень серьезно. Была объявлена еще одна мобилизация. Помню с нашего балкона мальчиков с песнями, новобранцев, и было это хорошо, и вся душа была с ними, — ведь они идут не с Россией бороться, а за «свою и нашу вольность».

Я не помню, когда в эту марсельезу стал ввиваться подленький мотивчик, «mein lieber Augustin»[7] — мотивчик о перемирии и мире с большевиками. Да если б и помнила всю польскую ситуацию тогда, всю их партийную борьбу и подталкиванья Европы — не стала бы писать. Не стоит. Факт, что мотивчик день ото дня рос и креп. Поляки наши — конечно, кричали, что ничего не будет, — да ни за что в жизни! И Пилсудский против мира, да и как можно!

Не то было среди крайних правых и крайне левых...

Я забыла сказать, что приехала жена Деренталя — эта самая Aimée. Во время наших свиданий с Савинковым в Брюле он как-то мне сказал: «Деренталь просил у меня позволения выписать

---

[7] «Мой любимый Августин» (*нем.*).

жену. Я сначала сказал — как хотите, это ваше семейное дело. Но потом вспомнил, что ведь она может быть полезна. Она будет составлять телеграммы во Францию, она владеет языком, как француженка. И работала в мае в Унион».

К этому времени Савинков перешел в Брюле в другой номер, где в первой комнате была контора, а крошечная за конторой — его. Свою же комнату (где мы «заседали») он отдал ей. Сделав нам визит — она нас пригласила к себе чай пить. Было любопытно, как преобразилась комната: розовые капоты, пахнет пудрой, много цветов. Она — ничего себе, вид крупной еврейки, яркая, с накрашенными губами, кокоточная, сделана для оголения, картавит. Черные волосы; на грубый вкус красивая. Деренталь говорил Диме: «Моя жена очень умеет с Борисом Викторовичем обращаться, если что-нибудь — так надо к ней».

По правде сказать, Савинков мне все менее и менее становился понятным, — не говорю менее приятен, ибо это могло быть моим личным делом и не важным, — но именно непонятен; в памяти у меня даже всплыло старое туманное пятно, оставшееся для меня непонятным в Савинкове во время Корниловского дела. Почему он, тогда, после всей его возни с Корниловым против Керенского, после всего, что было на наших глазах, чуть не в нашей квартире, и в линии очень определенной, — вдруг сделался на три дня «усмирителем Корниловского бунта» и лишь потом был Керенским изгнан? Этого нам он объяснить тогда не сумел, но сумел *затереть* вопрос до забвения.

Теперь я, сама, впрочем, не отдавая себе в этом отчета, — вспомнила.

Да, работать с ними вместе — нельзя, нам, по крайней мере. Просто фактически невозможно. Объективно — я перестаю верить в успешность дела именно с Савинковым, благодаря многим его свойствам, которые прежде ускользали из моего поля зрения. Одно из них, наиболее еще безобидное, это — что он людей не различает, никого не видит. Не могу же я вообразить слепого Наполеона! А претензии его безграничны при этом.

И, однако, я решаю, со своей стороны, сделать все и не отходить до конца, до последней возможности. Ведь — Дима! Не то, что я бы осталась ради Димы в глупом и вредном деле вредного или ненужного человека; но мне верилось, что мы уйдем вместе с Димой, если именно так выяснится, и выяснить поможет мне Дима, а я — ему.

Когда все стало невозможным?

Уже был Балахович. Сначала он звонил мне, жаловался на Брюль, я устраивала свидания (тоже по телефону), и внезапно оказалось, что Балахович уж с ними. Ну, ладно, все хорошо.

Но мы очутились в полной пустоте и безделии. Отчасти благодаря событиям: большевики полезли в наступление. Наш отряд был в полной неготовности и, насколько я понимала, из-за внутренних дрязг, чепухи и общего неумения. Закулисную сторону я знала мало, но все-таки видела, что Савинков организатор плохенький и сам по себе, а тут еще и личные его претензии совершенно людей не собирают, а отталкивают.

Дмитрий томился: «Знаешь, уедем хоть недели через две, ну на десять дней хотя бы... Ведь нам буквально нечего делать!»

Пришел как-то Дима. Дмитрий и к нему: «Знаешь, недели через две...» Дима прервал его: «Не через две, а теперь уезжайте, тут действительно пошло такое, что лучше уехать, вернетесь, когда выяснится. Только не уезжайте из Польши», — прибавил он вдруг.

И мы уехали в Данциг.

Поляки все время посылали просить о мире. Не знаю, что случилось (почему и как было это пресловутое «чудо под Вислой»), но Варшаву не сдали, и после этого самого «чуда» большевики сделались сговорчивее, перемирие вскоре (не без скандалов и издевательств, впрочем) было подписано в Минске. Быть может, я путаю числа, но во всяком случае — все уже как-то замирились, о взятии Варшавы речи не было, и, несомненно, все шло к миру. Мы решили вернуться в Варшаву, посмотреть... Была ли у меня надежда? На что? Конечно, нет. Буквально ни на что больше, и даже не было надежды выцарапать Диму из ямы. Но я хотела еще и опять добросовестно сделать и увидеть все.

Мы вернулись в начале сентября — это наш *третий* варшавский период, последний и самый несчастный.

Прямо на Хмельную, где у Димы не то редакция, не то какие-то заседания...

Ну, с муками устроились в невероятно грязной Виктории, такой грязной, что даже написать — сам не поверишь. Большая комната, две кровати за ширмами, во втором этаже, дверь на балкон (старая, в щелях, и на полу стояла асфальтовая лужа, ее потом вычерпывали. А затем нас ночью через балкон обокрали).

Я с величайшей строгостью задала себе вопрос относительно Савинкова. Я не хотела, хотя бы только перед собой, даже втайне, ни тени чего-нибудь не объективного. Я должна была быть справедлива. Ничто мое пусть не ввивается в мой суд. И если в чем виновата я — не скрою от себя.

Ведь разве трудно поддаться таким чувствам: «мы» оказались не у дела; и главное, главное — разделил нас с Димой, совершенно взяв его под свое влияние; значит — Савинков нехорош... Вот этого-то я и не хотела. Вот такого-то суда над Савинковым и не принимала. Я желала и добивалась полной *справедливости* даже не как к Савинкову-человеку в первом счете (это само собой), но в вопросе пригодности его в данный момент для дела России.

И я видела, что он для дела ни в данный момент, ни вообще *не пригоден*.

Лично (т. е. помня о Диме, обо мне, о нас) у меня могло бы быть, с этим выводом, злорадство; но у меня было горе и ужас: здесь другого-то, пригодного, не имелось нигде! Ведь на него у нас была главная надежда, и его приезд я считала величайшей нашей удачей!

Да, горе, ужас, а из личного — только стыд, пожалуй, стыд, что я могла так обманываться в человеке. Стыднее, чем о Керенском... Этот стыд еще и не позволял мне окончательно и открыто сказать себе то, что оказалось впоследствии, скоро: Савинков — пустота. И я ведь своими руками ввергла Диму в эту обманную пустоту...

Я решила дотерпеть и «досмотреть» все до конца: конец уж ясно, по всей линии, для нас намечался — отъезд. Я ничего не могла противопоставить Дмитриеву стремлению уехать в Париж, это стремление было верное.

Дима делал попытки привязать — меня, по крайней мере — к каким-то их делам; выдумал еще — для нас — особый частный Комитет и совещания; но и тут писались «официальные» бумаги на бланках (!), причем Дима говорил: «Борис это любит...» На генеральных совещаниях мы не присутствовали. Собрания с поляками были теперь иные; наши прежние отношения как бы провалились; я помню одно собрание, уже после перемирия, у какого-то левого министра (чуть ли не в отставке), где «докладывал» Савинков, и были мы приглашены. Это собрание, а главное, довольно бесцельное, меня, однако, поранило, такое все было иное, а главное, изранили речи С-ва. Я их приняла, как «новую тактику», но для меня непонятную, противную и целей которой я не видела: он, Савинков, говорил о мире Польши с большевиками, восхвалял этот мир «успевшей страны» и т. д. Дмитрий не выдержал и стал говорить то, что мы всегда говорили и на чем продолжали стоять, что продолжали думать. Савинков был очень недоволен и жаловался потом Диме, что Дмитрий возражает ему... Но я, не видя «мудрости» в тактике С-ва, нисколько Дмитрия не осуждала. Да вряд ли и поляки верили, что можно так искренно перевернуться в несколько недель.

Однако и это ему приблизило развязку. Я абсолютно не могла понять, что еще делать в Польше после мира ее и признания большевиков. Ведь прежде всего выкинут этот несчастный русский отряд, готовившийся — и не приготовившийся, несмотря на ухлопанные деньги.

Ничего не понимая, я уже сама отдалилась от всех стараний проникнуть в их «планы». Люди были все новые, старые, вроде Буланова, раскусили Савинкова, приходили к нам жаловаться, на него и на Диму.

Савинков иногда приходил еще к нам, с Димой, в Викторию. Когда мы уже решили уезжать, даже билеты взяли, он как-то сказал: «Да, я прежде не хотел, чтобы вы уезжали из Польши, но теперь я нахожу, что вы можете быть полезнее в Париже, и я говорю теперь: «Да, уезжайте»«.

Хотя мы все равно уехали бы, если б он этого и не говорил, и хотя я нисколько не обманывала себя, что мы едем — в бездействие, мы промолчали. Ведь и тут *бездействие*, только еще глупое и вредное. Этот «нелегальный» поход С-ва в отряде Балаховичей и с Дерепталихой в мужском костюме (она озабочена была заказываньем сапог, когда приходила к нам прощаться) — ведь это же несерьезно!

Савинков раз, у нас в Виктории, прямо сказал: «Мне не нужны помощники, мне нужны исполнители!» И я опять тогда подумала о словах Дмитрия, когда он вдруг открыл: «Знаешь, я убежден, что Савинков просто — не умен!» Это было на темной варшавской улице, давненько, мы просидели втроем в каком-то пустынном польском кабачке, пили мед. И Савинков, действительно, городил жалкую и *непрактичную* чепуху.

Почему-то Дима внезапно был командирован в Париж. Мы не узнавали, было уже неинтересно. Явная чепуха, ибо какие оставались у Савинкова связи в Париже? Я сильно подозревать стала, что он там сжег корабли, если и были.

На другой день «они» и ушли в свой поход (17 октября).

Чайковский ужасался Савинковской статье в «Свободе»: «Портит и мне, и себе». «И что это ни с того ни с сего — «дряхлеющими руками» «... У меня руки еще не трясутся».

Рэйли окончательно положил Савинкова на полочку «главы боевой организации». Говорит: это не homme d'Etat[8].

Говорит, что в Варшаве более нет смысла оставаться. Предполагает, что Савинков уйдет нелегально соединяться с оперирующими бандами, что Ант. и Махно возьмут его начальником.

Не возьмут.

Только при *ухаживании* друг за другом возможна совместная жизнь. Только.

Значит, при каком-то элементе «пола». Как входящее.

---

[8] Государственный человек (*фр.*).

Брак, т. е. нечто строящееся *на поле*, не совместная жизнь (настоящая), ибо пол старый, при котором, обыкновенно, «ухаживание» не взаимно по времени: вначале муж ухаживает за женой. Потом перестает, и жена начинает ухаживать за мужем. (Беру счастливый брак.)

Никакой «закон» не может дать истинной совместности.

Савинкова мне очень жалко. Я думала о нем больше. Или не жалко? В нем...

Керенский — предатель. По самой материи своей. Но я как-то не сержусь, не ужасаюсь, не возмущаюсь. У меня перегорели к нему человеческие чувства.

Нет, не то. У меня все возмущение, весь ужас перед несправедливостью жизни — слились в один ком, или застыли одним камнем. И я хожу с ним, ношу его, и он меня распирает.

Дима, ты, в сущности, *не* изменился. И тут таится ужасное. Маленькая чуточка ужасного, но именно тут, в пребывании точки какой-то «сущности», не могущей измениться, но очень *видо*изменяться.

Савинков, м. б., более и более сочетается с *внешним* уклоном твоего «я» (это очень трудно сказать), чем Дмитрий. Но тут нет ничего прекрасного. Тут никакой еще заслуги перед твоей «личностью». (Так как я говорю это для себя, то могу и не договаривать.)

В темные минуты я Савинкова ненавижу. Но редко. Ибо не за что. Потом сверху вниз жалею. И опять проходит, опять не к чему. Просто жалею — почти всегда. И этого он достоин. Достоин??

Он — верный (себе). Он — такой. Он никого не может обмануть. Если *им* обманываются — виноваты обманутые.

Савинкова, когда увидала еще этот последний раз (обед втроем), не ненавидела — и *не* жалела. Поняла, что и не буду никогда уже ненавидеть, да, вероятно, и жалеть. Я скажу правду: мне было неинтересно. И не то что было, а стало. И не от меня, а от него.

Все, что он говорил, и весь он — был до такой степени не он, что я *его* не видела. А тот, кого видела, мне казался неинтересным.

Он — *прошел*, т. е. с ним случилось то, что теперь случается чаще всего, и для меня непонятнее всего.

Оборотень. Еще один оборотень.

Когда Савинков за обедом в субботу так надтреснуто смеялся — ведь у меня была же и к нему опять жалость, поверх ясного моего взгляда? Ведь не было у меня к нему ни минуты возмущения или какого-нибудь личного оскорбления? А ведь я его не люблю.

Иногда мне кажется, что никакого Савинкова уже давно нет, и ты в руках злого марева, призрака. Не боюсь тут сказать — дьявольского, чертовой игрушки, да, да! Ведь именно черт не воплощается, и у него игрушки такие же. Не страшная эта *кукла* — Савинков. Только для тех, кто не знает, что это. Правда, таких и природа не любит, не терпит, ибо он пустота. Я сама не знаю, когда я пришла к такой для меня бесповоротной формуле (и с таким смыслом): *пустота*. А смысл такой: Савинков хуже всякого большевика, Троцкого, например. Т. е. совсем за чертой человеческого и Божьего.

Пусть Бог судит и видит Савинкова, я не умею и не смею.

У меня есть верность, бывает крепость, а благости я ищу борением, всегда, часто падаю — и опять борюсь. Господи, не для себя! Я-то всегда в страхе для себя.

То, что я делаю, — не увидишь и в микроскопе. И буду делать, и ему радоваться. И не увижу ничего глазами, и ничего. И не увижу и Диминого здесь восстания, прозрения, возвращения к себе, и ничего. То есть иду на это, готова на это. Готова, что так он и будет сидеть в Варшаве, с Савинковской *«Свободой»*, по-Савинковски ненавидя *всех*, и не узнает правды. Готова. Но не лгу, хочу, чтоб так не было. Но готова.

Нет, не могу сказать. Просто нету для этого выражения.

А если *благость* в том, чтоб не желать ему прозрения? Ведь он *мне* никогда не простит, что не он, а я была права?

Совсем запуталась.

Одно знаю: Савинков — пустота, нестрашная только для того, кто ее видит, осязает. Его *нет* и, главное, не *было* никогда. (Если нет, то и не было.)

Неужели? Неужели это совершилось? Дима, Бог рассудил, как я не думала. Как я счастлива эти дни. Я тебя видела, тебя выздоровевшего или выздоравливающего. После этих недель невероятного кошмара с Савинковым (за тебя все) — какая нечаянная радость! Эта книжка смысл потеряла. Так, для памяти, для себя. Чтоб «говорила же я...» А это и не нужно вовсе.

Вместо Савинкова — *обнаружилось* пустое, гадкое место, и я считаю чудом, совершившимся *для тебя*, что эта пустота обнаружилась, что ты мог *увидеть.*

Благодарение Богу за тебя, я знала, что ты не погибнешь «там», но какое счастье, что это дано здесь!

И если даже рана твоя болит и ты скрываешь боль напряжением воли, — ничего, ничего! Все будет, т. е. все уже есть, ибо *ты — ты!*

Савинков погиб?

Да, я думаю, погиб. На меня это не произвело впечатления. Убил ли он себя или что вообще случилось — не все ли равно?

Ведь он уже годы как умер. Да и был ли когда-нибудь?

Дима, да ты все-таки не простишь мне (или не забудешь), *что я была права.*

«Все умерли, остальные сошли с ума...»

Париж

Насколько там и тогда (в Петербурге 25 лет тому назад) все время что-то «случалось» и потому хотелось писать, — настолько сейчас — оцепенелость, не говоря уже о наших стенах, но точно во сне тоже, и не хочется писать. С большой буквы — Скука. Мы-то, положим, во-первых, стары, во-вторых, — русские: никому и не нужны. А последнее обстоятельство даже особенно важное, т. к. сейчас русские эмигранты и друг другу ни капельки не нужны.

Обветшалые наши «политики», кажется, тремуссируются между собой. Но это столь неинтересно и жалко, что если б мне предложили знать, что там делается, — впору отказаться.

Гитлер заполонил умы, и о большевиках, к их упоению и торжеству, почти не говорят. Больше: опять как будто надеются переманить их на сторону союзников, как-нибудь задарить, что ли... Югославия, одна никогда большевиков не признававшая, отправила теперь туда делегацию... торговую, будто бы пока. Один Fabry еще стоит на своем в «Matin». Напоминает и слова Фроссара: «Если Сталин переживет Гитлера — не будет прочного мира в Европе...» Ведь как просто! Как ясно!

Метод Гитлера, — «5-я колонна», подготовка внутреннего разложения страны, которую он хочет победить, — очень стар. Идет из Германии же, впервые применен в 1917 году. Насаждение разлагающего «правительства» (Куусинен, Квислинг) имело тогда оглушительный успех, если не помогло победе Германии, то лишь потому, что запоздало немного. Но вывело целую Россию из строя и — это ли не успех? — сделало ее через 20 лет годной в союзники Германии.

Если б югославский Стоядинович не опоздал на несколько дней и улетел в Германию — он, конечно, был бы отправлен на родину в должном окружении, как в свое время Ленин и C° в запломбированном вагоне — в Петербург. Техника теперь, кстати, усовершенствовалась. Очень.

Америка в малопонятной, но определенной панике. Однако еще не хочет выступать. Италия в безобразном положении. Муссолини, пока, «молчит, как проклятый», но пресса его буйствует à la Hitler, доходя до наглого утверждения, что Гитлер прав, нападая на Бельгию, Голландию, на весь север и т. д. Ватиканский журнал бойкотируется и сжигается бандами возбужденных гимназистов. Я думаю, Муссолини уже в руках Гитлера и, если держится пока, выжидая, — вряд ли додержится до конца, невзирая на письма Рузвельта. Впрочем, результаты гомерической бойни будут иметь на него влияние.

Боже мой, вот уж когда, повторяю, — «все умерли, остальные сошли с ума». И, действительно, что еще писать, о чем? зачем?

> В тесности, в перекрестности,
> Хочу — не хочу ли я, —
> Черную топь неизвестности
> Режет моя ладья.

В «прощальное» наше воскресенье, 2 июня, мы, как и всегда, были у М. Терезы[9] — нельзя было без

---

[9] Церковь св. Терезы на rue La Fontaine, в Auteuil, куда Мережковские ходили каждое воскресенье.

слез смотреть на лица молящихся. «С войной — очень плохо», — записала я, без комментариев. Все уже было готово у нас к отъезду, на среду — усилиями Володи и Дм., — я этому отъезду не сочувствовала: и Биарриц не люблю, и alerte не боюсь; не потому, что верю путаным французским газетам с их «confiance»[10], а просто потому, что если даже погибать (все возможно, думалось) — то бежать как-то стыдно.

Не очень испугала и громадная бомбардировка, дневная, в понедельник. Мы даже не сошли в abri. Бедная Ася[11] (у нее опыт немцев в Киеве) была в это время у нас и очень нервничала. Надо сказать, что она одна была права, убежденная в самом худшем: «немцы все могут».

Бомбардировка продолжалась долго. Из окна кухни (где нет ставень) мы видели огонь и дым пожаров за Auteuil. Вечерние газеты, однако, успокаивали (фальшиво, как всегда, но мы им все верили и лишь потом мы узнали, что разрушений было довольно, что заводы «Пежо» и «Ситроен» сгорели, много убитых в частных домах).

Керенский весьма неутешителен.

Но газеты продолжали свое «Confiance!». И что Вейган имеет план наступления, а Париж будет защищаться улица за улицей, дом за домом... если, мол, немцы, против ожидания подойдут к Парижу.

Такова сила вдалбливания одного и того же, при скрывании другого, да еще неверие в небывалое и нежеланное, что мы, даже зная отрывочные факты

---

[10] Доверьтесь (*фр.*).
[11] Анна Николаевна Гиппиус, сестра З. Николаевны.

224

(я отмечала, что «с войной —плохо», или «очень плохо») — мы как-то внутренно не верили, что так плохо; а уж о катастрофе в 10 дней, — да еще какой! — не помышлял никто. Но я забегаю вперед.

В среду, 5 июня, в жаркий, прелестный парижский день, мы выехали. На вокзале было тесно, шумно, чуть-чуть ненормально. Но мы доехали прекрасно, в спальном вагоне, даже без запоздания.

Противный Биарриц сер, холоден, переполнен до отказа. Много отелей занято ранеными.

Наша комната в «Метрополе» маленькая, чуть побольше купе, и дорогая.

Георг. Иванов, со своей давнишней жаждой победы Германии, сразу поссорился с Дм., который сказал, что он сам, Г. Ив., для него уже «полунемец».

Должно быть, какие-нибудь известия просочились, т. к. 9 июня у меня записано: «Война — ужас! Французы — одни, и едва сдерживают наступление на Париж. А 10 июня, когда выступил Муссолини, сказано: «Кончена Франция». 11 июня — «какой Апокалипсис! Правительство уезжает из Парижа».

И все-таки, несмотря на эти слова, *ощущения* (внутреннего) катастрофы не было.

На автомобиле приехал Керенский. От него начали получать понятие о черном наступлении и всеевропейском французско-бельгийском и т. д. *пятимиллионном исходе.*

Над Парижем — черные крылья дымовой завесы. По дорогам — брошенные автомобили, толпы людей с котомками, потерянные дети, дохлые ло-

225

шади в канавах… Все это дрожит, все бегущее полно отчаяния, полоумия… Еще бы! Год пугали немцами и что «было бы, если б они пришли, но они не придут, confiance!». И когда воочию увидел народ, что confiance — блеф! — как не бежать?!

И побежал, полоумный, черный от копоти, куда глаза глядят!

Напрасно стараться записать и описать все эти сумасшедшие дни, начиная с 10 июня, выступления Муссолини, весь этот Апокалипсис, когда и в книжке у меня почти нет отмет, кроме: «Тяжелый ужас». «Париж будет сдан». «Завтра, как обещал Гитлер, т. е. 15 июня, он входит в Париж».

И наконец… Неужели? Да, Франция просит пощады. Петэн объявил, что перемирие неизбежно… Сказочно!

Бесполезно описывать и Биарриц этих дней, и наши собственные мотанья после реквизиции отеля (сначала французами) в буре, в грозе, и, наконец, наше затискиванье в этот «ночлежный дом», «Maison Basque», приют беженцев и начало нашего голоданья (деньги иссякли).

На улицах толпы, толпы. Магазины закрылись. Франция уже послала молить перемирия (похабного, конечно). Условия неизвестны, оно еще не принято. Лишь 23 июня стали говорить, что условия подписаны (в Compiègne), там, где Франция в прошлую войну диктовала их немцам. Та же мольба послана Италии. «Ужасные требования!» Еще бы! Пол-Франции отрезывается. Где правительство и какое оно — смута. Одно известно, что все смещены, орудует Petain (ему 86 лет).

24 июня — буря, гроза, Биарриц весь в безумии. И вторник, 25-го, среди продолжающейся бури объявлен «Днем траура». Битвы окончены. (Да и Франция?..)

Газеты наполнились статьями покаянья, — все, мол, пропало, кроме чести (??). И действительно, почему «кроме чести!», Франция поступила так же, как бельгийский король: «Король-изменник» называли его, а теперь...

Впрочем, все еще было непонятно... что случилось?

Объявили тяжелейшие условия перемирия. Кроме Парижа, севера, оккупация всего западного побережья, вплоть до Испании. И победители явились в Биарриц уже 27 июня, в четверг.

О, какой кошмар! Покрытые зеленовато-черной копотью, выскочили точно из ада в неистовом количестве в таких же закоптелых, грохочущих машинах...

Англия никакого перемирия не просила и продолжает войну.

В следующие недели постепенно выяснилось, что Англия покинула (будто) Францию с прорыва на Meuse (а сколько еще времени дурманили головы «confiance!») и тогда судьба Франции была решена, может быть, но, наверное, много еще было всякой дряни, косности, глупости и глупой беспечности. История разберет когда-нибудь. Во всяком случае план Гитлера разделить союзников вполне удался: 6 июля Франция уже порвала дипломатические сношения с Англией.

Немцы запретили все газеты из неоккупированных мест, и в оккупированных цензура полная, в Париже они сами издают «Matin» и «Paris Soir». Антисемитизм полный. Здешние газеты тоже под немцами. Мы ничего не знаем, кроме того, что говорят они же.

Роботы законченные ходят по магазинам, все скупают (кроме того, что интендантство так берет) и отсылают в Германию. Ни кусочка мыла уже месяц. Ходят по трое, наглые, жрут пирожки в кондитерской... Как их не разорвет! Все сношения между ихней Францией и ее незанятыми остатками — порваны. Час берлинский.

С того дня (22 августа), как мы, встретив на улице зловещего Меньшикова, узнали, что умер Дима, я так в этом и живу. Я знала, что он умрет, что он глубоко страдает и жаждет смерти. Я даже думала, что он уже умер, — трудно было себе представить, что он мог все это, и себя, пережить...

А все-таки — лучше не знать наверное. Вот снова подтверждение, что вера — всякая, даже не моя ничтожная, а большая, — всегда слабее любви. Чего бы проще, кажется, говорить, как Сольвейг:

> Где б ни был ты — Господь тебя храни,
> А если ты уж там — к тебе приду я...

Да, приду. А если и не приду — ведь я этого не узнаю... Но мысль, что не приду и не узнаю...

Биарриц, 21 июня 1941 г.

Два слова только: сегодня Гитлер, завоевавший уже всю Европу, напал на большевиков. Фронт — от Ледовитого океана до Черного моря. Помогают Финляндия, Румыния и др.

«Одно дело — мораль, другое — политика»

Вот обычная, ходячая фраза в наши дни. Я бы сказала — естественная. В ней уже содержатся, конечно, уже включены в нее, и прочие не менее «естественные» утверждения, — они «сами собою разумеются». Но мы рассмотрим их отдельно, в строгом порядке.

Итак: мораль одно дело, политика другое. Наука, искусство, эстетика — одно, политика — другое. Метафизика, логика — одно, другое политика. Логика, разум, здравый смысл — одно, политика совсем другое.

Это «другое», — вне морали, эстетики, метафизики, логики, здравого смысла, — и есть *современная* текущая политика. Если абсолют в реальности не встречается, то почти-абсолют мы уже имеем во образе сталинской политики. Остальная находится в разных степенях приближения к тому же абсолюту.

Эти строки были уже написаны, когда мне попалась статья в «Репюблик»: журналист говорит как раз о современном искажении слов, о потере их «первоначального» смысла (вспомнив, что об этом же писал, в свое время, Ан. Франс), «Три слова лежат в основе всех политических споров, — говорит П. Доминик, — большевизм, фашизм и демократия»; указав, что слова эти доселе понимаются, как, приблизительно, лет 20 тому назад, журналист поясняет, что теперь, в действительности, они обозначают совсем другое. Иначе: он показывает, во что *выродились* к сегодняшнему дню государства, продолжающие зваться тем, другим или третьим именем.

С точки зрения чистой «актуальности» журналист кое в чем прав; но это мало имеет отношения к тому, о чем мы говорим: к действительному «разоблачению» слов; это почти «в другом порядке». Поэтому напрасно говорить о их *начальном* смысле. Начальный лежит глубже; искажению не 20 каких-нибудь лет; и не так уж оно поверхностно, как его определяет П. Доминик относительно, например, «фашизма». Журналист не говорит нам с ясностью, как понималось это слово 20 лет тому назад; он только отмечает, что сейчас оно «синоним реакции». Гораздо прямее (и «первоначальнее») сказать, что «фашизм» был, и доселе остается, «синонимом личной диктатуры». Если такое государство судится как реакция, это уж последующий вывод: фашизм = личной диктатуре реакции. Занявшись вскрыванием «начального» смысла слов, надо и начинать сначала; в данном случае — со слова *фашизм*. (Оно — очень хороший пример.) Действительно ли оно синоним личной диктатуры? Что оно означает в первичном и прямом значении?

Здесь меня, конечно, прервут: бесполезные рассуждения! Реальность перед глазами: Германия с Гитлером, выродившийся СССР со Сталиным, Италия с Муссолини, — все это фашизм. Слово общепринятое, понятное, определяющее факт; да и сколько ни говорить о словах, факты от слов не меняются.

Не меняются? Ну, это еще вопрос... не для тех, положим, кого ни смысл, ни слово не интересуют. Но есть и не вполне уверенные, что политика — одно, а разум, знание, мораль и т.д. совсем другое. Для них я скажу кратко о «фашизме» и о «личной диктатуре».

Фашио — это пучок, пук длинных стеблей, и обозначает совместность, тесную общность. Как знак «всеобщности», он был принят Римской *республикой*; а раньше, кажется, обозначал тоже, — равность всех и общность — в Этрурии. Другого прямого смысла «фашио» не имел и не может иметь даже с приставкой современного «изма». Такой именно «смысл» уже дает нам его идеологию.

Одно это отделяет фашизм от личной диктатуры: у нее нет *никакой* идеологии. Часто мы встречаем: «идеология фашизма» (т.е. разумея личную диктатуру) — выражение легкомысленно-невежественное. Личная диктатура — временный случай; он может быть и несчастным — и провиденциальным, если явился в минуту несчастья. От личности диктатора, или «временщика», зависит многое, если не все. У него может быть своя, частная, идеология; у Муссолини, самого, вероятно, даже идеология «фашио». Но в жизнь он, пока правит единовластно, провести ее не может. Попытки его и Гитлера подвести под свои действия какую-то идеологию, обосновать свою, заведомо временную, чем-то постоянным только лишний раз доказывают недостаточность их умственной глубины. Инстинкт такого существа, как Сталин, действует правильнее: недаром так откровенно уничтожает идеологию коммунизма; уничтожает, в лице возможных носителей всякой другой и всякую другую, прямым физическим средством.

Впрочем, инстинкты, даже верные, не такая уж надежная помощь. Политика Сталина, дошедшая, в современности, до почти-абсолюта, т.е. уже совершенно обнажившая себя от морали, разума и смысла, от всего, что называлось «человеческим», ведет его к падению весьма ускоренным темпом. И падение это будет великое.

Мне опять возразят: хорошо, но что все-таки меняют общие рассуждения? Что за дело нам до изображений «фашио» на этрусских вазах, до Римской республики, до того, есть или нет идеология у диктатуры, до инстинктов Сталина? Италия задыхается в фашистском рабстве, Сталин, с инстинктами или без оных, расстреливает, Германия вооружается, падение Сталина может привести к разделу России, — вот факты, с ними и считается современная политика. Рассуждать о ней с отвлеченной, исторической, или какой-нибудь метафизической точки зрения в лучшем случае бесполезно, а то и вредно...

Брюсов

Каждый невольно выбирает из Брюсова то, что ему кажется в нем наиболее близким, понятным. И каждый ошибается, потому что в Брюсове нет ничего близкого другим: в нем все чуждо, он весь *свой*, и только свой. Если даже и есть в нем нечуждые кому-нибудь черты, то все равно, взятые отдельно, оторванные насильно от полного облика этого человека-поэта, они утрачивают смысл. Брюсов слишком целен, в цельности ясен и прост, — не примитивной простотой, а какой-то своей, «за-сложной», если позволено так выразиться, которую не все видят как простоту.

Не надо забывать, что он прежде всего — *свой*. Вот почти единственное прилагательное, которое прилагается к Брюсову. (Кстати, даже и не прилагательное.) Но зато я не знаю, есть ли другой человек-поэт, кого бы можно было в такой странной мере, с такой полнотой назвать «своим»; для себя — своим, для других — чужим.

Мы привыкли издавна считать самым «гармоническим» поэтом — Пушкина. Может быть, тут и есть своя правда, но во всяком случае «гармония» в приложении к Брюсову имеет другой смысл. Пушкинская гармония — это моменты гармонии между его «я» и точками мира, вне этого «я» лежащими; гармония Брюсова — это гармония его собственного «я», всех точек этого «я» между собой. Мир с ним не смешивается, и он не смешивается с миром; мир отразился в нем однажды, но как — мы не знаем; он один знает; и то, что он говорит —

233

имеет для него совершенно другое значение, другой смысл, другой *цвет*, чем для нас.

Порою мы обманываемся, не понимая, что не понимаем Брюсова: ведь слова-то все те же! Но почти всеми ощущается странная чуждость, которая проскальзывает в сочетаниях или даже между сочетаниями слов, несмотря на всю их простоту; эта чуждость заставляет бессознательно роптать против Брюсова, называть его поэтом холодным, головным, академиком, теоретиком... да и мало ли как? И это неверно: в нем есть все, только все для себя; и он не холоден, только огонь его нас не греет: разве, при случае, ожжет.

Казалось бы, если так, всего проще надеть на Брюсова ярлык «индивидуалиста». Мало ли их среди современных писателей и поэтов. Легкомысленное определение! Между замкнуто-гармопическим существом человека-поэта Брюсова и так называемым «индивидуалистом», самым крайним, — громадная разница. Индивидуалист, одинокий, — всегда или гордится своей обособленностью, или от нее страдает; но он ее видит и судит, ощущает, как неравновесие; внутренняя же гармония Брюсова так совершенна, так природна, что он едва, разве, может отметить свою отдельность и удивительную отличность, но не мог бы ни радоваться ей, ни ею печалиться. Он таков, именно таков, — и больше ничего.

На Брюсова-человека, так же, как на Брюсова-поэта, с величайшей легкостью надеваются всякие маски. Кто каким Брюсова хотел, таким его и имел. Роковой гений, загадочный волшебник, трагический художник, эгоистический позер, холодный и хитрый литературный честолюбец, таинственный герой, маг, спирит, Дон-Жуан, Наполеон, анархист, черносотенник, космополит, скептик, сплетник, ницшеанец, солипсист, кружковист, брезгливый москвич, скрытный, острый и рассудочный, — как только его не определяли, кем для себя не делали! И Брюсов со всеми был действительно тем, кем его желали видеть. Не то чтобы он сознательно играл роль, нет, но все эти личины, равно, были ему так чужды, что он, не замечая, носил их с одинаковой легкостью. Каждый подходил к Брюсову со своим требованием, а так как всякое требование, предъявленное к Брюсову, совершенно бесполезно и безнадежно, то он, но по видимости, исполнял их все, — не исполняя ни одного. Оставался собой, оставался *своим*, то есть простым в себе, добрым и ясным человеком, чуждым всем до такой степени, что за этой чуждостью легко было просмотреть простоту его человечности и его поэзию.

Однако, если все это так, — какое, в конце концов, нам дело до Брюсова и до его поэзии? Если это исключительный феномен, чудо и в своем роде совершенство, то единственное возможное к нему отношение — пройти мимо, не оглядываясь. Известно, что чудес *нужных* на свете нет; а если и бывают ненужные, то на что они нужны? Что с ними делать?

Нет, конечно, Брюсов нисколько не феномен и не чудо. Не один он на свете *свой* и чуждый всем. Мы говорим о нем, потому что он виднее, потому что в его природу вложена еще яркая способность самопроявления — сильный стихотворный талант. Кроме того, — нет и совершенства, как нет чуда. Я говорю лишь о самой первой, о самой главной черте в облике Брюсова, обо всем уклоне человека-поэта. И уклон этот — несомненно, единственность, само-гармоничность, природная самостремительность, не связанность со внележащим и крайняя, ясная простота — в себе. Отношение к Брюсову и к его по-эзии может быть только чисто созерцательное. Но кто знает, не в чистом ли созерцании, то есть в бес-корыстии и легкости, тайна красоты?

Не надо только ничего требовать от Брюсова для себя: он *свой* и ровно ничего не даст нам сам ни как человек, ни как поэт: но мы-то можем взять от него многое, если верно подойдем к нему. Мы можем пережить минуты созерцанья чужой тайны, по-чувствовать святую легкость далекой, навеки не нашей, красоты.

«А затем Есенин пропал...»

Не знаю, кто привел Есенина, может быть, его просто прислал Блок (он часто это делал). Во вся-ком случае, это было очень скоро после первого въезда Есенина в роковой для него Петербург: через день-два, не больше. Рассказывал, не то с наивно-стью, не то с хитринкой деревенского мальчишки, как он прямо с Николаевского вокзала отправился к Блоку, а Блок-то, оказывается, еще спит... «со вчерашнего будто»; он, Есенин, будто «эдакого за Блоком не думал»...

У нас, впрочем, сразу создалось впечатление, что этот парень, хоть в Петербурге еще ничего не видал, но у себя, в деревне, уже видал всякие виды.

Ему лет 18. Крепкий, среднего роста. Сидит за стаканом чая немножко, по-мужицки, ссутулясь; лицо обыкновенное, скорее приятное; низколобый, нос «пипочкой», а монгольские глаза чуть косят. Волосы, светлые, подстрижены по-деревенски, да и одет он еще в свой «дорожный» костюм: синяя косоворотка, не пиджак — а «спинжак», высокие сапоги.

Народу было мало, когда он заявился. Вновь приходившим мы его тотчас рекомендовали; особенного стеснения в нем не замечалось. Держал себя со скромностью, стихи читал, когда его просили, — охотно, но не много, не навязчиво: три-четыре стихотворения. Они были недурны, хотя еще с сильным клюевским налетом, и мы их в меру похвалили. Ему как будто эта мера показалась недостаточной. Затаенная мысль о своей «необыкновенности» уже имелась, вероятно: эти, мол, пока не знают, ну да мы им покажем...

А затем Есенин пропал... если не с горизонта нашего, то из нашего дома.

Его закружила, завертела, захватила группа тогдашних «пейзанистов» (как мы с Блоком их называли). Во главе стоял Сергей Городецкий. Он, кажется, увидел в Есенине того удалого, «стихийного» парня, которого напрасно вымучивал из себя во дни юности. С летами он поутих, а к войне вся «стихийность» Городецкого вылилась в «патриотический пейзанизм».

Есенин стал, со своей компанией, являться всюду (не исключая и Рел.-Фил. Общества), в совершенно особом виде: в голубой шелковой рубашке с золотым пояском, с расчесанными, ровно подвитыми, кудрями. Война, — Россия, — народ, — война! Удаль во всю, изобилие и кутежей, — и стихов, всюду теперь печатаемых, стихов неровных, то недурных — то скверных, и естественный, понятный, рост самоупоенья, — я, мол, знаменит, я скоро буду первым русским поэтом, — так «говорят»...

Что было с Есениным за все эти дальнейшие, не короткие, годы? Не трудно проследить: на фоне багровой русской тучи он носился перед нами, — или его носило, — как маленький черный мячик. Туда — сюда, вверх — вниз... В. В. Розанов сказал про себя: «Я не иду... меня *несет*». Но куда розановское «несение» перед есенинским!

И стихи Есенина — как его жизнь: крутятся, катятся, через себя перескакивают. Две-три простые, живые строки — а рядом последние мерзости, выжигающее душу сквернословие и богохульство, бабье, кликушечье, бесполезное.

В красном тумане особого, русского, пьянства он пишет, он орет, он женится на «знаменитой» иностранке, старой Дункан, буйствует в Париже, буйствует в Америке. Везде тот же туман и такое же буйство, с обязательным боем, — кто под руку попадет.

Но Есенин не поступил «в бандиты». Он опять женился... на внучке Толстого. Об этом его прыжке мы мало знаем. Кажется, он уже начал спотыкаться. Пошли слухи, что Есенин «меняется», что в его

238

стихах — «новые ноты». Кто видел его — находил растерянным, увядшим, главное — растерянным. В стихах с родины, где от его дома не осталось следа, где и родных частушек даже не осталось, замененных творениями Демьяна Бедного, — он вдруг говорит об ощущении своей «ненужности». Вероятно, это было ощущение более страшное: своего... уже «несуществования».

И вот — последний Петербург — нет, «Ленинград»: комната в беспорядке, перерезанные вены, кровью написанное, — совсем не гениальное, — стихотворение, и сам Есенин на шнурке от портьеры.

Можно, например, все свалить на большевиков: это они виноваты, не вынесла талантливая душа... и т. д. Можно покачать головой: вот до чего доводят богохульства. Можно и совсем не комментировать: просто отдаться, как М. Осоргин, лирической скорби, отговорила, мол, роща золотая, умолк самый значительный современный поэт, такой значительный, что лишь «безнадежно равнодушные и невосприимчивые люди» могут этого не понимать и от этой поэзии в волнение не приходить.

Между тем, суть лежит глубже. И значительна вовсе не поэзия Есенина, даже не сам он, но его *история*.

Что большевики тут совсем ни при чем — конечно, неправда. Они, вместе с общими условиями и атмосферой, сыграли очень серьезную роль в судьбе Есенина. Мы не знаем, сложилась ли бы судьба этого типичного русского, одаренного, нетронутого культурой человека — без большевиков так же, как сложилась при них. И, однако, большевики не суть, не главное. Не они создали «историю» Есенина. Как потенция — она была заложена в нем самом. Большевики лишь всемирно содействовали осуществлению именно *этой* потенции. Помогали и помогли ей реализоваться. И возможность стала действительностью, — действительной историей Есенина. Что ж? Хотя это звучит парадоксом, — разве многие тысячи Есениных, в свою очередь, не помогали и не помогли самим большевикам превратить их возможности — в действительность?

Дело в том, что есть в русской душе черта, важная и страшная, для которой трудно подобрать имя: это — склонность к особого рода субъективизму, к безмерному в нем самораспусканью. Когда она не встречает преград, она приводит, постепенно, к самораспыленью, к самосползанью, к последней потере себя. Русская «удаль», — удаль безволия, — этому процессу не мешает, а часто помогает.

Нетронутая культурой душа, как есенинская, — это молодая степная кобылица. На кобылицу, если хотят ее сохранить, в должное время надевают узду. Но тут-то как раз никаких узд для Есенина и не оказалось. Понять нужду в них, самому искать, найти, в такое время, — как он мог? А перед инстинктом — лежало открытое поле. Не диво, что кобылица помчалась вперед, разнесла, растоптала, погубила все, что могла, — вплоть до самой себя.

На Есенине это ярко и просто: пил, дрался, — заскучал, повесился. Примитивный рисунок всегда нагляднее. Но если то же самое происходит с человеком более сложной культуры, — тот же процесс «размягчения костей», — видимые его проявления могут быть не так резки. Для человека очень значительного он обертывается трагедией, — внутренней, конечно, но все-таки в душе такого человека встают противодействующие силы. Разве не трагичен Блок с его слепым исканием упорно вечными падениями в безответственность? Гениальный Розанов так долго был на скользком спуске, что уже не замечал «современничающих» ему людей, уже объявлял, что ему «все можно»… Однако ни он, ни Блок до конца не спустились и без борьбы по спуску не влеклись, как влекутся многие и многие русские люди: незаметно, без внешней трагедии Есенина, почти с видом благополучия.

А Есенину — не нужен ни суд наш, ни превозношение его стихов. Лучше просто, молчаливо, по-человечески пожалеть его. Если же мы сумеем понять смысл его судьбы — он не напрасно умер.

«А я легла спать и забыла, что замужем…»

В год нашей встречи (1888) он начал путешествие с поэтом Минским, но потом они расстались, когда Д. С. спустился по Военно-Грузинской дороге в Закавказье и случайно (кто-то в дороге же ему посоветовал) — попал в Боржом.

Встретил его Боржом неприветливо: это было в мае — и шел непрерывный дождь. Серое небо, сырость, а гостиницы в тогдашнем Боржоме были ужасные. Да Д. С. еще и не попал в лучшую, «Кавалерскую», а в какой-то просыревший барак. Он хотел уже уезжать. Пошел на почту, спросить, нет ли писем из Vichy, от матери, да и лошадей до станции Михайлово там же заказать можно было. Начальником почтовой конторы был хороший наш, по первому пребыванию в Боржоме, знакомец — молодой латыш Якобсон. Весь год, после боржомского знакомства, я была с ним в деятельной переписке. Стихотворная и вообще литературная зараза нашего юного гимназического кружка очень его коснулась, он вообразил себя тоже писателем и присылал мне, вместе с красивыми тетрадями для моих дневников, свои «произведения», смешные «стихотворения в прозе». Надо признаться, что мы над ним много насмешничали, хотя, может быть, и два главные наши поэты-гимназисты, Глокке и другой, не помню фамилии, писали не многим лучше. Белобрысый, красноносый, он говорил с акцентом, выговаривая «л» как «l», и звали его «Сила» (как Sila). В силе своей (литературной) он был уверен, и Силой мы звали его потому, что он, убеждая меня однажды выйти за него замуж, сказал: «Вы sila, и я sila; вместе мы горы сдвинем». Я, конечно, этими горами не убедилась, но вот к этому-то Якобсону и попал Д. С., спрашивая письма на имя Мережковского. Наш знаток литературы имя петербургского поэта знал и очень обрадовался случаю: как, уезжать? Сезон начинается, вы увидите, что такое Боржом. В гостинице вам плохо, переезжайте ко мне. У него была своя уютная и благоустроенная дачка, куда он и перетащил своего нового пленника, за которым всячески стал ухаживать. Прочел его новенькую книгу стихов, конечно. Вдохновившись Буддой, придумал довольно глупую фантазию: попросил гимназиста-поэта

Глокке, тоже приехавшего в Боржом, сказать мне, что у него живет буддист из Индии, ходит в халатах и ни с кем не разговаривает. Глокке, всем и всегда покорный, все это исполнил, едва мы, в последних числах июня, водворились на нашей дачке. И вот тут-то произошла странность, которую я не могу сама объяснить: когда Глокке, со своими еще подробностями, рассказал мне про буддиста, у Якобсона, я вдруг сказала: все это вздор. Никакого нет буддиста, ни халатов, а живет у Ивана Григорьевича просто Мережковский. Глокке опешил: кто вам сказал? Но мне никто ничего не сказал, и после «Живописного обозрения», я нигде не видела, не слышала имени Мережковского, да никогда о нем и не думала.

Видя, что тайна раскрыта (или угадана), Глокке мне все рассказал, что знал, прибавив: «Да, Мережковский, я книгу читал, и с ним познакомился. Но он не танцует и верхом не ездит». Последнее замечание еще ослабило мой интерес к поэту (единственное стихотворение в «Живописном обозрении» мне тогда не понравилось). «Но Иван Григорьевич хочет все-таки его с вами познакомить — продолжал Глокке, — вот, в ротонде, в воскресенье. Вы будете?»

Еще бы! Как пропустить танцевальный вечер?

К залу боржомской ротонды примыкала длинная галерея, увитая диким виноградом, с источником вод посередине. По этой галерее гуляют во время танцевальных вечеров, или сидят в ней, не танцующие, да и танцующие — в антрактах. Там, проходя мимо с кем-то из моих кавалеров, я увидела мою мать, и рядом с ней — худенького молодого человека, небольшого роста, с каштановой бородкой. Он что-то живо говорил маме, она улыбалась. Я поняла, что это Мережковский. Глокке уже приносил мне его книгу и уже говорил о нем с восторгом (которого я почему-то не разделяла и не хотела, главное, разделять). Я была уверена (это так и оказалось), что и Глокке, и Якобсон уже говорили обо мне Мережковскому (о нашей «поэтессе», как тогда меня называли), и, может быть, тоже с восторгом, Глокке даже, может быть, читал ему мои стихи. Думала также, что Мережковский их восторга, как я о нем, не разделял. Не последнее, а все это вообще мне было неприятно. Потому, должно быть, когда в зале ротонды, после какой-то кадрили, меня Глокке с М. познакомил, я встретила его довольно сухо, и мы с первого же раза стали... ну, не ссориться, а что-то вроде. Мне стихи его казались гораздо хуже надсоновских, что я ему не преминула высказать. Маме, напротив, Мережковский понравился, и сам он, и его говор (он слегка грассировал).

Однако после первой встречи мы стали встречаться ежедневно, и в парке, на музыке, и у Якобсона, куда он нас с мамой часто зазывал. Но почти всегда разговор наш выливался в спор. Моему кузену Васе, совсем не поэту, Мережковский тоже понравился. Не потому, что писал стихи, а потому, что читал Спенсера.

В нашу компанию вошел новый элемент чего-то более все-таки взрослого. Ведь 23-летний Мережковский был, однако, старше всех нас. Да и чувствовалось, что он из другого совсем мира, не того, к какому принадлежало и большинство наших «взрослых», — старых. В Боржоме бывала куча всякого сброда во время сезона. Их Мережковский называл «архаровцами» (пошляками) и старался быть от них подальше. Он много гулял один (погода стояла божественная), и я уже знала, что он сочиняет теперь длинную поэму из испанской жизни под названием «Силвио».

Почтарь Якобсон был, в конце концов, даже рад, что мы с Мережковским не очень дружны, все будто ссоримся. Он стал рассказывать, что Мережковский влюблен в одну тамошнюю барышню, Соню Кайтмазову, которая всегда гуляла одна, с книжкой, не бывала на вечерах, даже на музыке. Эта барышня, очень, действительно, скромная и милая, кажется, была чеченка. Ее темная коса была так длинна, что касалась подола платья — тоже длинного, по тогдашней моде. Мережковский не отрицал, что она прелестна, что они встречаются... Но, как потом он мне рассказывал, она раздражала его живой характер своим тупым молчанием: точно ничего не понимала, о чем с ней говорят.

Мы с Мережковским продолжали полуссориться, хотя встречались теперь постоянно, несколько раз в день. Все мое молодое окружение было от Мережковского в восторге, — и, может быть, это меня немножко раздражало. Особенно рассердилась я, когда кузен Вася сказал, что Мережковский считает меня необразованной, что это жаль и что он советует мне почитать Спенсера. Хороший ли был совет — другое дело. А что я была действительно редкий неуч — тут какой же спор, я это и сама знала, потому и рассердилась на всех троих: на Васю, на Мережковского и на Спенсера.

В сущности, весь период нашего первого знакомства с Мережковским был короток: несколько последних дней июня, когда мы приехали в Боржом, и первые десять дней июля, потому что 11 июля и наступила та перемена в наших отношениях, о которой сказано, и начался уже второй период.

11 июля, в Ольгин день, в ротонде был танцевальный вечер, но не воскресный, не обычный, наш, а детский. Он устраивался во все лето лишь один раз, и мы все туда, конечно, тоже отправились, смотреть. Д. С. Мережковский, хотя не танцующий, бывал, однако, и на воскресных вечерах, встретили мы его и на этом. Бал был очень милый, но нашим матерям смотреть на детей было, кажется, веселее, мне же скоро наскучило. Д. С., конечно, тоже. Да в зале — духота, теснота, а ночь была удивительная, светлая, прохладная, деревья в арке стояли серебряные от луны. И мы с Д. С. как-то незаметно оказались вдвоем, на дорожке парка, что вьется по берегу шумливого ручья-речки Боржомки, далеко по узкому ущелью. И незаметно шли мы все дальше, так что и музыка уже была едва слышна. Я не могу припомнить как начался наш странный разговор. Самое странное, что он мне тогда не показался странным. Мне уже не раз делали, как говорится, «предложение». Еще того чаще слышала я «объяснение в любви». Но тут не было ни «предложения», ни «объяснения»: мы, и главное, оба — вдруг стали разговаривать так, как будто давно уже было решено, что мы женимся, и что это будет хорошо. Начал,

дал тон этот, очень простой, он, конечно, а я так для себя незаметно и естественно в этот тон вошла, как будто ничего неожиданного и не случилось. После, вспоминая этот вечер, особенно во время наших размолвок (их потом случалось немало), я даже спрашивала себя, уже не из кокетства ли я тогда ему не возражала, и действительно ли хочу выходить за него замуж? Уже бывала, и не раз, «влюблена», знала, что это, а ведь тут — совсем что-то другое! Первое мое влюбление, в 16 лет, было кратко (как, впрочем, и другие) — в талантливого и красивого скрипача, сына нашего домохозяина, часто у нас бывавшего и очень за мной ухаживавшего. Он был уже тогда смертельно болен, туберкулезом, но состояния своего не знал, и, вероятно, сделал бы мне предложение, если б, к счастью моей матери, которая все видела и ни за что бы на этот брак не согласилась, мы не уехали внезапно из Тифлиса. Через полтора месяца я все забыла, а мой Jerome B. осенью от своей болезни и умер. Последующие мои влюбленности вызывали у меня отчаяние и горестные страницы в дневниках: «Я в него влюблена, но ведь я же вижу, что он дурак».

И вот, в первый раз с Мережковским, здесь, у меня случилось что-то, совсем ни на что не похожее...

Мы вернулись в ротонду, когда вечер уже почти кончился и мама начинала тревожиться, меня не находя. Мать моего кузена Васи, с ним и с его сестрой Соней отправилась к нам пить чай. Она (тетя Вера, как мы ее называли) первая обратила внимание на мой странный, какой-то растерянный, вид. Дома я немножко пришла в себя, но отвечая на все расспросы, никак все-таки не могла рассказать то, что произошло в точности, ибо сама его себе не объясняла, да и мамы наши этого бы не поняли. И я сказала понятнее, что, мол, Мережковский сделал мне предложение. «Как, и он?» — засмеялась тетя Вера, зная, сколько у меня тогда было «женихов». И прибавила: «Зина, кажется, и сама удивлена этой неожиданностью».

— Что же ты ему ответила? — спросила мама.

— Я? Ничего. Да он не спрашивал ответа!

И, рассердившись, я ушла в свою комнату.

На другой день, утром мы, как было условлено, встретились в парке и... продолжали тот же разговор. Он рассказывал мне о своей семье, об отце, главное, конечно, о матери. Рассказывал и о Петербурге, и о своих путешествиях. Молодую живость, увлекательную образность речей он умел сохранить до конца жизни, но у юного, 23-летнего Мережковского была в его речах еще и заразительная веселость, не злая, а детская насмешливость.

С этой поры мы уже постоянно встречались в парке утром, вдвоем. Днем, если мы не ехали никуда всей компанией, Д. С. бывал у нас. Никакого «объявления» о нашей будущей свадьбе не было, но как-то это, должно быть, зналось. Мои поэты-гимназисты сами были увлечены «настоящим» поэтом, и ревновать меня к нему им и вообще было не к месту. Один только латыш-почтарь (Sila) почему-то нашим сближением был недоволен. Глокке, бывший у него в подчинении и у него, кажется, живший, мне это довольно чепушисто передавал, а однажды, уже поздно вечером, в мое окно, из сада, влетел толстый букет цветов, очень нас испугавший (я была с мамой). Я выглянула в окно, из черной-пречерной ночи раздался жалобный голос Глокке: «Это от И. Г. Он спрашивает: „Если бы не то — то что?» « Таинственный вопрос. Он так и остался для меня тайной. Подумав, я, однако, решила сделать вид, что понимаю. — Скажите, что тогда было бы еще лучше, но и теперь недурно. — Этим дело не кончилось, и латыш, вообразив неизвестно что, вдруг предложил как-то, в галерее, Д. С. — «обменяться пулями». Это было до такой степени глупо и непонятно, что Д. С. — он мне рассказывал потом — только рассмеялся ему в лицо, а почтарь сам сконфузился.

В сентябре Д. С. уехал из Тифлиса, и тогда-то мы и стали писать друг другу каждый день. Это была наша единственная разлука, после свадьбы мы уже не разлучались, потому никакой «переписки» между нами и не было.

Мы ждали приезда Д. С. в начале декабря, но он приехал неожиданно раньше. В конце ноября, кажется, 23-го, хорошо помню: меня не было дома, а когда, вернувшись, я вошла в нашу длинную залу, я увидала его стоящим около одного из окон, и так удивилась, что довольно бессмысленно спросила: «Откуда — вы?», на что последовал естественный ответ:

— Непосредственно из Петербурга.

Меня удивило только его красивое грассированье, от которого я отвыкла, забыла его.

Об этом времени перед нашей свадьбой мне почти нечего рассказывать. Мы, конечно, проводили целые дни вместе, читали (помнится, читали и вышедший тогда роман Золя — «Le Rêve», который обоим нам не очень, однако, нравился. Но он привез немало новых русских книг и журналов, Чехова, между прочим, о котором только что написал статью в «Северном вестнике». Очень подробно рассказывал он мне об этом журнале, о редакции, с Анной Михайловной Евреиновой во главе (и ее муже). Там работал тогда и А. Н. Плещеев.

У нас дома только наша няня и тетя Леля, старая дева, не были Мережковским очарованы. Обе — из-за приверженности к Ал. Ив. Гиппиусу (он совсем исчез из Тифлиса, поехал, как оказалось, жениться на барышне Зубовой, которую присмотрел на случай, если со мной не выйдет). А тетя Леля была в него безнадежно и тайно (явно для других) влюблена. Не могла понять, как я ему предпочла Мережковского, неизвестно откуда взявшегося. А моя няня Даша (удивительное она была существо!) любила «важность». Ал. Ив. ей казался более важным и солидным. Что у Мережковского папаша — генерал (тайный советник) — она еще не знала. Впоследствии, когда наша семья из Москвы переехала в Петербург, и вплоть до нашего бегства, она жила у нас с Д. С. Да и сестры мои уже тогда подросли. Я сразу хотела взять ее с собой в СПБ, — ни за что.

В этот период мы с Д. С. ссорились, хотя не так, как в дни первого знакомства и в первый год после свадьбы, но все же часто. У обоих был характер по-молодому неуступчивый, у меня в особенности. Но в том, что всякие «свадьбы» и «пиры» — противны, что надо сделать все попроще, днем, без всяких белых платьев и вуалей, — мы были согласны. Венчанье было назначено на 8 января (1889 г.), но уехать в тот же день, или даже на другой, мы не могли: билеты в дилижанс мы достали только на десятое. Я не хотела даже шаферов, но оказалось, что они необходимы: венцы нельзя надевать на головы, как шляпу, надо их над головами держать. Мой шафер был кузен Вася (он только перешел в 8-й класс), а второй — какой-то его товарищ.

Утро было солнечное и холодное. Мы отправились с мамой в Михайловскую церковь, близкую, как на прогулку: на мне был костюм темно-стального цвета, такая же маленькая шляпа на розовой подкладке. Дорогой мама говорила мне взволнованно: «Ты родилась восьмого, в день Михаила Архангела, с первым ударом соборного колокола в Михайловском соборе. Вот теперь и венчаться идешь 8-го, и в церковь Михаила Архангела».

Но я была не то в спокойствии, не то в отупении: мне казалось, что это не очень серьезно. В церкви (холодной) мы нашли наших шаферов, свидетелей и двух теток — жену (и ее сестру) покойного дяди. Свидетели были их знакомые, какие-то адвокаты. Нашли мы и жениха. Он был в сюртуке и в так называемой «николаевской» шинели, — их тогда много носили — с пелериной и бобровым воротником. Она была петербургская — пригодилась и для суровой тифлисской зимы. В шинели венчаться было, однако, нельзя, и он ее снял. Говорил потом, что не почувствовал холода, ведь все это продолжалось так недолго. Еще бы, ведь не было ни певчих, ни даже, кажется, диакона, и знаменитое «жена да боится своего мужа» прошло совершенно незаметно. Постороннего народа почти не было, зато были яркие и длинные солнечные лучи верхних окон — на всю церковь. На розовую подстилку мы вступили вместе и — осторожно: ведь не в белых туфельках, — с улицы, а это все идет после священнику. Как не похоже было это венчанье на толстовское, которое он описал в «Анне Карениной» — свадьба Китти! Когда давали нам пить из одного сосуда, поочередно, я, во второй раз, хотела кончить, но священник испуганно прошептал: «Не все! Не все!» — кончить должен был жених. После этого церемония продолжалась с той же быстротой, и вот — мы уже на паперти, разговариваем со свидетелями.

Наш день прошел, как вчерашний. Мы с Д. С. продолжали читать в моей комнате вчерашнюю книгу, потом обедали. Вечером, к чаю, зашла случайно бывшая моя гувернантка-француженка. Можно себе представить, что она чуть со стула не упала от неожиданности, когда мама, разливая чай, заметила мельком: «А Зина сегодня замуж вышла».

Д. С. ушел к себе в гостиницу довольно рано, а я легла спать и забыла, что замужем. Да так забыла, что на другое утро едва вспомнила, когда мама, через дверь, мне крикнула: «Ты еще спишь, а уж муж пришел! Вставай!»

Муж? Какое удивленье!

Д. С. Мережковский — писатель религиозный, как всем известно. Что таким был в течение нескольких последних десятилетий своей жизни —

слишком ясно, но был ли он религиозен с юности — это вопрос. И во всяком случае — как он таким сделался, где истоки этого, каким шел путем? Вот это я хочу немного определить, коснуться этого, — иль этих начал, — прежде, чем мне придется определять самую его религиозность и его тут идеи.

Мы с Д. С. так же разнились по натуре, как различны были наши биографии до начала нашей совместной жизни. Ничего не было более различного, и внешне и внутренне, как детство и первая юность его — и мои. Правда, была и схожесть, единственная — но важная: отношение к матери. Хотя даже тут полной одинаковости не было.

Очень часто религиозные люди выходят из религиозной семьи. Я совершенно не знаю, какова была мать Д. С. в этом отношении (слишком мало времени я ее знала), но несомненно, что в детстве никакая, ни религиозная, ни даже клерикальная атмосфера (а это ведь громадная разница), маленького Митю не окружала. Какая-то мистическая точка, однако, была, в отце (его превращение после смерти жены в ярого спирита-теософа), но ранее он был, вероятно, просто чиновник. Дмитрий, с постоянным отсутствием матери, оставленный на руках бонны Амалии Христиановны, вместе с кучей старших и далеких братьев. Затем — гимназия. Можно себе представить гимназическую атмосферу. Университет (историко-филологический факультет) — другие, подобные товарищи... Все, что он мог иметь в душе во все это время — он имел, вероятно, от себя же — никак не извне.

Чтобы оттенить разницу — скажу, что мое детство было несколько иное. Нельзя сказать, что наша семья была религиозная. Моя мать — была верующая, я иногда видела ее вечером на молитве; но об этой вере она никогда не говорила, и совсем была не клерикалка: бывала в церкви только по понедельникам (день смерти отца), и то не у обедни, а после нее, когда в церкви уже никого не было. Но... у меня была бабушка, — не grand'maman, эта, жена лютеранина (сколько раз она мне рассказывала, что два раза венчалась, в церкви и в кирхе), совсем, кажется, в церкви не бывала, — нет, другая бабушка, сибирячка, с темной старой иконой в углу, с зеленой перед ней лампадкой, с чулком в руках и с рассказами о Симеоне-столпнике и Николае-чудотворце. Бабушка, которой я, когда выучилась читать, читала «Жития святых», а когда маленькая сестра моя умирала, — говорила мне, шестилетней: «Помолись за нее, детская молитва доходчива». Я молилась — сестра выжила, а я уже с тех пор уверилась, что если помолиться — хоть о хорошей погоде, — непременно будет. Вот только — не всегда успеешь...

Тут же связалась у меня, однако, и первая смерть в нашем доме — чахоточной тети Маши, — вообще смерть тогда на всю жизнь завладела моей душой.

Глядя на нас с Д. С., — более извне, конечно, — трудно было бы сказать, что у меня фон души (если можно так выразиться) — темнее, у него — светлее. А это было именно так. И с годами даже подчеркнулось, хотя другим он, с годами, казался, подчас, даже угрюмым, а я жизнерадостной. Но это кстати, вернемся к Дмитрию в 23 года.

Живой интерес ко всем религиям, к буддизму, пантеизму, к их истории, ко всем церквам, христианским и не христианским равно. Полное равнодушие ко всякой обрядности (отсутствие известных традиций в семье сказалось). Когда я в первую нашу Пасху захотела идти к заутрене, он удивился: «Зачем? Интереснее поездить по городу, в эту ночь он красив». В следующие годы мы, однако, у заутрени неизменно бывали. Но, конечно, не моя детская, условная и слабая вера могла на него как-нибудь повлиять. Его, в этот же год молодости, ждало испытанье, которое не сразу, но медленно и верно повлекло на путь, который и стал путем всей его деятельности. Замечу здесь еще одно, и коренное, различие наших натур. Говорю о своей — чтобы лучше оттенить его. У него — медленный и постоянный рост, в одном и том же направлении, но смена как бы фаз, изменение (без измены). У меня — остается раз данное, все равно какое, но то же. Бутон может распуститься, но это тот же самый цветок, к нему ничего нового не прибавляется. Росту предела или ограничения мы не можем видеть (кроме смерти, если дело идет о человеке). А распускающемуся цветку этот предел виден, знаем заранее. Раскрытие цветка может идти быстрее, чем сменяются фазы растущего стебля (или дерева). Но по существу все остается то же.

Однако оттого и случалось мне как бы опережать какую-нибудь идею Д. С. Я ее высказывала раньше, чем она же должна была ему встретиться на его пути. В большинстве случаев он ее тотчас же подхватывал (так как она, в сущности, была его же), и у него она уже делалась сразу махровее, принимала как бы тело, а моя роль вот этим высказыванием ограничивалась, я тогда следовала за ним.

Потому что — это необходимо прибавить — разница наших натур была не такого рода, при каком они друг друга уничтожают, а, напротив, могут, и находят, между собою известную гармонию. Мы оба это знали, но не любили разбираться во взаимной психологии.

Иногда случалось, что первая идея принадлежала ему. Если я ее не понимала и была не согласна, я редко следовала за ней, пока не убеждалась в ее правоте. Так же и он, и тогда происходили между нами ссоры, мало похожие на обычно-супружеские. Моя беда была в том, что я, особенно в молодости, не умела найти нужные аргументы, чтобы доказать неправильность его идеи в том или другом его произведении, и оказывалась побитой. Я не понимала, например, что идея «двойственности», которую он развивал в романе «Леонардо» («небо внизу — небо вверху»), необходимая фаза его роста: идея казалась мне фальшивой, и я (слишком для него рано) принялась ему это доказывать. Конечно, не сумела, и кончилась эта наша «сцена» для меня, вообще никогда не плачущей, — слезами. А уж это — какое же доказательство. Через годы он доказательства нашел сам, и такие блестящие, до каких я бы и впоследствии, вероятно, не додумалась.

У него не было ни одного «друга». Вот как бывает у многих, нашедших себе друга в университете, сохраняющих отношения и после. Иногда — реже — сохраняется даже гимназическая дружба. Но у Д.С. никакого «друга» никогда не было. Множество дружеских отношений и знакомств, но я говорю не об этом. Он, в сущности, был совершенно одинок, и вся сила любви его сосредоточилась, с детства, в одной точке: мать. В «Старинных октавах» он сам рассказывает об этом лучше, чем я могу это сделать. Он и со мной мало говорил о своей любви к матери, — очень редко, — так целомудренно хранил эту любовь в душе до последнего дня.

Я видела их вместе, когда она, первые месяцы, приезжала к нам, привозила в наше новое (и скудное) хозяйство что-нибудь из своего, украдкой, конечно: пару рябчиков, домашние пирожки... мало ли что. Всегда закутанная в салопе. У нее было измученное лицо, но очень нежное. Черные, гладкие волосы на прямой пробор. Почти не было седины, да ведь она не была и стара. Болезненная желтизна лица, обострившиеся черты, — а была она, видно, очень красива. Ее большой овальный портрет, висевший в кабинете отца и потом завещанный сыну Дмитрию, — на нем она молодая и красивая очень. Этот портрет висел у нас до нашего бегства, конечно, — пропал, как все у большевиков.

Я помню ее в моем салончике-кабинете, на турецком диване, и Дмитрия около нее, прислонившись головой к ее коленям. Она его, как ребенка, гладила по голове: «Волоски-то густые...» Она мне нравилась, но я чувствовала, что я ей, пока что, — чужая.

Куда только не возил меня Д. С., кого только не показывал! Очень было интересно, только очень уж много разнообразных кругов. Особенно пришелся мне тогда по душе кружок проф. Ореста Миллера. И сам он был удивительно приятный, и бывавшие у него студенты. Они напоминали мне недавний кружок моих гимназистов, и я там чувствовала себя хорошо, да и Д. тоже. Напротив, у Семевского — все мне было чуждо: и стриженые (все еще!) курсистки, и их песни и вообще какой-то... книжный воздух. В том смысле, что мне вспоминались старые романы вроде Чернышевского «Что делать?» и всякое старое «студенчество».

Но я, конечно, ни в чем еще разобраться не могла, а Д. С. не особенно старался мне все это разъяснять. Приходилось самой присматриваться. Но мне казалось, что Д. С., хотя всюду был вхож, но среди шестидесятников тоже чужой.

Однажды Д. С. пришел ко мне и объявил, что наше условие нарушается. Какое? А такое, что я буду писать только прозу, но не стихи. А он — стихи. Из моей прозы пока ничего не выходило. Д. С. советовал мне попробовать переводы, но тут уже меня с самого начала ждал провал: к переводам я оказалась абсолютно неспособна (первая и единственная попытка — «Манфред» — не пошла дальше первых строк). Д. С., напротив, и любил, и умел переводить.

Но условие я соблюдала, стихи оставила, а прозе решила научиться. И вдруг Д. С. объявляет, что он намерен заняться прозой! Да, он уже начал роман.

Какой? Оказывается — исторический, об Юлиане-отступнике.

Мы тогда страшно поспорили, но потом помирились на свободе: пусть каждый пишет, как хочет и что хочет. И стихами, и прозой...

Мне, однако, пришлось — именно пришлось — приняться за прозу очень скоро, и раньше, чем я могла ей научиться.

Наш более чем скромный бюджет пополнялся все-таки отдельными работами Д. С. в разных местах: в «Северном вестнике», в «Вестнике иностранной литературы». Были, кроме того его поэмы... Когда же он принялся за «Юлиана» — все это кончилось, и наступила моя очередь. Тут-то я и принялась, как умела, за свои романы: главным образом — у Шеллера-Михайлова, в «Живописном обозрении», и у Гайдебурова («Наблюдатель»). Особенно мил был Шеллер, все мое принимавший и плативший недурной гонорар. Романов этих я не помню, — даже заглавий, кроме одного, называвшегося — «Мелкие волны». Что это были за «волны» — не имею никакого понятия, и за них не отвечаю. Но мы оба радовались необходимому пополненью нашего «бюджета», и необходимая Д. С. свобода для «Юлиана» этим достигалась.

Он был очень далек от типа русского писателя, наиболее часто встречающегося. Его отличие и от современников, и от писателей более старых, выражалось даже в мелочах: в его привычках, в регулярном укладе жизни и, главное, работы. Ко

всякой задуманной работе он относился с серьез-
ностью... я бы сказала — ученого. Он исследовал
предмет, свою тему, со всей возможной широ-
той, и эрудиция его была довольно замечательна.
Начиная с «Леонардо» — он стремился, кроме
книжного собирания источников, еще непременно быть там, где происходило действие, видеть и
ощущать тот воздух и ту природу. Не всегда это
удавалось: его мечта побывать в Галилее, перед
работой об «Иисусе Неизвестном», и в Испании,
когда он писал (это уже в последние годы жизни)
«Терезу Авильскую» и «Иоанна Креста», — не
осуществилась. Но наше путешествие «по следам
Франциска I» (которого сопровождал Леонардо),
начавшееся с деревушки Винча, где родился
Леонардо, и до Амбуаза, где он умер, — было первым такого рода. Вторым — в глубину России,
к раскольникам-старообрядцам, ко «граду
Китежу», — когда Д.С. собирался писать «Петра
I». Третьим — почти двухлетнее следование за
Данте, по другим городам и местам Италии (уже
перед последней войной) перед его большим трудом о Данте. Повторяю, более всестороннего и
тщательного исследования темы, будь то роман
или не роман, — трудно было у кого-нибудь встретить. Германию и Францию он хорошо знал, а
потому для своего «Лютера» и «Наполеона» осо-
бых путешествий совершать не стремился. Ведь
во Франции мы провели, в общей сложности, 30
лет, — более трети его жизни. Прибавлю, что
только обстоятельства, наша вечная бедность (да,
бедность, это был русский — и, можно сказать,

европейский писатель, проживший всю жизнь и ее кончивший — в крайней бедности) не позволили ему поехать в Египет, когда этого требовала работа, и на о. Крит, куда он особенно стремился. В работе о Египте ему помогла Германия, где ему, из специальной библиотеки, привозили на тачках (буквально) громадные фолианты, в которых он нуждался. Замечу, что работать он мог только дома, в своем скромном кабинете, и в Париже, например, в Национальную библиотеку не ходил.

Ему, конечно, много помогало прекрасное знание языков, древних, как и новых. Для меня удивительная черта в его характере — было полное отсутствие лени. Он, кажется, даже не понимал, что это такое.

Вот все это, вместе взятое, и отличало его от большинства русских писателей, заставляло многих из них звать его «европейцем». Гениальный самородок — писатель В. Розанов, русский из русских до «русопятства» (непереводимый термин), для которого писание — как он говорил — было просто и только «функцией», уверял даже, что, видя Мережковского на улице, когда он гуляет, каждый раз думает: вот идет «европеец». Да таким русским, как Розанов, сыном «свиньи-матушки» (как он называл Россию) — Мережковский не был. Но что он был русский человек прежде всего и русский писатель прежде всего — это я могу и буду утверждать всегда. Могу — потому что знаю, как любил он Россию, — настоящую Россию, — до последнего вздоха своего, и как страдал за нее... Но он любил и мир, часть которого была его Россия...

Мы с Д. С. прошли такую школу, что никакая критика уже не могла нас так или иначе трогать. Каждый из нас шел своим путем, не смущаясь и не обращая внимания на привычные неодобрения. Когда я сама сделалась литературным критиком, я была поражена чувствительностью писателей: всякое мнение, если оно не было восторженным, а просто критическим разбором, уже погружало писателей в неврастению и часто делало его моим личным врагом. Особенно, если это мнение было, как часто оказывалось впоследствии, правильным и касалось писателя, вкусившего мгновенной славы и окруженного такими же мгновенными поклонниками. Но это к слову, и я не буду приводить примеров.

Добавлю только, что европейцу, французу, скажем, непонятно тогдашнее положение русской литературы и непонятно положение критиков, потому что здесь — мудро, может быть, — критика более или менее упразднена. Но в России, и в то время, о котором я пишу, и раньше, — было иначе. Другое дело, что она стояла плохо, требовала преобразования.

Д. Мережковский, в известном смысле, был ее преобразователем. Его книга «Лев Толстой и Достоевский», — что это, критика или исследование? Конечно, исследование, но, конечно, и критика. То же самое можно сказать и о других его книгах, и вот эта новая, тогда непривычная манера подходить к образу писателя и человека, от непривычности возбуждала недоверие. Считалось, что романист или пишущий рассказы (беллетрист, занимающийся «belles lettres») должен это и писать, а критик — писать критику, большей частью «фельетоны». Считавшийся «поэтом» — писал стихи. Бывали, конечно, и отступления от этого правила, я говорю об общем.

Наши путешествия, Италия, все работы Д. С., отчасти эстетическое возрождение культурного слоя России, новые люди, которые входили в наш круг, а с другой стороны — плоский материализм старой «интеллигенции» (невольно и меня толкавший к воспоминанию о детской религиозности), все это вместе взятое, да, конечно, с тем зерном, которое лежало в самой природе Д. С., — не могло не привести его к религии и к христианству. Даже, вернее, не к «христианству» прежде всего, — а ко Христу, к Иисусу из Назарета, образ которого мог и должен пленять, думаю, всякого, кто пожелал бы, или сумел взглянуть на него пристальнее. Вот это «пленение», а вовсе не убеждение в подлинности христианской морали, или что-нибудь в таком роде, оно одно и есть настоящая отправная точка по пути к христианству. Последние годы века мы жили в постоянных разговорах с Д. С. о Евангелии, о тех или других словах Иисуса, о том, как они были поняты, как понимаются сейчас и где, или совсем не понимаются или забыты.

В 1898–1899 годах в нашем кругу появился и Розанов, о котором я уже упоминала (специально писала в моей книге). Это — с одной стороны, с другой же — мы близко стали к серьезному эстетическому движению того времени, не чисто литературному, но тому, где зарождался тогда журнал «Мир искусства». Это известный, так называемый «дягилевский» кружок. Он, в то время, был немногочислен, но очень сплочен. Искусство, настоящее, какого бы рода оно ни было, к какому бы веку оно ни принадлежало, не может находиться в плане чисто материалистическом. Эстетика, в абсолютно чистом виде, тоже не имеет подлинного бытия. Естественно, поэтому, что между кружком «Мира искусства» и нами завязались очень дружеские отношения. Розанов был к ним дальше, чем Д. С., с его широкими взглядами и знаниями. Но и они понимали ценность Розанова, и он бывал тоже у них. В них, кроме всего прочего, было влечение к новому, к выходу из тупика, в котором тогда находилась культурная Россия.

«Пленение» Д. С. Христом, наши разговоры (они не всегда велись наедине, но пока и не в кружке «Мира искусства») — несомненно должно было привести Д. С. к вопросу о христианстве — и к вопросу о церкви. Он, с его привычкой изучения вопроса в прошлом (исторически), чтобы затем перейти к нему в данном, не мог не почувствовать, что нам тут каких-то опытных сведений не хватает. Я в то время некоторые разговоры наши записывала. И вот, помню, раз, летом 1899 года, когда я писала что-то о «плоти и крови» в евангельских словах Христа, Д. С. пришел в мою комнату и быстро сказал: «Конечно, настоящая церковь Христа должна быть единая и вселенская. И не из соединения существующих она может родиться, и не из соглашения их, со временными уступками, а совсем новая, хотя, может быть, из них же выросшая. Но тут много еще чего, что нам надо знать...» Мне действительно вопрос казался таким громадным, что я, прежде всего, предложила ему ни с кем об этом и не говорить пока. А что тут, и как нужно еще знать, я тоже себе еще не представляла.

Д. С. со мной согласился. Сказал даже, что и хорошо, что мы осенью уедем на целый год за границу, там, в уединении, можно будет ему самому, только со мной, обо всем этом подумать. Он кончал тогда третий том исследования своего — «Религия Льва Толстого и Достоевского».

Однако при живом характере Д. С., при его как бы самоотдаче идее, которая им всем владела в данное время, и при его доверии к людям он не мог не говорить хотя бы просто о христианском вопросе с теми, с кем встречался дружественно. С Розановым (которого занимал главным образом вопрос пола и отрицание всякой плоти в христианстве), с Перцовым (хотя и поклонником Соловьева, но человеком очень сдержанным и осторожным), с Влад. Гиппиусом (тогда студентом) и даже кое с кем из дягилевского кружка. В эту осень я помню бесконечные разговоры на религиозную тему, и даже сходились мы для них то у Перцова, то у нас. Как-то, у Перцова, был даже «сам» Дягилев (ему-то, в особенности, тема эта была чужда). Но Д. С. казалось, что почти все его понимают и ему сочувствуют. Да, по правде сказать, так думала иногда и я, ибо Д. С. умел говорить увлекательно, говорил, по-моему, верно и прямых возражений ему не было. Но не обладая все-таки доверчивостью Д. С., я была рада, когда эти псевдосоглашения с нами прекратились: в октябре мы уехали в Рим.

Дягилев

Редакция «Мира искусства» помещалась тогда в квартире Дягилева, на углу Литейного и Симеоновского, — там были и первые «среды». Позднее все это перенеслось в более пышное помещение на Фонтанке.

«Среды» были немноголюдны. Туда приглашались с выбором. Кажется, это были тогдашние художественные и литературные «сливки», — так или иначе — под знаком эстетизма, неоэстетизма. Все, на чем лежала малейшая тень или отзвук 60-х годов, было изгнано, как и слишком долго царившие в России идеи «общественные» — с их узкими мерками. К людям прилагалась лишь мера таланта или хотя бы воли к освобождению от традиционных пут. Нельзя было там вообразить, например, какого-нибудь художника из «передвижников»,[12] а среди литераторов — писателя или поэта, давно «общепризнанного» за гражданский уклон.

Но Розанов, мало разбиравшийся в художественном искусстве, Сологуб, и даже старый, но поэт Минский, отказавшийся от своих первых «гражданских» стихов (их и забыли все, так они были

---

[12] Давние выставки картин, ежегодные, переезжавшие потом в разные города (передвижные) и обычно состоявшие из картин старых, признанных традиций художников. *(З. Г.)*

266

плохи: „О родина моя, о родина терзаний“), — все бывали на средах постоянно.

Любопытный Розанов скучал там порою, он не умел участвовать в общем разговоре, умел лишь — все равно с кем — говорить интимно, — а с Сологубом не поинтимничаешь. Женщин же (с ними это ему больше удавалось) на «средах», кроме знаменитой Дягилевской нянюшки, я не помню, их как будто совсем там не появлялось.

«Мир искусства» был первым в России журналом эстетическим — в хорошем смысле. Он начал необходимую борьбу за возрождение пластических искусств в России. Возрождение литературы, даже как словесное искусство, не входило непосредственно в его задачу. Но при широте взглядов новаторов-создателей журнала не могла остаться в стороне и новая литература. Отсюда наша близость к этому кружку и его журналу. Мы в нем пользовались непривычной нам свободой. Не говоря о стихах, я помню две мои статьи, которые совершенно не подходили к главной задаче журнала (что признавалось и мною, и редакцией), были, однако, там напечатаны.

Журнал тогда был в расцвете: Дягилев действовал с обычной энергией: вел журнал (сам в нем почти никогда не писал, зная, вероятно, что это не «его» дело), устраивал попутно и всякие выставки, очень удачные. Лишнее, думаю, упоминать, что о «балетах» тогда еще речи не было, это явилось у Дягилева гораздо позже.

Конечно, вопросы, которые главным образом занимали в последние годы века Д. С. и о которых осенью 1899 года, перед годом нашего отсутствия из Петербурга, Д. С. говорил с людьми, дружественно к нему относящимися, между прочим — и с людьми дягилевского кружка, — не были главными для них, и менее всего для самого Дягилева. Но для того, кто мог бы знать хоть немного общее положение культурного русского слоя в эти годы, было бы понятно, что все так называемые «новые» группировки не могли быть чужды друг другу. Отсюда близость кружков, естественное скрещиванье путей, — хотя бы на краткое мгновенье, за которым шла часто и перегруппировка, и вливанье во все группы новых людей.

Идея петербургских Религиозно-философских собраний (о них я далее буду писать подробно) родилась, конечно, не в кружке «Мира искусства», хотя в журнале, задолго до их открытия, была напечатана моя статья о смысле и желательности таких собраний. Но не только они, а даже то, что они привели нас к созданью собственного журнала, задачи которого весьма отличались от задач «Мира искусства», не послужило к разрыву с «дягилевским» кружком, только ослабило наше сотрудничество в журнале.

Как ни сплочен был этот кружок, но люди-то, тесно Дягилева окружавшие, были все-таки разные (что я уже заметила выше). Большинство, конечно, подходило Дягилеву, гармонировало с его идеями и задачами: редкая сплоченность не могла же объясняться только диктаторскими свойствами Дягилева. А сплоченность — действительно редкая: ведь даже на те собеседованья, осенью 99 года, когда

268

поднялись впервые разговоры о религии и христианстве в частности, кружок являлся почти в полном составе. То же было и тогда, когда открылись Собрания. Там можно было, положим, встретить всех. Но Дягилеву, кажется, менее других было свойственно интересоваться тем, что делалось в зале Собраний, — однако он там бывал вместе с другими своими... не знаю, как сказать точнее: друзьями? приближенными? содеятелями? — все равно.

Конечно, ни Бакст (лично мы с ним очень дружили), ни Нувель (тоже наш приятель) не могли тоже иметь много связи с занимавшими нас вопросами: но Ал. Бенуа, например, считавшийся и считающийся только «эстетом», отнюдь не был тогда этим вопросам чужд, — стоит взглянуть в старый наш журнал. А ближайший друг и помощник Дягилева, его двоюродный брат Д. В. Философов, сразу проявил самый живой интерес к этим вопросам и даже принимал участие в хлопотах по открытию собраний.

Мы этому, конечно, радовались. На кружок в целом, и на главу его — Дягилева — никто и не возлагал надежд в этом смысле. Слишком он был совершенен. Все диктаторы более или менее совершенны, — как предназначенные. А Дягилев, повторяю, был прирожденный диктатор, фюрер, вождь.

Я отнюдь не отрицаю диктаторов и диктатуры, напротив, я признаю, что диктатор может быть явлением провиденциальным, спасительным, во всяком случае — положительным (все равно в какой области и какие мы возьмем «масштабы»). Это не мешает нам, однако, относиться к диктатуре и ко всякому диктатору с каким-то внутренним отталкиванием. Дело, должно быть, просто во «власти» одного над многими. Отсюда получаются нередко превосходные результаты, особенно если диктатор действительно талантлив. Их нельзя не признавать, не ценить. Но внутреннего отношения к диктатору это не меняет.

Такое отталкивание было у многих и у нас от прирожденного диктатора — Дягилева[13]. Без всякой враждебности (ведь мы смотрели со стороны), с признанием всех его талантов и заслуг, с уверенностью в его дальнейших успехах, но — со всегдашним чувством чего-то в нем неприемлемого: в его барских манерах, в интонации голоса, в плотной фигуре, в скорее красивом тогда — полном, розовом лице с низким лбом, с белой прядью над ним, на круглой черноволосой голове. Говорили, что он капризен и упрям. Но я не так вижу его. Он был человек по-своему сильный, упорный в своих желаниях и — что требуется для их достижения — совершенно в себе уверенный. Если эта самоуверенность слишком бросалась в глаза, — тут уж дело ума, в котором ему, при его хорошей образованности, не было никакой нужды, его заменяла разнородная талантливость и большая интуиция.

---

[13] У З.Н. это выразилось в форме эпиграммы. Привожу ее тем более, что она нигде не записана:

Курятнику петух единый дан.
Он властвует, своих вассалов множа,
И в стаде есть Наполеон — баран.
И в «Мир искусстве» есть — Сережа.
(*В. З.*)

Работа Д. С. не мешала нам сходиться в частные кружки для разговоров на ту же тему, как осенью 99 года, перед нашим путешествием. Приблизительно и участники их были те же. Но мне показалось (и Д. С. согласился, да и сам это заметил), что разговоры эти мало-помалу вырождаются в беспощадные споры, не очень даже оживленные, и что каждый из тех, кого мы считали „близкими“, думает больше о чем-то своем, личном, нежели о вопросе общем. Один из них, помнится, любил отвечать на те или другие предложения откровенным: «Да, но у меня свои задачи».

Особенно чувствовался тут разлад с членами «дягилевского кружка». Поэтому я предложила Д. С. поговорить отдельно с Философовым, как с несомненно более к нам близким, и устроить иногда разговоры только втроем. Это имело успех, и, помимо вечеров, где собирались и другие, мы виделись в определенный вечер у нас. У него, оказывается, у самого уже была эта мысль.

Так шла зима. Собственно с «Миром искусства» у нас никакого охлаждения не было. Мы бывали там каждую «среду», где так же было интересно и весело. Мы с Перцовым часто увлекались в то время «домашними» пародиями, в прозе и в стихах. В них мы не щадили и самих себя, поэтому некому было обижаться. Да это вообще не было принято. В том же «Мире искусства» имелась налево от передней маленькая комната, увешанная карикатурами «своих» художников на «своих же», т. е. на участников и сотрудников. И всех это лишь забавляло.

Возвращаясь осенью 1901 г. с прогулки, я спросила Д. С.:

— Что ты думаешь делать эту зиму? Продолжать вот эти наши беседы?

Он не очень решительно посмотрел на меня и неуверенно сказал:

— Да... я думаю продолжать. Собрать их всех и предложить высказаться определенно, чего они хотят — и чего не хотят. Там и посмотрим...

В этот день я ничего больше не сказала, но на другой, за завтраком, решила продолжать разговор:

— Разве ты не видишь, — отлично видишь, — что все эти беседы ни к чему нас не ведут. Говорим о том же, с теми же людьми, у которых у каждого своя жизнь, и никакого общения у нас не происходит. То есть внутреннего, настоящего. Даже с Ф., который нам ближе других и больше понимает главную идею. Разве не стоял все время между нами страшный и нерешенный вопрос: а какая она, эта идея, и вообще все это имеет отношение к жизни? Нашей, и не только даже нашей, а просто к жизни?

Д. С. сказал только задумчиво: «Да». А я продолжала:

— По-моему, нам нельзя теперь говорить о далеком, об отвлеченных каких-то построениях, очень уж мы беспомощны. И ничего мы тут не знаем, — я, по крайней мере, чувствую, что чего-то очень важного мне не хватает. Мы в тесном крошечном уголке, со случайными людьми стараемся слепливать между ними искусственно-умственное соглашение, — зачем оно? Не думаешь ли ты, что нам лучше начать какое-нибудь реальное дело в эту сторону, но пошире, и чтоб оно было в условиях жизни, чтоб были... ну, чиновники, деньги, дамы, чтоб оно было явное, и чтобы разные люди сошлись, которые никогда не сходились и не сходятся, и чтобы...

Д. С. вскочил, ударил рукой по столу и закричал: «Верно!» Я очень обрадовалась, мне хотелось договорить, что ведь это не помешает нам создавать и внутренние наши круги, если он найдет это нужным, — напротив... Но договаривать не пришлось, так как Д. С. все это сам уже понял во всем объеме, — вероятно давно понимал и знал. Мы в тот день ходили до вечера по осеннему лесу и только об одном этом и говорили.

Очень скоро вернулись мы в Петербург и тотчас принялись за дело.

Определенно мысль наша приняла такую форму: создать открытое, по возможности официальное, общество людей религии и философии, для свободного обсуждения вопросов церкви и культуры.

Конечно, мы не обманывали себя: самый проект таких собраний, такого общества, казался, на первый взгляд, неисполнимой мечтой. Надо помнить, в какое время, при каких условиях, все это происходило.

Прежде всего: ведь идея Д. С., или идея нашей группы, идея христианства, была, в то же время (как идея и Вл. Соловьева), идеей церкви. В открытом обществе мы, говоря «люди религии», не могли не разуметь представителей данной русской церкви (исторической). Должна была, таким образом, произойти «встреча» между ними и представителями русского (по тогдашнему слову) «светского», т. е.

273

не духовного, общества, даже так называемого «интеллигентского».

Подлинность и святость «исторической» христианской церкви никем из нас не отрицалась. Но вопрос возникал широкий и общий: включается ли мир-космос и мир человеческий в зону христианства церковного, т. е. христианства, носимого и хранимого реальной исторической церковью?

Для этого нам нужно было услышать «голос церкви» (а как его услышать, если не из уст ее представителей?).

То, что церковь эта была лишь одна из христианских церквей, — мало что меняло. По существу в области главного вопроса все христианские церкви находились в одинаковом положении. Теоретически вопрос был предложен всем христианским церквам. Вопрос «о христианстве вселенском», как говорил Вл. Соловьев. Практически же, несмотря на полную зависимость нынешней православной церкви от российского государства в то время, — он все-таки мог быть предложен только православию, благодаря его внутренней свободе по сравнению хотя бы с церковью римской.

Подобные Собрания, и такое откровенное высказыванье на них, православными иерархами, невозможны были бы, если б это была церковь не православная, а католическая. «И даже лютеранская», — говорил тогда Д. С. Позднейшие его исследования христианских церквей укрепили в нем эти мнения — я их передаю в общем.

Однако, и внешние условия, закрепощение прав церкви государством (самодержавием) казались почти непреодолимыми препятствиями для устройства Собраний. Но тут помогла смешанность, текучесть и несколько разнообразный состав наших частных кружков. Люди, имеющие соприкосновение с духовными кругами, — которых мы узнали через Розанова. С некоторыми мы даже успели сблизиться (вне «дягилевского» кружка). Мысль Собраний их заинтересовала. Они нащупали почву и указали нам, куда можно обратиться с первыми хлопотами о разрешении (пути официальные были, конечно, заказаны).

Летом 1902 г. (мы жили опять под Лугой, но на другой даче) к нам приехал П. П. Перцов с проектом издания нового журнала. Эта идея возникла, конечно, из Собраний — и для Собраний. Ведь все заседания были стенографированы, начиная с первого. А где они могли быть напечатаны? Конечно, нигде... Да и с других сторон — журнал наш нам был нужен. «Мир искусства» уже перестал совпадать с нашими устремлениями — нашей группы. Мы с ним не порывали связи, но даже Философов, который такое деятельное участие принимал в хлопотах на разрешение Собраний и почти на всех присутствовал, — стал каким-то странным образом, к весне, от нас отдаляться. Иногда, неожиданно, казался даже враждебным. Д. С. очень этим огорчался, предполагал, что Ф. снова подпал под власть своего кружка и, в частности, Дягилева, пытался увидаться с Ф. в Публичной библиотеке (Ф. там служил), но узнал, что он все время хворает, на службу не ходит и живет у Дягилева.

Д. С. через день, кажется, был у Дягилева, сказал, что Ф. с нами поссорился, но мы не понимаем из-за чего, и Д. С. хочет его видеть. Это не удалось. Дягилев сказал, что он и болен и в таком ужасном настроении, что лучше его оставить в покое. Так Д. С. и ушел, сам весьма расстроенный. Вечером же было Собрание, на котором он должен был читать свой реферат.

К нашему удивлению, на этом заседании был почти весь дягилевский кружок, Дягилев сам — и «больной» Философов.

Впрочем, он действительно был болен.

Начинать новый наш журнал — было в некотором роде безумие. У нас (ни у Перцова) не было никаких денег, не было разрешения, не было, как будто, и сотрудников. А журнал проектировался «литературный», но с еще небывалым направлением: в его программе должно было упоминаться имя Вл. Соловьева, а в конце каждого номера — отчет религиозных Собраний...

Однако мы каким-то таинственным способом, сведя с Перцовым смету, — нашли (как он говорил) «последний пятачок» и журнал решили основать.

Первый номер, с первыми отчетами Собраний, вышел в ноябре. И вот зима эта (1902–1903 гг.) была у нас полна работой по журналу, иногда очень тяжелой, так как дело приходилось иметь с двумя цензурами, светской (гражданской) и духовной, причем последняя была особенно сурова, — и, конечно, Собраниями.

Отчеты надо было просматривать внимательно, сообща, а Розанова — заранее цензурно исправлять, ибо он понятия не имел, что допустимо, что нет. Духовный цензор ведь читал все, вплоть до стихов Сологуба и Блока (он у нас печатал первые свои стихи, часто рецензии).

Была и третья у нас цензура, — не предварительная, правда, а карательная: цензура общей радикальной прессы. Но мы на это не обращали внимания. Д. С., несмотря на своего «Петра и Алексея», которым очень занялся после путешествия, принимал в журнале самое активное участие. Его «Гоголь» пошел, конечно, в первых же книгах.

А что же «Мир искусства»?

С ним начинался разлад. Даже с Философовым. Он был, правда, все время болен, но не так, чтобы болезнью можно было оправдать его явное отчуждение от нас и от наших дел. Да к тому же и литературная часть дягилевского журнала естественно как-то сократилась, во-первых потому, что большинство молодых писателей и поэтов перешли в наш журнал, а во-вторых и благодаря Дягилеву, который уже смотрел дальше, в свою сторону, — деятельности чисто художественной. Еще не балетной, в то время, но музыкальной, оперы, главным образом. Журнал для него был только необходимым этапом.

Благодаря тому, что Сергей Волконский, друг Дягилева, был в эту зиму директором Императорских театров, на Александринской сцене был сделан опыт постановки греческих трагедий — «Ипполита» и «Антигоны» в переводе Д. С. Мережковского. Опыт удачный, но не имевший последствий, так как вскорости Волконский, близким помощником и неофициальным советником которого был «новатор» Дягилев, со своего поста ушел из-за какой-то ссоры с балетом, кажется. Дирекция держалась старых традиций, никакое «новаторство» там, действительно, было неприемлемо и невозможно.

Дягилев пока остался лишь со своим журналом, который уже не был в расцвете, как ранее.

И я помню, как однажды, уже в самом начале 1903 года, к нам явилась почти вся группа Дягилева, с ним во главе, и со смутными предложениями как-то «соединить» оба журнала — наш «Новый путь» с «Миром искусства», соединить их в один. Подробностей разговора я не помню (это у меня и записано не было), но затея была явно неудачна, так что один из группы вдруг сказал Дягилеву: «Ты просто хочешь, чтобы они свой журнал прекратили, почему ты думаешь, что они на это согласятся?»

Мы и не соглашались, конечно, несмотря на крайне трудное наше положение, и тем дело и кончилось.

Но наконец... случилось неизбежное: 5 апреля (1903 г.) светская (синодальная) власть запретила наши Собрания, вопреки будто бы доброй воле митр. Антония. Говорили, что поводом был «донос» одного из сотрудников «Нового времени», суворинской реакционной газеты. Но, думается, просто иссякло терпение Победоносцева, и он сказал «довольно».

Запрещены были, конечно, и недопечатанные отчеты Собраний — отчеты последней зимы. Запрещены были даже (молчаливо) и новые хлопоты. Да и так сразу было видно, что они бесполезны. Не могу сказать наверное, к этому ли времени или более позднему, относится свиданье Д. С. со всесильным обер-прокурором синода Победоносцевым, когда этот крепкий человек сказал ему знаменитую фразу: «Да знаете ли вы, что такое Россия? Ледяная пустыня, а по ней ходит лихой человек». Кажется, Д. С. возразил ему тогда, довольно смело, что не он ли, ни они ли сами устраивают эту ледяную пустыню из России... во всяком случае что-то в подобном роде.

Так окончилась для нас зима 1902–1903 годов. Журнал еще продолжался. С лицами из духовного мира, с некоторыми (между прочим, с двумя профессорами Духовной Академии, Карташевым и Вас. Успенским) мы не порывали отношений. Иные (под страшной тайной и под непроницаемыми псевдонимами) еще писали в нашем журнале.

С дягилевским кружком было хуже. Да еще ранее запрещений Собраний Дягилев с Философовым уехали в Италию.

Д. С. целиком ушел в работу над «Петром и Алексеем». Но роман еще далеко не был готов.

По поводу этого романа у нас опять явились споры, наши «супружеские сцены», вроде первых, насчет «Леонардо» и «небо вверху — и небо внизу». Но тут дело уж не шло о «двойственности». В этом, конечно, страшном, столкновении отца с сыном Д. С. — мне казалось — все больше и больше берет сторону Алексея. Замечалось это главным образом, когда он рисовал фигуру Петра. Да отчасти и Алексея, который мечтал, сделавшись царем, Петербург покинуть, переселиться в Москву, где и жить потихоньку, по старинке, Богу молиться (бороду, конечно, отрастить...). Я понимала, что сам-то нежный, бедный, слабый Алексей может больше привлекать к себе, нежели грубый, даже для своего времени, неугомонный Петр. Но ведь дело не в симпатии, а в правде. Я протестовала против неумеренного подчеркивания грубости Петра.

Я уже не плакала, как в юности, а потому споры наши были горячее и длиннее. Никто из нас не желал сдаваться: Д. С. никогда сразу не сдавался в подобных наших спорах. Но через некоторое время, если я была права, конечно, — не боялся согласиться, что неправ он. И тогда тоже так вышло, и сцены с Петром он переделал.

Мне хочется сказать здесь вот что: моя запись имела бы мало цены, если б она сплошь была одним дифирамбом Д. С. Мережковскому. Наша нерушимая взаимная привязанность (чтобы не сказать лишний раз слова «любовь») — была слишком истинной, имела другие основы, чем какая-нибудь ослепляющая страсть или бездумное благоговение перед знаменитым супругом (у меня). Я хочу дать возможно полный образ человека со всеми его чертами, а там пусть другие разбирают, какие из них положительные, какие отрицательные.

Я за него, за этот образ, не боюсь: мне-то, действительно (и кажется, единственно) знавшей и видевшей человека, со всем, что другим в нем было неприметно, — слишком ясно, что левая чаша, даже человеческих весов никогда не перевесит в нем правой.

Я сказала раньше, что у него никогда не было «друга», — как это слово понимается вообще.

Отчасти (я стараюсь быть точной) это шло и от него самого. Он был не то что «скрытен», но как-то естественно закрыт в себе, и даже для меня то, что лежало у него на большой глубине, приоткрывалось лишь в редкие моменты. Его всегда занимало что-нибудь большее, чем он сам, и я не могу представить себе его, говорящего с кем-нибудь «по душам», интимно, — о себе самом. Или даже выслушивающим такие откровенности или жалобы от другого о себе. Это было ему совершенно несвойственно, и как-то чувствовалось, должно быть, и принималось за холодность, безучастие, невнимание или недоверие. Иногда за недоброту. Но я-то знала его к людям доверчивость, а что касается доброты, то она, уже совершенно никому неизвестная, кроме меня, да и со мной бессловная почти, — нередко возбуждала во мне, как и доверчивость, — то зависть, а то досаду, ибо я этими свойствами в такой мере совсем не обладала. В нелюбви говорить о себе когда бы то ни было, интимно с кем-нибудь, или при каких-нибудь условиях, печатно, — мы с ним совпадали. Но вести интимную беседу с другим — об этом другом, — я все-таки могла и умела, тогда как ему и это не было по природе свойственно. Мне кажется, что вообще нежелание говорить о себе обусловлено известной скромностью, или чем-то вроде, противоположном suffisance[14]. Более далекого от всякой suffisance, более скромного человека-писателя, чем Д. С. Мережковский, я никогда не встречала. Но он слишком громко и смело говорил всегда о «своем»

_____

[14] Смодовольство (*фр.*).

(как и я), то есть о том, что считал верным и нужным знать другим, что, обычно никто о его этой «скромности» не подозревал, — или просто не думал. Он очень радовался, когда удавалось пристроить ту или другую книгу в какой-нибудь стране, радовался и тому, если за нее хорошо было заплачено (постоянной нашей бедностью он очень тяготился, выдавать его за особого героя, или святого, довольного своей нищетой, я вовсе не намерена), по-детски радовался, когда человек, ему приятный, хвалил что-либо, им написанное, на меня сердился, когда я недостаточно пространно говорила с ним о только что написанной вещи, или долго спорил, если я с чем-нибудь не соглашалась, — но о своей, в последние десятилетия «знаменитости» не только никогда не думал, — просто ею не интересовался. Частные письма со всякими hommaqes даже не сохранял, да и рукописей своих не сохранял. Если кто-нибудь писал ему, что он его «ученик», — он почти сердился, говорил, что никаких «учеников» не желает иметь и роли «учителя» разыгрывать не хочет.

Может быть, я не спорю, в этой небрежности к собственным работам, когда они были уже кончены, в неответности людям, подходившим к нему издалека, было преувеличение (не искусственное). Было и невнимание к отдельным, неизвестным, лицам, искренне к нему обращавшимся. Но так оно было и так оставалось, — я могла лишь кое-что подправлять, кое-что сохраняя, иногда отвечая от его имени людям, которым мне нравилось. Особенно не терпел он «поклонниц». Да их имелось у него не особенно много.

Вообще я нередко играла роль моста для кого-нибудь к Мережковскому-писателю. Не буду скрывать, что мосты часто проваливались. По моей вине или по вине по мосту идущего, — но никогда, кажется, не по вине — его.

Конец 1903 года. Дягилевского кружка — в прежнем виде — больше не существовало. Наш журнал тоже грозил кончиться: с запрещением Собраний Перцов от редакторства отказывался, да и последние средства иссякли. Чтобы продолжать — нужен был новый редактор (подписывающий журнал, и в наших идеях, конечно). Кроме того, нужна была какая-нибудь серьезная вещь для напечатания, более или менее заменяющая отчеты о Собраниях. Сотрудники же наши все были молодые, начинающие, и нам сочувствующие, во всяком случае — без имен. И все они (как и мы) писали без гонорара. Платили мы только действительно нуждающимся — и в наших грошах. Да и с гонораром тогдашние «имена» к нам не пошли бы, а главное, мы и сами бы их не взяли. Это ведь были — во-первых, Горький и подгорьковцы, а затем Л. Андреев... и т. д. «Горькиада» расцвела в этих годах особенно. Моя статья о Горьком в «Новом пути» так характерна и так тщательно и точно предсказывает в 1904 году его роль в грядущем царстве большевизма, что я даже сделаю из нее краткие выписки, говоря о Горьком.

Много сказать о нем, как о Розанове, Блоке, Брюсове и др. я не могу. Этот человек встречался нам не часто, хотя и редких встреч с ним было довольно, чтоб понять его в полноте. Да имелась его «литература», а, главное, — шум и крики вокруг него, даже вопли — его последователей. Они встречались и по улицам в виде пьяных оборванцев, протягивающих теперь руку не как «студента» или «офицера в несчастье», а на каждом шагу, как «па-а-следователи Максима Горького». Но о Горьком скажу дальше (а пока отмечу, что дело наше с журналом устроилось — благодаря, конечно, Д. С.: он уже имел теперь «имя» (не горьковское, конечно, куда там!), он мог бы пристроить свой роман «Петр и Алексей» где-нибудь весьма недурно, но он решил отдать его целиком «Новому пути» — просто подарить. Роман этот («Петр и Алексей», третья часть трилогии «Христос и антихрист») должен был напечататься в первой, январской книжке журнала 1904 г.

Но Д. С. сделал для «Нового пути» и больше. Анна Григорьевна Достоевская дала ему ненапечатанные заметки из записной книжки Феодора Михайловича (они тоже пошли в январской книжке, — увы, с цензурными пропусками, с целыми строками точек!). И, наконец, Д. С. сделал усилие, которое, к общему нашему изумлению, увенчалось совершенно неожиданным успехом: было позволено допечатать оставшиеся отчеты запрещенных Собраний. Вот тогда-то, очевидно, и был Д. С. у грозного Победоносцева.

Журнал свой год начинал прекрасно, объявление было пышное. Перцов, при этих условиях, согласился остаться редактором еще на полгода. Январская книжка, действительно, вышла с начала до конца очень интересной.

Кроме прочего, там я начала печатанием свой дневник — «Путешествие к невидимому граду Китежу» — а в хронике как раз и была статья о Горьком, — о нем и о ней я и хочу сказать сейчас два слова.

Горький (Пешков) появился в Петербурге и в литературе еще в бытность «Северного вестника» с Флексером (Волынским) и Гуревич. Там он напечатал свой первый рассказ «Мальва», который, может быть, и не обратил бы на себя особого внимания, если б сразу не стало известно, что это человек «из народа», из «страдающих низов», и «что он с детства пережил!», и «как он выбился!». Ну, и все прочее. «Мальву» нашли «кишащей блестками гения» (тогдашний язык журналистов) и с непонятным упоением повторяли начальную фразу: «Море смеялось...»

Однажды редакцией «Северного вестника» был устроен пышный обед, или ужин, — не знаю, по поводу чего, — но превратился он в первое громкое чествование молодого Горького. Я даже не помню хорошенько, где это происходило, в частной чьей-то квартире, в угрюмой, очень большой зале на пятом этаже. Народу было множество, всякие маленькие и средние писатели «честного» лагеря (интеллигенция, стоявшая «на посту», ягоды и тогда уже не нашего поля), — Флексер еще не начинал свою негативную кампанию против застарелых традиций.

Герой дня (или вечера) был высокий, сутуловатый, некрасивый малый в синей косоворотке с пиджаком поверх (эта его косоворотка кого не умиляла долгие годы), держался он мешковато и скорее скромно. Он такого торжества, очевидно, не ждал. Но начались речи, одна за другой, и все, точно по сговору, о новоявленном таланте, о Горьком. Когда мы увидели, что всех ораторов не переслушаешь (да уж и поздно было, давно кончился обед, сидели кое-как, вольно), мы с Д. С., воспользовавшись перерывом, потихоньку прошли в переднюю и спустились по бесконечной лестнице в швейцарскую. Вдруг слышим чьи-то скорые, скорые шаги по лестнице — вниз. Горький! И сразу к нам (почему — до сих пор не понимаю). Лицо растерянное, потное, волосы взлохмаченные, и уж тогда — его отрывистый, как бы лающий говор: «Что же это? Неужели я... и правда... так... такой талантливый?..»

Не помню, что мы ему ответили, может быть, даже ничего не ответили от неожиданности.

Мы с Д. С. не пережили еще и первого урока «общественности».

Этот первый урок ждал нас осенью, когда мы вернулись в Петербург.

События лета — известны: наше поражение в Японии, путешествие министра Витте в Америку, заключение с Японией мира, не очень-то почетного. В Петербурге было неспокойно. Ходили всякие слухи. Девятое января не было забыто, тем не менее, что рабочие круги, после этого случая, были довольно стиснуты.

Интеллигенция, напротив, переживала так называемую «весну»: министр, назначенный на место убитого Плеве, Святополк-Мирский, оказался на него не похожим: интеллигенция этим воспользовалась, начались «банкеты», ряд банкетов, походящих на митинги. Мы бывали на многих, однажды я сидела за столом рядом с красивой молодой дамой — это была ныне известная Коллонтай, большевистский посол в Швеции. Говорили на этих банкетах речи самые зажигательные. А скоро начались уже не речи, а манифестации на улицах и первые, там же, выстрелы. Тогда и развешено было знаменитое обращение — Трепова, приказ войскам от полицеймейстера: «Патронов не жалеть» (для манифестантов, вообще для толпы).

В октябре разразилась, наконец, известная, первая в России, всеобщая забастовка. Погасло электричество, приостановились железные дороги. Помню мерцанье свечей у кого-то в квартире, куда повез нас Тернавцев. Но в общем все наши «духовные» знакомства на это время оборвались, как будто их и не бывало никогда. От всяких же действующих «центров» мы были в дни этой… полуреволюции далеки и не представляли себе, что будет дальше. По несчастной случайности как раз в эти дни отец Д. С. «генерал» возвращался из своего очередного путешествия за границу. Поезд остановился, далеко не доезжая станции Петербург, и старик должен был попасть в город на плечах носильщика. Дома ему тоже не посчастливилось: вышел он, как привык, раз на свою прогулку и попал в манифестацию (он жил на Невском), толпа затеснила, затолкала его, притиснула к киоску… едва он выбрался и в этот день уж гулять не пошел.

Длиннейшие манифестации с флагами, с пением, с криками, мы наблюдали из открытых окон нашей квартиры, когда толпы двигались по широкому Литейному проспекту.

Но вот и манифест 17 октября о «неслыханной смуте» и о созвании Думы.

Что это? Уступки? Конституция?

Говорили, что когда министр Витте уговаривал Николая II дать России конституцию — тот отвечал: «Я ничего не имею против конституции при условии сохранения самодержавия».

Se non e vero... потому, что манифест в этом духе и был написан. И так большинством тогдашних «революционеров» и был понят. Шествия с флагами не прекратились — удвоились, так как явились стоявшие за манифест. Начались «митинги» на улицах. «Обещанные» свободы все спешили взять явочным порядком. А в Москве, по слухам, скоро подтвердившимся, началась целая битва, со стрельбой, с баррикадами. Один из наших студентов видел близко эту «битву на Пресне», участвовал в ней, но вовремя удрал в Петербург, где битв таких не было. Полиция и всякая средняя «власть» тоже не разобралась в происшедшем: а вдруг и правда — свобода и ни демонстрациям, ни митингам не мешала.

Розанов, было спрятавшийся в семейное гнездышко, вылез, стал подходить к «митингам», и даже написал целую брошюру (писал он все с необыкновенной быстротой, почти как говорил) под названием «Когда начальство ушло». Брошюра эта, едва начальство «пришло», опомнившись (что случилось очень невдолге), была запрещена. А когда мы его спрашивали, что он слышал «на митингах», — он откровенно признавался, что никаких ораторов не слушал, а смотрел и наблюдал, как «курсисточки слушают» и что есть «прехорошенькие».

Перемены были, однако, порядочные. Ушел знаменитый Победоносцев. Новый синодский обер-прокурор, если не ошибаюсь — Оболенский, был однажды даже у нас, по поводу какого-то воззвания Синодского, должно быть, которое и вышло, но весьма слабое и еще непонятнее манифеста. (Д. С. тогда сердился, что Оболенский все его вставки почти вычеркнул. Но что-то осталось «Утиши сию кровавую бурю...».)

У нас было много беспокойной толчеи в это время. И вдруг... да, почти что вдруг — все утихло. Не совсем, потому, что появилось множество новых газет и приехало немало эмигрантов. Среди них — Ленин (мы о нем услышали тогда впервые). Он стал издавать газету «Новая жизнь». Помню раз — Карташев с этой газетой в руках и в восхищении, что там так твердо пишется «социал-демократия». Он, Карташев, ничего, конечно, в этих вещах не понимал, а мы уже порядочно стали разбираться. И немедля эту самую «Новую жизнь» возненавидели, вместе с «эсдеками» (социал-демократами) за одну скобку взяв и большевиков, и меньшевиков. (И это было правильно.) Старый наш приятель, Н. М. Минский-Виленкин, когда-то «гражданский поэт», потом сотрудник «Мира искусства», потом участник Собраний, читавший там реферат о «мистической розе на груди церкви», — он же философ, написавший книгу о «мэонах», он же и сотрудник, недавний, нашего журнала «Новый путь» — вдруг (на свою беду) сделался сотрудником ленинской

289

газеты. Когда мы его стали спрашивать — зачем? и что такое с ним случилось — он объяснил нам, что хочет сделать «надстройку» над марксизмом из собственной, мэонической, религии.

Отлилась ему эта надстройка!

Русская революция, первой (да, пожалуй, и единственной) целью которой было свержение самодержавия, — не удалась. Самодержавие осталось во всей силе, — подготовка к Думе его только укрепляла. Всякие «свободы» были пресечены. Общее настроение, как я уже говорила, было подавленное. Д. С. пытался продолжать начатую работу, но атмосфера угнетения плохо действовала и на него. Из нашего сотрудничества с «общественниками»-идеалистами ровно ничего путного не выходило. Д. С. принялся настаивать, чтобы как-нибудь дело выяснить, что журнал, за который в прошлом мы отвечаем, принял какую-то двойственную, неопределенную физиономию, и что если мы и будем далее в нем работать, то уж на других основаниях. К тому же наш секретарь Чулков вполне перешел на сторону новых сотрудников, или новых «редакторов», и наша роль делалась все более и более фальшивой.

Начались длительные переговоры, течения которых я не помню. Булгаков ни на что не соглашался, и дело кончилось тем, что журнал переходит в их полное владение без ссоры с нами (т. е. мы можем числиться там сотрудниками), но с этим переходом он должен переменить название. Помнится, что это окончательное решение было почему-то принято не в редакции, а в том же Вольно-Экономическом обществе, где мы когда-то слушали Гапона и где

290

мы разговаривали, в антракте какого-то заседания, с Булгаковым.

Декабрьская книжка 1905 г. была последней книжкой «Нового пути». В январе 1906 г. вышла уже книга журнала «Вопросы жизни». Новый редактор, новые сотрудники, да и новое помещение редакции. Так мы, полюбовно, расстались с «идеалистами». Без всякой, повторяю, ссоры, мы бывали у них на редакционных вечерах, числились сотрудниками — номинально, — потому что я по крайней мере (не знаю, писал ли что-нибудь Д. С.) ничего там не писала, перешла больше в брюсовские «Весы» и в сборники «Северные цветы», тоже брюсовские, в Москве.

Да в это переходное время никто из нас много не писал, даже Д. С., — он только все еще собирал нужные ему материалы.

Говорить об этом нашем, почти трехлетнем, житье в Париже так, как раньше писала я о жизни с Д. С. в Петербурге, т. е. хронологически, — невозможно, по многим причинам. Главное, потому что, благодаря разнообразию наших интересов, нельзя определить, в каком, собственно, обществе мы находились. В один и тот же период мы сталкивались с людьми разных кругов, между собой мало сообщавшихся, и мы виделись с ними отдельно, не стараясь их смешивать. Поэтому мне придется сделать скорее общий очерк этих трех парижских лет, с отдельными, часто любопытными, встречами. Кратковременные летние из Парижа отлучки — в Бретань, в Германию, и т. д. — общей картины не нарушали. Мои «Agenda», здесь сохранившиеся (1907–1908 гг.), только подчеркивают трудность последовательного рассказа. Я буду, однако, пользоваться этими отрывочными записями ввиду их интереса и для восстановления некоторых дат.

Я уже упоминала, что у нас было три главных интереса: во-первых, католичество и модернизм (о нем мы смутно слышали в России), во-вторых, европейская политическая жизнь, французы у себя дома. И наконец — серьезная русская политическая эмиграция, революционная и партийная. Эти интересы были у нас общие, но естественно, что Д. С. больше интересовала первая область, меня русские революционеры, а Д. Ф. увлекся политическим синдикализмом, ради которого ездил однажды в Амьен. Бывал он и в Палате депутатов.

Но так как все три области интересовали и нас троих, то мы большею частью виделись с людьми этих разнообразных кругов все трое. (Дальше всего стояли мы от чисто политических французов того времени.)

Была у нас и какая-то полудомашняя, смешанная среда. Для нее явились (сами собой образовались) наши «субботы». Русские, — а французы на них не бывали, их мы приглашали отдельно, большею частью вечером. Субботы же днем — это — старые наши друзья-писатели конечно, неудачные эмигранты, поэт Минский, поселившийся здесь после бегства с «порук» от страха за две свои «мэонические надстройки» в газете Ленина в 1905 году, и Бальмонт с одной из очередных своих жен (которой по счету не помню), пышной и красивой москвичкой

Андреевой. Бальмонт тогда быстро уехал из России после своего стихотворения «Кинжал», за которое, как его пугали, его могли арестовать. Бывали и просто русские интеллигенты, давно почему-нибудь в Париже застрявшие. А главное — приходили, часто незнакомые, люди новой эмиграции, какой не было ни прежде, ни потом. 1905 год, неудавшаяся революция, выкинула толпу рабочих, солдат, матросов, совершенно не способных к жизни вне России. Они работы и не искали и ничего не понимали. Эмиграция настоящая, политическая, партийная, о них мало заботилась, мало и знала их. Устраивались будто бы какие-то «балы» или вечера в их пользу, но в общем они умирали с голоду или сходили с ума. Один, полуинтеллигент, или мнящий себя таковым, по фамилии Помпер, пресерьезно уверял, что он «дух святой». Другие просто врали, несли чепуху и просили Мережковского объяснить, кто такой «хамовина», о котором он писал («Грядущий хам»).

Были и русские богатые, жившие, даже порой совсем прижившиеся, в Париже. Не старого типа «прожигатели жизни», — если они еще водились — мы их не знали, — но другие, скептики, случайные европеисты, неудачники на родине, коллекционеры, меценаты... Одного из сыновей московского миллионера Щукина мы хорошо знали.

Жена профессора Аничкова жила здесь с дочерьми постоянно. Написала даже французский роман под именем «Ivan Strannik». У нее мы познакомились с Анатолем Франсом и м-ме Cailavet, его вечной спутницей... Но не у нее, а самостоятельно сблизились мы с тогдашним «Mercure de France»,

я даже писала там ежемесячно о русской литературе — «Lettres russes».

M-lle Васильевой, первой переводчицы Д. С. у
Calmann Levy, мы не встречали. Должно быть, ни
ее, ни ее отца, священника на rue Daru, уже не было
тогда в Париже. Кто переводил, после нее, вещи
Д. С.? «Лев Толстой и Достоевский» был издан у
Perrin. Переводил эту книгу (не всю) наш давний
друг, граф Прозор. Мы его знали еще по Петербургу
и часто встречали у него Вл. Соловьева.

Кстати, в Париже в это время жила старшая сестра Вл. Соловьева, Марья Сергеевна Безобразова.
(Я дружила в СПБ с младшей, Поликсеной.)
Безобразова нередко бывала у нас со своей род-
ственницей, у которой тогда жила. А родствен-
ница эта оказалась никем иным, как известной
когда-то красавицей, на которую даже обратил
внимание Александр Второй (она была сестрой
милосердия в войну 1877 г.), и невестой, да, пожалуй, и единственной любовью Вл. Соловьева.
Свадьба расстроилась (насколько можно судить
по недавно напечатанным его письмам к ней)
из-за капризов и непостоянства невесты. По ка-
призу она вышла потом за какого-то Селевина, с
которым прожила недолго. Что за странные клуб-
ки разматывает жизнь! Граф Прозор встретил у
нас однажды обеих старух. Узнав потом, кто вот
эта маленькая, сухонькая старушонка с поджаты-
ми губами, признался, что и он в свое время был
страстно влюблен в «ослепительную Катю».

Доступ в круги католические, куда стремился
Д. С., особенно же доступ в круг модернистского

движенья, был очень не легок. Однако и то, что мы понемногу узнавали, было для нас ново и чрезвычайно интересно. Напоминаю, что в эти годы (1906, 1907, 1908) движенье еще далеко не закончилось; за дальнейшим его развитием мы следили уже издали, не переставая удивляться равнодушию французов и Франции к явлению такому значительному и важному для ее судеб.

Некоторому контакту с ортодоксальным католицизмом помогла нам близкая приятельница наша, светлейшая княжна Анастасия Грузинская, очень милая девушка, жившая тогда в Париже. Она имела там связи, так как уже склонялась сама, в это время, к переходу в католичество.[15]

Надо сказать, что в эти парижские годы мы все много работали. Д. С., который всегда писал много, даже он за это время написал больше, чем, пожалуй, написал бы в России. Да ведь связь наша с нею, с русскими газетами и журналами не только не прерывалась, а стала даже теснее. Книги Д. С., старые и новые, продолжали там выходить и тотчас нами получались (как и мои). Уж не говорю о количестве писем, которые мы постоянно получали. Было впечатление, что мы Россию и не покидали, и не потому, что мы были не эмигранты, могли

---

[15] С ней мы впоследствии часто встречались в СПБ, потом она уехала в Польшу, и в последний раз мы видели ее в 20-м году, в Вильне, когда бежали из Советской России. Она была тогда уже в одной полумонашеской католической общине (монахиней в миру). В Минске пережила большевистское нашествие, была арестована и долго сидела в тюрьме с уголовными и проститутками, не теряя мужества и светлого настроения. Кажется, через два года, в той же общине, в Вильне, она умерла — еще совсем молодая. *(З. Г.)*

в любой день сесть в Nord-Express и почти па следующий быть в Петербурге. Нет, связь с Россией тогда не терял никто из русских. Самые серьезные политические эмигранты, помимо постоянной связи письменной и газетно-журнальной, имели возможность поехать в Россию немедленно и благополучно вернуться. Даже Савинков, в предвоенные годы, был в России несколько раз, поездки же людей менее известных совершались постоянно, на наших глазах. Что это, слабость русского правительства, или ловкость эмигрантов? Ни то, ни другое. При любом правительстве (кроме большевистского) это обстояло бы так же. Россия тогда была. Какая — другой вопрос, но была. И связь с ней не мог терять никто.

Здесь я хочу упомянуть об одном нашем частном парижском знакомстве, которое имело для Д. С. большое значение и оставило след на всю его жизнь.

Как-то у m-me Ivan Strannik, жены проф. Аничкова и приятельницы Анатоля Франса, днем, мы встретили одну русскую даму, М. Н. Д., еще довольно красивую, необыкновенно живую и остроумную. Мы были там вдвоем с Д. С., без Д. Ф. Когда мы вышли, вместе с этой дамой, М. Н. Д., оказалось, что мы живем в двух шагах друг от друга, в Auteuil. На фиакре с зеленым фонарем (зеленые фонари обслуживали наш guartier) мы отправились отвозить нашу новую знакомую. Она попросила нас зайти к ней, но было поздно, и мы зашли только в сад ее виллы. В саду нас встретила ее дочь, с которой мы тут же познакомились. Это была высокая, совсем молодая девушка, с таким прелестным, нежным, чисто русским лицом, что мне подумалось невольно: «Вот такой была, верно, Маша, капитанская дочка — у Пушкина». Мать и дочь жили в этой вилле вдвоем. Жили они в Париже подолгу, но не постоянно. За время нашего пребыванья они уезжали в Петербург и возвращались несколько раз. После случайного нашего знакомства мы все стали часто посещать близкую виллу. По-соседски приходили постоянно и они к нам. Княжна Грузинская оказалась их приятельницей.

«Пушкинская Маша» (мать звала ее Марусей) своей тихой, полуженственной, полудетской прелестью очаровала нас всех. Скоро мы поняли, как разнится ее характер от материнского. Г-жа М. Н. любила свою единственную дочь по-своему — властно, ревниво и деспотически. В таких живых натурах черты деспотические не редкость. Дочь любила ее нежно и была мягким воском в ее руках, постоянной маленькой девочкой. Такой она и осталась на всю жизнь, несмотря на свое замужество и троих детей. С ними и опять вместе с матерью, но без мужа, она впоследствии жила в Париже и в эмиграции. Ревнуя дочь к мужу (хотя брак был и не против ее воли), она не то что их поссорила, но разлучила, и муж остался в другой стране. Когда обе дочери ее вышли замуж, а сын уехал служить, она все-таки осталась одна с матерью, до самой ее смерти.

Я говорю об этом прелестном существе потому, что моя «капитанская дочка» была голубой любовью Д. С. В ней было для этого все: нежная женственность, покорная беспомощность и даже какое-то вечное «девичество». Я думаю, Д. С. и чисто русскую душу ее ощущал.

Он любил в жизни не многих людей. Но к кому бы и какая бы у него ни являлась любовь сердца, она никогда больше его не покидала. Я уже не говорю о его любви к матери. Ни ко мне. Но и к Философову, расставшемуся с нами после 15-ти летней совместной жизни, его чувство до конца оставалось прежним. Прелестную же девушку с круглым милым личиком он не забывал никогда. Мы мало встречались в Петербурге, после ее замужества, — мы жили в разных кругах общества. И здесь, в эмиграции, он не видел ее иногда год, два, потом опять встречались, она приходила к нам или мы шли к ней и к ее матери, когда мать еще была жива.

Она, конечно, чувствовала его отношение и встречалась с ним всегда радостно... как теперь я с ней — и она со мной.

К концу второго года нашего пребыванья в Париже «Павел I» Д. С. был окончен, и он писал уже статьи для будущего сборника «Не мир, но меч». И готовил в окончательной редакции свою статью для сборника французского (он набирался). Но почему-то Д. С. находил эту статью не подходящей для публичного чтенья по-русски, среди русской аудитории, а потому для второй своей лекции выбрал опять мою первую о самодержавии.

Лекция прошла, судя по моей тогдашней записи, удачно, особенно удачно было заключительное слово Д. С. У меня не отмечено, в какой зале это происходило, но не в Orient, а вероятно, в обычной зале-бараке на Choisy, где тогда читалось большинство русских лекций. Два раза читал и Д. Ф., а как-то раз — Минский, со скандалом.

Минскому вообще не везло. На одном стихотворном благотворительном вечере он решился прочесть свое стихотворенье, написанное еще в России, должно быть, в то время, когда он старался удержаться в ленинской газете, отчасти написанное и так, по озорству. Даже просто как стихи — это была дрянь. Первая строчка:

Пролетарии всех стран — соединяйтесь!

И далее, по трафарету, тем же танцующим ритмом, над которым мы издевались. Он — ничего, не обижался. Но публичное чтение вызвало решительный скандал. На лекции же его попросту началась драка, кто-то крикнул из задних рядов: «Г-н лектор, тут бьют!» И лектор, схватив со стола бумаги, удрал через заднюю дверь. Не забудем, что среди тогдашней русской публики много было солдат, матросов и, если угодно, пролетариев, но коммунистами они не были и о марксизме понятия не имели.

Был ли Минский большевиком? Ничуть. Большевистской России он не видал, неудавшийся его газетный марьяж с Лениным в 1905 году мало чему его выучил. А все-таки к большевизму его как-то тянуло...

«Москвичи осатанели
от православного патриотизма...»

Как ни близка была наша связь с Россией, — мы, в начале третьего парижского года, серьезно стали подумывать о возвращеньи. Отчасти и потому, может быть, что связь была так близка: каждый по-своему — мы чувствовали, что в России творится неладное, тосковали.

Первая Дума, когда интеллигенция в Думу было поверила, — оказалась тотчас разогнанной. Вторую разогнали еще скорей. Третья была уж откровенно комедийной. Сестра моя Татьяна писала об усилении репрессий. Она же рассказывала, что в литературных и политических кругах происходят какие-то нелепые и кощунственные сборища, вообще какой-то болезненный хаос.

Нас задерживало в Париже кое-что внешнее — и кое-что внутреннее. Внешнее — это, во-первых, намеченная французская лекция Д. С. в École des Hautes Études. (О ней, когда она состоялась, у меня записано только, что Дм. С. читал очень хорошо, а председательствовал V. Bach.) Во-вторых, задерживал нас «Павел I», его перевод и предполагавшееся французское издание (по-русски он еще не вышел, да Д. С. хотел и напечатать его раньше в русских журналах). Кроме того, появились разные соблазнители, уверявшие Д. С., что возможна постановка драмы на какой-нибудь парижской сцене, и устраивавшие для того наши свиданья с будто бы полезными людьми. Д. С. и сам не очень-то в это верил, но так как в России ни о чем подобном нечего было и

300

мечтать, то, когда перевод был готов, не отказывался читать отрывки в тех или других местах. Между прочим, не знаю как, но именно благодаря вопросу о «Павле» кто-то нас познакомил... с Léon Blum'ом. Кажется, Блюм тогда и депутатом еще не был, а какую связь имел он с театром — неизвестно. Было лишь известно, что он очень богат и где-то имеет фабрику шелковых лент.

С осени, в Петербурге, жизнь пошла как-то суетливо и уж очень «литературно». Мы сравнительно недолго провели в отсутствии. Между тем изменилось за это время многое. Изменились, неуловимо, и старые друзья. Д. С. говорил, что не понимает ничего в этой новой суете. В Москве, куда мы ненадолго съездили, суеты было еще больше: неизвестно, кто с кем в дружбе, кто на ножах и почему. В Петербурге мы застали официально разрешенное Рел.-фил. общество. Затеянное Бердяевым, потом им брошенное, оно едва прозябало. Затеяно оно было как бы вроде старых Собраний, но на них не походило. Д. С. в него все-таки вошел (как и я с Д. Ф.), очень поднял его и оживил, внеся вопрос о неонародничестве и споря с марксистами. Однако это было не то. Не было настоящих двух сторон. Представители церкви туда не ходили, а просто там шли интеллигентские споры. Марксисты называли себя «богостроителями» (как поздний Desjardin), а религиозных людей называли «богоискателями», как ни защищались последние от такой нелепой клички.

Розанов как-то совсем стерся, Блок помрачнел, погрузившись в особый патриотизм. Но Блока мы продолжали любить. Из-за него у Д. С. вышел частичный конфликт с «Русской мыслью», куда он, Д. С., был приглашен редактором беллетристики (а я каждый месяц должна была давать критическую статью). Блок написал не то статью, не то поэму в прозе, о России, очень красивую и глубокую. Д. С. прочел ее в Р.-ф. обществе и затем хотел напечатать в «Русской мысли». Но московским редакторам она пришлась почему-то не по вкусу (П. Б. Струве и, кажется, Булгакову), и Д. С. отказали. Тогда Д. С. отказался от редактирования и журнальной беллетристики (чему я, признаюсь, была рада, так как, по своей занятости, Д. С. часто сваливал эту работу на меня). А сотрудниками «Русской мысли», и постоянными, мы остались по-прежнему.

Д. С. работал очень много: он теперь писал почти во всех журналах и во многих газетах, как в «Речи» и в московском «Русском слове». Это писанье коротких и длинных статей, которые он выпускал книгами под разными заглавиями, не мешало ему готовиться к новому, давно задуманному роману «Александр I». Д. Ф. тоже много писал — главным образом в «Речи», органе умеренных ка-дэ (конституционалистов-демократов), к которым он ближе стоял, чем Д. С.

Наши гриппы на щадили нас и этой зимой (1910—1911). Д. С. плохо поправлялся после каждого. Он казался больным еще с прошлой зимы. После одного гриппа, особенно жестокого, у Д. С. начались уже не перебои, а боли в сердце. Я позвала нашего

302

обычного доктора Ч.[16] Когда моя мать была смертельно больна, он не нашел у нее ничего сердечного. Теперь, боясь, может быть, новой ошибки, он перегнул в другую сторону: объявил мне и самому Д. С., притом весьма неосторожно, что находит органические изменения в сердце, начало склероза, назначил специальное сердечное леченье, с глиной, и т. д., запретил выходить из-за лестницы (3-й этаж без лифта), — а не выходить для Д. С., привыкшего к прогулкам, — это много значило! — словом, совершенно перевернул нашу жизнь.

Д. С. никогда не был мнителен, никогда болезней своих не преувеличивал и на них не жаловался. Но такой серьезный приговор, да еще нарушающий все течение его жизни, — лежать, не работать, не дышать чистым воздухом — все это привело его в тяжелое, нервно-раздраженное состояние духа. Д. Ф. тоже пришел в раздраженье: ему казалось, что Д. С. весь под страхом возможной смерти, а это, по его мнению, опять было недостойно такого человека... Леченье, между тем, не помогало, да и совсем бросить работу Д. С. не мог; а прогулки я предложила заменить прохаживаньем по комнатам, в шубе, при настежь открытых окнах.

От этих ли «прогулок», когда вся квартира наполнялась морозным воздухом, или от чего другого (от всего вместе, может быть) я в марте заболела «обострением» моего легочного процесса, как нашел тот же доктор Ч. Думаю, и тут он преувеличил, хотя, в Париже, французский доктор, к ко-

---

[16] Чигаева *(В.З.)*

торому послал меня И. Мечников, заявил, что я не могу жить зимой в Париже, а должна ехать в Малагу. Это петербуржанка-то не может жить в Париже! Но доктор был хороший, я часто потом у него бывала, хотя в Малагу не поехала. Кстати, об Илье И. Мечникове, тогда директоре Пастеровского института. Мы в Париже с ним часто виделись, и в институте, и у него. Он был очень приятен своей живостью, верой в человеческое долголетие и даже верой в магическую силу югурты, горшочки которой он тщательно ставил в кабинете и для коллеги, давно больного доктора Ру. Однако Ру на много лет Мечникова пережил, этого еще не старого и полного жизни человека, женатого на молоденькой женщине (что, по его убеждению, тоже способствовало долголетию, как и югурта).

Этой весной я была рада своей болезни и предписанью Ч. — ехать на Ривьеру. Мне казалось, что это будет хорошо для Д. С.: надо прервать кошмар. Нам только жаль было расставаться с сестрами, встретить без них Пасху. Им тоже было неприятно отпускать нас обоих такими больными. Тогда Д. С. предложил им приехать на пасхальные каникулы к нам, где мы ни будем, на юге Франции, иль хоть одной сестре, Татьяне, которую он особенно любил (другая была и больше занята). Определенно ничего не решив, мы уехали. Я знала, что против поездки к нам будет Карташев: с ним у сестры велась постоянная, из-за Д. С. и его идей, борьба.

Мы поселились в прелестной вилле, очень уединенной, между St-Raphäel и Канн, в Булурисе. Сад, полный цветов, совершенно райский, спускался

прямо к морю, к пляжу, этой же вилле принадле-
жащему.

Д. С. стало сразу физически гораздо лучше, он
мог гулять и работать, хотя настроение еще было подавленное. Он раздражался пустяками, что, в свою
очередь, раздражало нашего компаньона, Д. Ф., но
я была уже спокойнее, хотя не поправлялась.

И вот — мы снова в России. Лето в пьяной
Новгородской губернии, большой дом, именье
Сменцево. Д. С. усиленно работает над «Алек-
сандром». Д. Ф. — в именьи матери, Карташева
тоже нет, уехал к родным, живущим при каком-то
монастыре, около Екатеринбурга. Но к нам приехала Оля Флоренская с мужем. Оля была сестра
очень известного в России, умного и жестокого
священника Павла Флоренского в Троице-Серг.
лавре, — и большой наш друг. Она только что
вышла тогда замуж за бывшего лаврского акаде-
миста, однокашника и приятеля брата, — Сережу
Троицкого. Он не пожелал сделаться священником, а взял место преподавателя в одной из тифлисских гимназий.

Молодожены были у нас среди лета, а в сентябре
Троицкого убил кинжалом, в гимназическом кори-
доре, какой-то великовозрастный ученик-грузин,
не выдержавший переэкзаменовки. Убил случайно,
просто первого «учителя», которого встретил после
провала.

Весной 1912 года, когда мы с Д. С. опять были на
Ривьере (ему там хорошо работалось) и поселились

вдвоем в маленьком отельчике на выезде из Канн, оказалось, совершенно случайно, что так называемая «боевая организация» тут же, совсем недалеко от нас, в неуютной, холодной вилле, в Теуле. Мы это узнали, когда приехал Бунаков с женой. Ее он оставил у нас, сказав, что заедет за ней после, и уехал в Париж. Жену его, Амалию, все любили и баловали. Мы тоже дружили с ней, мы все были, даже Д. С., с ней на «ты». Франтиха, из богатой еврейской семьи в Москве, она была «не партийная», но, конечно, друзей мужа близко знала и в «дела» достаточно была посвящена (никогда о них, впрочем, не говорила). От нас она часто бегала в Теуль просто пешком. По просьбе Савинкова, который скоро к нам явился, были в теульской вилле раза два и мы с Д. С. Он сказал мне после, что ему там не понравилось. Да и мне не понравились люди, окружавшие Савинкова. Все, кроме этой нежной, удивительной Марии Прокофьевой, с ее светлым, каким-то «нездешним» лицом. Уже больная, она куталась в плед. А вокруг, в атмосфере этого «общества», было что-то нелепое и даже... пошлое. Завтра рожденье Бориса (Савинкова), — сказала мне как-то Амалия. Я пойду туда с утра.

— Рожденье? Поздравь его от меня. А что бы ему подарить? Постой, я напишу ему сонет.

Амалия с сонетом отправилась в Теуль, вернулась на другое утро и рассказала:

— Борис, получив твой подарок, бросил всех гостей, карты, заперся у себя, и вот — посылает тебе тоже сонет.

— Какой? Свой? Да он в жизни стихов не писал!

Но Амалия действительно вручила мне сонет, недурной и по всем правилам сонета написанный. Какая способность схватывать новое и без опыта сейчас же делать то же!

— Теперь, Амалия, я напишу ему стихи самого трудного размера — терцины. Посмотрим, что будет!

В сонете у него была ошибка в одной только строке (шестистопный ямб), а в ответных терцинах — уже ни одной! По содержанию они были довольно страшные, все на его же тему: «Душа убита кровью».

Тут вскоре явился Бунаков за Амалией и — с директивой от партии: распустить «боевую организацию», как несвоевременную.

Не знаю, как принял это Савинков. Мы его больше не видели. Приехал из России Д. Ф., и мы, через недолгое время, отправились в Париж.

Там (опять в Iéna) у меня с Д. Ф. возникло соображенье: если мы постоянно возвращаемся и будем, вероятно, возвращаться, — не взять ли нам здесь маленький pied à terre, куда мы и приезжали бы весной на несколько недель? Сейчас ехать в Петербург еще рано, успеем, значит, устроиться, взять из склада наши бумаги, книги, убогую мебель, и вернемся вовремя.

Д. С., поглощенный работой, мало участвовал в этом решении, но потом согласился, если это не задержит нашего возвращения в Россию.

Квартирка скоро была найдена, — в Пасси, в новом доме, не очень приятная, мало удобная для троих, зато очень дешевая: я даже решила, что буду платить за нее сама (я тогда хорошо зарабатывала в России). Кстати: после войны цена ее возросла в 14 раз!

Пока мы устраивались, пришло паническое письмо от моей сестры: не возвращайтесь, о Дмитрии идут дурные слухи. Макаров (наш знакомый) арестован за то, что был у Савинкова.

Д. С. очень взволновался, но о невозвращенье не допускал и мысли. Даже настаивал, чтобы ехать скорее. Я тоже. О Д. Ф. и говорить нечего. Однако естественное волненье Д. С. он опять поставил ему на счет боязни отвечать за свои действия и погрузился в мрачность. Впрочем, это настроение имело и физические причины: у Д. Ф. тогда начиналась болезнь печени.

Мы не задержались в Париже. На этот раз все обошлось благополучно. На вокзале в СПБ нас встретили сестры и Оля Флоренская: она провела с нами все лето в именье Подгорном (большой глуши). Кроме нее, долго жил там с нами А. А. Мейер, новый наш друг: очень отвлеченный, умный, бывший соц.-демократ, но потом близкий идеям Д. С. Профессор Народного университета. Очень хорош был он и с сестрами. Кроме них, уже не первое лето жила с нами сестра Вл. Соловьева, Поликсена (поэтесса «Allegro»). Она любила русскую природу, леса, как Д. С., и только осенью уезжала в Феодосию, к своей приятельнице Манассеиной.

В сентябре Д. С. решил ехать со мной на Украину. Роман «Александр I» был кончен, только не переписан. Д. С. свою работу, как бы длинна она ни была, переписывал сам, своей рукой, и только это уже отдавал переписывать на машинке для печати.

Переписывать свое он и любил, делал все новые поправки, так что в конце и беловая рукопись делалась похожа на черновую.

За переписку «Александра» он еще не принимался, но уже усиленно готовился к «Декабристам». Для них он и хотел поехать на Украину, которой не знал, — хотя любил поминать, что предок его был «есаул Мережко». На Украине действовала когда-то «южная организация» декабристов. И Д. С., по своему обычаю, желал видеть украинский пейзаж, глотнуть тамошнего воздуха.

Поездка, увы, не состоялась, благодаря тогдашним в Киеве «торжествам», во время которых, в театре, в присутствии Государя, правительственный же агент убил министра Столыпина.

Может быть, отчасти и по этому случаю, зимой 1911–1912 гг. репрессии в Петербурге так усилились, что выступать общественно, даже в Р.-ф. обществе было почти невозможно.

Друзья звали нас в Париж, но мы медлили, а когда наконец собрались — никого, кроме Бунакова, не застали. Да и он скоро уехал с заболевшей Амалией в Давос. Возвращаться в Россию нам было рано, и мы вздумали поехать недели на три в По, где еще никогда не были.

Д. Ф. поехал с неохотой. Он уже несколько раз неохотно покидал Петербург. Мы думали, что ему не хочется оставлять старую мать, но он возражал, что она здорова, а что сидеть около нее — не значит ли это ждать ее смерти? Лишь вдолге узналось, и не от него, что она давно больна, — не очень, но так, что конца можно было ждать всегда.

И вот однажды вечером Д. Ф. вошел в наши комнаты отеля (в По) с телеграммой в руках: «Maman apoplexie. Situation grave»[17] Ехать тотчас же он не мог, не было поезда в Париж, где ждал родственник, с которым он должен был сразу отправиться в СПБ. Этот вечер и почти всю ночь, до голубого рассвета, мы провели вместе. Ехать с ним мы не могли. Д. С. сказал, что мы выедем в Париж на другой день, чтобы оттуда сейчас же в Петербург. Нам было очень тяжело, мы знали, что он ее не застанет в живых, а кто лучше нас с Д. С. понимал, что такое смерть матери! И почему-то мы оба чувствовали себя виноватыми перед Д. Ф., но сказать это словами было невозможно, ускользало и от разума, и от слов.

Из Берлина, уже в Париж, Д. Ф. телеграфировал, что мать его скончалась, не приходя в сознанье.

Несчастья нашего путешествия не кончились. В Париже, во-первых, мы задержались, из-за билетов, и только 25 марта, в день Благовещенья и в первый день Пасхи, были на границе, в Вержболове. Уже был подан петербургский поезд, когда к нам подошел жандармский полковник и объявил, что, по телеграмме из Петербурга, велено «изъять» у нас все бумаги и рукописи, какие будут найдены. У меня ничего не было, но у Д. С. весь текст его романа «Александр I». К счастью, жандарм оказался не то добродушным, не то небрежным, и взял только часть рукописи. И даже задержал петербургский поезд, чтобы мы могли продолжать путь.

---

[17] «Мама апоплексия. Серьезное положение» (*фр.*).

Легко себе представить, в каком состоянии духа мы приехали в Петербург. Нас встретил Д. Ф., с измученным лицом, окруженный сыщиками (это всегда можно было заметить).

Пошли тяжелые дни. Хлопоты насчет отнятой рукописи, газетчики... Д. С. пошел к дежурному департамента полиции. Тот принял его вежливо, но сказал, что все — по закону. «А что за вами следят, так у вас знакомства...»

Хорошо. Но уж стало не до рукописи, когда вдруг объявили Д. С. по телефону, что он привлекается к суду за «Павла I», он и Пирожков (издатель), суд 16 апреля (т. е. через 10 дней). По 128-й статье: «Дерзостное неуважение к Верх. Власти...» и т. д. Минимум наказанья — год крепости.

Д. С. думал, что суд через 10 дней будет и над ним, но выяснилось, что только над Пирожковым, который уже арестован, дело же Д. С. выделено «за неразысканьем».

Я думаю теперь, что власти с неохотой начали это дело, ибо какое же «неразысканье», когда и телеграмма на границу, и слежка, и сам Д. С. у директора полиции был. Надеялись, может быть, судить издателя, а Мережковский просто, мол, останется за границей, и конец.

Но Д. С. этого-то и не желал. В крепость садиться удовольствия тоже мало, и вот у нас пошла возня: адвокаты, совещанья, баронесса Икскуль...

В результате Д. С. получил разумный совет: тотчас уехать опять в Париж и оттуда телеграфировать прокурору, что он не скрывается и явится к следователю по прибытии. Расчет был в том, чтоб отложить дело до осени. Пирожкова Д. С. взял на поруки, его выпустили.

И через четыре дня после приезда мы отправились в обратный путь, вдвоем с Д. С., конечно. Жалко нам было оставлять Д. Ф. в такое трудное для него время, но он, окруженный родными, от нас как-то отдалился. Был, конечно, против отъезда Д. С. (уклоненье от ответственности), и против меня: я считала, что надо все сделать, чтобы избежать крепости, только не делаться эмигрантом.

В мае мы получили известие, что дело отложено до сентября, и немедленно вернулись в Петербург. Нас ожидали там хлопоты другого рода: домохозяину понадобилась наша квартира, и мы покинули дом Мурузи, в котором прожили с первого года нашей свадьбы. Взяли квартиру первую попавшуюся: очень большую, на Сергиевской, у самой решетки Таврического сада. С моего балкона виден был и соседний Таврический дворец, где помещалась Государственная Дума...

Переезд был нелегок: у Д. С. имелась громадная библиотека (она вся пропала), у Д. Ф. — тоже, своя. Кончив хлопоты, мы переехали в именье «Верино», недалеко от Ямбурга, где очень недурно провели лето. У нас жила опять Поликсена Соловьева, приезжало много народу, приезжал даже поэт Сологуб с женой и с каким-то человеком из синема, — он снял нас всех на фильму. Д. С. усиленно занимался приведением в порядок разрозненного романа (рукопись ему так и не возвратили), а главное — подготовкой к новому — «Декабристам». Относительно процесса, Д. С., хоть и пугали его разные люди, рисуя жестокого обвинителя-прокурора, — не очень тревожился и работал как нельзя лучше.

Помню, получили мы раз записочку от нашей баронессы В. И. Икскуль с предложеньем побывать у нее и увидаться с Григорием Распутиным. О Распутине уже говорили много, со всех сторон. Самые разнообразные люди стремились, любопытствуя, на него взглянуть, даже литераторы старались залучить его к себе. Сестра Карташева видела его где-то, — достаточно о нем рассказывала. Наша баронесса, — ее салона не избегала ни одна новоявленная петербургская звезда, — не могла, конечно, обойти и эту, не рассмотреть ее поближе. Ей это ничем не грозило: поклонницей «пророка» сделаться она не была способна.

Д. С. отнесся к предложению равнодушно. Распутин, лично, его не интересовал. К баронессе он, пожалуй, поехал бы, но я возмутилась и объявила, что никуда на «Гришку» не поеду, и в историческую заслугу себе поставлю потом, что вот могла его лицезреть, — и не пожелала.

Баронесса после только безграмотные записочки «пророка» показывала, — всем известные, — «Милоя Варя...»

Дело Д. С. было назначено 18 сентября. Очень помню этот день, хмурый, сырой, серый, как бывают гнилые осенние дни в Петербурге. Д. С. и Д. Ф. ушли в суд раньше (суд был недалеко от нас, по Литейной), а за мной зашел верный, вечный наш приятель, Андреевский, — «адвокат-поэт», как его называли. Он неизменно приятельствовал с нами лет двадцать, и я называла его даже не другом моим, а «подругой» (или себя — его подругой: он поверял мне все свои любовные горести). Он написал, между прочим, замечательную «Книгу о смерти», которую завещал издать только после его собственной смерти. Она и была издана в Берлине, в 20-х годах, его дочерью. Но раньше он читал мне ее по частям. Вот с этим «Сержинькой» и отправились мы в столь ему знакомый Окружной суд, — серый, темный, особенно в этот темный и серый день.

Защищали Д. С. два адвоката. Два — потому, что один, бывший помощник Андреевского, Гольдштейн, был еврей и, естественно, не мог касаться, в защите, той части «Павла I», где речь шла о христианстве и церкви. Имя второго защитника, русского, я не помню. Мы с Андреевским сидели на скамьях для публики, которой было очень мало. О дне суда почти никто не знал. Как странно было видеть «на скамье подсудимых» Д. С. — с жандармом за спиной! Почему говорят: на скамье подсудимых? Она так глубока, что Д. С. и Пирожков сидели в ней... как в ванне.

Дело слушалось без присяжных, а с «сословными представителями» (нам говорили, что это хуже). Я их в полутьме плохо разглядела, а лицо прокурора, считающегося «зверем», мне показалось довольно симпатичным. Он заговорил — и ничего «зверского» в его речи не было. Напротив, проскальзывала «мягкость», hommage «знаменитому» писателю... Защитники Д. С. говорили очень горячо, пирожковский немного мямлил, но ему не много оставалось и прибавить к сказанному. «Последнее слово» Д. С. было кратко и произнесено с большим достоинством. Пирожков от своего отказался. Перерыв. Мы вышли с Андреевским в соседнюю залу.

— Поверьте моей опытности, — говорит он, — их оправдают. Не волнуйтесь.

Но я и не волновалась. Не то, чтобы я верила в оправданье, но на меня нашла спокойная тупость, как всегда, когда остается только ждать в бездействии, того, что уже не в твоей воле. То же бывает, и когда совершилось самое худшее, непоправимое, вне твоей воли лежащее.

Звонок. Председатель что-то читает, что — не могу сразу понять. Но рядом мой Андреевский: «Я вам говорил!»

Обоих оправдали — «за ненахождением состава преступления», и конфискация с книг была снята.

Никогда не было у нас такого тяжелого и мрачного возвращения из Парижа, как этой весной (1914). Из-за Д. С., который вдруг стал стремиться в Россию и погрузился в самое неприятное состояние духа. Главное, без всякой причины. Он был здоров, в Ментоне мы жили почти весело, он хорошо работал — и вдруг... Если б это было в прошлом году, 13-м, когда в Париже почему-то ждали войны и мы уж подумывали поскорее домой, — было бы понятно. А этой весной Париж о всякой войне и думать забыл, прошлогодние слухи совсем замерли.

Д. С., между тем, ехал в Россию в таком неприятном настроении, в такой тоске, что всю дорогу с нами даже не разговаривал. Может быть, у него было какое-то предчувствие, — вне сознания, как все предчувствия, — что это его последнее возвращение в Россию... (это было последнее возвращение и Д. Ф., да, без сомнения, и мое; но мы этого не почувствовали, как Д. С.).

Переехав границу, после Вержболова, он немножко повеселел. Увидев какого-то человека на полустанке — обрадовался «первому русскому человеку». Но мы засмеялись (да и Д. С., приглядевшись, тоже). Этот первый «русский» — был старый еврей с пейсами, в длинном лапсердаке.

В Петербурге сестры, хотя и не ждали нас так рано, уже приглядели дачу около Сиверской, и невдалеке — другую, потому что, как они мне с радостью сообщали, наша двоюродная сестра хотела провести лето с нами и приедет с детьми.

Дача наша оказалась недурной, просторной. Мы с Д. С. поместились наверху, внизу — сестры и ожидаемая, как всегда, Поликсена Соловьева. Пока она еще была, с Манассеиной, за границей, где-то на водах.

Настроение Д. С., хотя было не такое, как в дороге, но все же непривычно-угрюмое. Впрочем, он с головой ушел в работу, в «14 декабря», — роман был уже при конце, — и я надеялась, что с удачным концом все пройдет.

Я, кажется, ничего серьезного в то лето не писала, гуляла с Соней и сестрами, по вечерам слушала главы «Декабристов». Д. Ф. жил все время с нами, они, с моей младшей сестрой, увлекались кодаками, проявляли и печатали фотографии. Все шло как будто тихо и мирно. Мы удивлялись только, что о Поликсене — ни слуху ни духу. Ведь был уж июль. И вдруг...

Конечно, не вдруг, а были же какие-нибудь предвестия, но мы-то на них не обращали внимания.

Мобилизация! Застаю в нашем саду Соню в разговоре с мужиком, который, махая руками, на что-то жалуется. Кажется, насчет лошадей — лошадей забирают. Но мужик еще плохо понимает, в чем дело. Соня понимает. Мужик отошел. Соня обернулась, махнула рукой:

— Ну, словом, беда!

Все решилось в несколько дней, после выстрела Принципа, конечно.

Мои сестры уехали незадолго до этого в Петербург, должны были вернуться с Карташевым, с Мейером, еще с кем-то. И вдруг является одна, старшая.

— А где же другие?

— Я за вами с Дмитрием и за Димой. Война. Надо быть всем вместе. Патриотический подъем, процессии с флагами...

Тут-то и решилось наше с Д. С. отношение к войне. Оба мы давно всякой войне сказали принципиально: «нет». А эта столь бессмысленная и страшная для России при ее разлагающемся и разлагающем правительстве... Наивность сестры, поверившей в явно подстроенные, патриотические манифестации, удивила нас, как раньше удивляли, приводили в недоумение, петербургские беспорядки в эти последние перед войной дни. Кто-то (будто бы рабочие) останавливали трамваи, валили вагоны наземь, делали из них баррикады... Да в чем дело? Никаких требований никто не предъявлял, никаких лозунгов не было... Да что они, против французских гостей, что ли? (Известно, что в эти дни как раз приезжа-

317

ла в Петербург пышная французская делегация, с Poincaré во главе.) Это уж было верхом бессмыслицы. Беспорядки так и не объяснились.

Я и Д. С., конечно, в Петербург тогда не поехали. Но оставаться долго в деревне, хотя и не далекой от города, но глухой, становилось все труднее. Кузен Вася, депутат, явился за своей семьей. Явился в полном расстройстве и больной. Сонин муж вызывал ее домой, в Одессу, и она со всеми своими детьми и старой теткой тоже уехала — пока в Петербург, к брату. Мы, однако, досидели на даче до того, что по железной дороге ехать было уже невозможно, так она была забита мобилизованными. Пришлось вызвать из города автомобиль, на котором мы, вчетвером, с Д. Ф. и с сестрой, — она тогда в СПБ не вернулась, — отправились домой.

Дорога эта мне запомнилась, во-первых, тем, что была ужасна (русские дороги не похожи на «автострады», да тогда автомобили по ним и не ездили), а во-вторых — косяками встречных зеленых лошадей, причем лошади эти дико нашего автомобиля пугались. Зачем с такой усердной быстротой выкрасили их в зеленый цвет, — понять было трудно.

Нам с Д.С., с нашим острым ощущением войны-несчастья, все вокруг кажется сумасшедшим домом, а то, что делается беспечно, как будто этого «несчастья» нет, — фата-морганой, чемто неважным до призрачности. Премьера моей пьесы на Александрийской сцене с Савиной и Мейерхольдом... Позднее — пьеса «Романтики» Д.С. там же. Молодые поэты со своими стихами днем... «Седые и лысые» — вечером с какими-то планами созданья новой «радикальной» партии... Горький тут же, проект какого-то Англо-русского общества. Подъем православного патриотизма. В Москве... (Булгаков и др.). Дума, которую то собирают, то разгоняют, и она покорно разгоняется, прокричав «ура»...

Работа и зима 15—16 года так утомили Д. С., что Д. В. предложил мне поехать на весну и начало лета в Кисловодск. Мы туда все трое и отправились. Поздней весной приезжали к нам мои сестры, а мы вернулись только в июне, жарким летом. И тотчас уехали на дачу, самую, кажется, неприятную из всех. По Северной дороге, среди болот, с темно-желтой, ржавой водой в речке и противным, хулиганским населением вокруг. Впрочем, во время войны деревенское хулиганство стало повсюду расцветать.

Надо сказать, что Д. С. изо всех нас, по крайней мере изо всего нашего окруженья (а нас тогда окружало неисчислимое количество всякого народа, очень разнообразного), оказался самым прозорливым. Еще в марте, когда у многих не погасла первая радость, он объявил: «Нашу судьбу будет решать Ленин». И так упорно к этому Ленину возвращался (а Ленина еще и в СПБ не было), что я, смеясь, вспомнила тургеневский «Бежин луг», таинственного «Тришку», прихода которого там все боялись, и стала называть Ленина «Дмитриевым Тришкой». Когда он, с братией, в запломбированном вагоне (или поезде) в Россию был доставлен, я так и отметила:

«Приехал, наконец, этот Тришка-Ленин. А какая была и встреча! С криками, с прожекторами! Не то что бедненькому меньшевику Плеханову».

Чем объяснить, например, что Д. С. с первого мгновенья (как и я) стал на позицию самого резкого отрицания войны? Почему так часто повторял, что война — «несчастье»? Что это — принцип? Или кровь? Или политика — бессмыслие поводов к войне? Или предвидение, что из этой войны ничего доброго ни для кого не выйдет? Да, конечно, все это было на счету. Но ведь и любовь к России была на счету. Многие, очень многие, тоже войну принципиально отрицавшие, также не видевшие для нее достаточно поводов и даже сомневавшиеся в победе России при ее положении, — все-таки — войну эту из любви к России приняли и о победе мечтали (как самый близкий друг наш, Д. Философов). Но Д. С., помимо своего отрицания чувственного и разумного, еще страдал от войны в каком-то особом, тайном уголке души. Он, может быть, и сам не отдавал себе тут ясного отчета, — прямо не говорил об этом, во всяком случае. Но я-то, разделяя то же ощущенье «несчастья», знала эту боль. Недаром мы оба с одинаковой остротой знали, что такое мать и что сегодня — «самое трудное, невыносимое, — это взглянуть в лицо матери, — у которой убили сына». Но что эти мои стихи, и другие о том же перед некрасовским «Внимая ужасам войны...». Об этом стихотворении мы с Д. С. особенно часто вспоминали. Я говорила: «Мне кажется, что минуты разлуки и ожиданья, когда сын на войне, проходят сквозь душу матери,

320

как шершавая проволока, — каждая новая минута ранит эту душу».

А главное — ничего нельзя изменить, раз война. Осуждать сыновей, которые на войну идут? Желать, чтобы они оставались, хотя бы ради матери? Это, во-первых, близко утопическому средству Толстого: «Пусть все люди сговорятся...» (тогда бы и войны не было!) А во-вторых, стыдно было бы за Россию, если б не оказалось у нее молодежи пылкой, с естественным порывом души идущей на войну, как на святое дело. Вот те молодые, что приходили ко мне по воскресеньям, у них, у большинства, души были уже изъеденные эстетизмом, ранним скепсисом, вроде души несчастного поэта Блока. И хоть являлись иные, в 16-м году, в защитках, — но их надели они поневоле, отбояриться всегда были рады. Исключения между ними — это самые юные. Их-то надо считать настоящими.

Голод, тьма, постоянные обыски, ледяной холод, тошнотная, грузная атмосфера лжи и смерти, которой мы дышали, — все это было несказанно тяжело. Но еще тяжелее — ощущение полного бессилия, полной невозможности какой бы то ни было борьбы с тем, что вокруг нас происходило. Мы все точно лежали где-то, связанные по рукам и ногам, с кляпом во рту, чтоб и голоса нашего не было слышно. Человек может, конечно, и к такому положению привыкнуть, если раньше не умрет. Но привыкший сделается уже получеловеком, апатичным, механичным, покорным. К этому состоянию стал, мало-помалу приближаться Д. Ф., еще не переживший к тому же трагической смерти трех сыновей своей сестры. Дня почти не было. Во тьмс у нас мерцали кое-где ночники. Для Д. С. мы зажигали на полчаса лампу драгоценного керосина, чтобы он мог, лежа в шубе на кушетке, почитать свои книги об Египте (задуманная давно работа). Но если бы дана была ему эта возможность, и не на полчаса, а на сколько угодно времени, он, по самому характеру своему, с общим состоянием нашего параличного бездействия и безмолвия не мог бы примириться. Ему казалось, что каждый зрячий и понимающий происходящее — должен что-то делать, именно должен бороться с опутавшей Россию смертной и преступной ложью, как? Это уж как ему дано.

По поводу незначительной одной бумажки пришел к нам раз молодой человек из Смольного (резиденция большевиков). Одет, как все они тогда одевались: кожаная куртка, галифе, высокие сапоги. Но был он скромен, тих, лицо интересное. И почему-то сразу внушил нам доверие. Оказалось, что он любит Достоевского, хорошо знает Д. С. и даже меня. На вопрос — партиец ли он? он как-то сбоку взглянул на Д. С., слегка качнул отрицательно головой и сказал только: «Я христианин».

Потом, в разговоре, повторил Д. С. несколько раз: «Уезжайте отсюда. Вы меня спрашиваете, можно ли здесь что-нибудь делать? Нет, ничего. Если уедете, — может быть, и найдется».

Эта встреча только укрепила уже существовавшую у Д. С. мысль об отъезде. То есть о бегстве, — мы знали, что нас не выпустят, знали твердо. Пусть в то же время многие хлопотали о разрешениях и надеялись... Напрасно, как и показало дальнейшее.

И если бы хоть сразу отказывали хлопочущим! Нет, их водили по месяцам, по годам по лестнице просьб и унижений, манили надеждами и бесконечными бумажками... Вот как это было с Сологубом и его женой. Она уже в Париж написала нам радостное письмо — почти все сделано, их выпускают! А когда оказалось, что нет, что и эта надежда опять обманула, — бросилась с моста в ледяную Малую Невку, — тело нашли только весной. С умирающим Блоком было то же, — просили выпустить его в финляндскую санаторию, по совету врачей. Это длилось почти год. В последнее утро выяснилось, что какая-то анкета где-то в Москве потеряна, без нее нельзя дать разрешенья, надо ехать в Москву. Одна из преданных поэту близких женщин бросилась на вокзал: «Билетов нет — поеду на буферах!» Но ехать не понадобилось, так как в это самое утро Блок умер. Мы, и не зная еще этих несчастий, догадались, что хлопоты начинать бесполезно.

Мысль «уехать» приняла у Д. С. сразу особую форму: это не было желание уехать от чего-то (от тьмы, холода, голода и т. д.). «От» было между прочим, главное же — к чему ехать, куда и для чего.

Напоминаю, что мы были крепко и наглухо заперты, как вся Россия была заперта, отделена (или нам казалось) от всего остального мира. Мы-то, в Петербурге, не знали, во всяком случае, что делается даже в соседнем городе. Естественно предполагали, что и мир, Европа, не знает, что происходит у нас и с нами. А происходившее так ясно, так несомненно было не-воз-мож-но, что только незнаньем оправдывалась, думали мы, беспечность Европы, не понимающей, что горит дом соседний, а пожар такого рода, что не может на одном доме остановиться. Пламя должно перекинуться, рано или поздно, и если поздно... то уже будет поздно.

Мне особенно трудно писать об этих годах жизни Д. С. и нашей (1920–1941), потому что я как раз в это время никакой последовательной записи не вела, кроме отрывочной, в первые месяцы после нашего приезда в Париж. Но мне помогут работы Д. С., сохранившиеся оттиски его даже мелких газетных статей, моя память и, наконец, неуклонная прямизна линии, которую вел Д. С. как в своих писаниях, в публичных выступлениях, так и в жизни. Ею, этой линией, определялись наши схождения и расхождения с теми или другими людьми, она же была подчас причиной все растущей тяжести этой нашей изгнаннической жизни.

Польский удар, крушение наших первых надежд, потеря главного помощника и друга, — все это не могло не произвести впечатления на Д. С. Но перенес он неудачу нашу мужественнее, чем я, и с сохранившимися надеждами смотрел вперед. Свое малодушие я не хочу оправдывать, но отчасти оно объяснимо: в Польше я могла принимать участие в общем деле, привыкла к постоянной работе (у меня даже был целый отдел пропаганды) постоянно, изо дня в день, писала в нами основанной газете «Свобода». Во всяком случае, при том ощущении «пламенного долга» для всякого помогать борьбе с большевиками, с каким мы бежали, я все-таки что-то делала. Теперь же, в Париже, деланье целиком ложилось на плечи одного Д. С. Помимо своих собственных работ, он мог выступать публично, мог писать во французских газетах. Есть ли там, и какая, русская пресса, — мы не знали. Но «нашей» газеты нет, и я предчувствовала, что мне там просто нечего будет делать, и даже помогать Д. С. я не видела, как могу? К этому прибавлялась вечная мысль об оставшихся в аду моих близких, да и тревога за покинувшего нас друга и помощника, Д. Ф., который попал в глупые (это уже я знала) и опасные лапы Савинкова. Надежду Д. С., что друг наш скоро сам рассмотрит Савинкова и вернется к нам, я не разделяла, — признаюсь, считала ее даже невниманием со стороны Д. С., к характеру и свойствам Д. Ф. Не разделяла и надежд его встретить помощников и серьезных хотя бы сочувственников делу нашему среди русских, новых или старых, эмигрантов. Достаточно слышали мы о новых, а старые... Бунаков с женой уже давно убежали из России — в Париж, конечно. Но и его теперь мы уже знали достаточно. И его партию (эсеров), ее сегодняшний состав, который он нам определил сам же, — «все такие, как негодяй Чернов», — и где он был, в лучшем случае, как бы пленником. Мы именно так хотели о нем думать, зная его неумную слабость и мягкость. Он все-таки казался нам человеком... симпатичным, но — какие же можно было возлагать на него надежды!

Он писал нам в Варшаву, что наша старая парижская квартира цела благодаря заботам о ней прежней нашей горничной. Она служила у нас еще в те годы, когда жили мы на Théophil Gautier, вышла замуж, но, когда мы приезжали потом на нашу pied à terre в Passy, неизменно к нам возвращалась, до последнего раза, весной 14 года. Во время войны я деньги за квартиру еще посылала (квартира, по условию между нами, была моя), — но со дня революции пересылка была невозможна. Бунаков писал, что раз квартира сохранилась, мы должны за нее держаться, ввиду кризиса помещений. Это была, конечно, удача: ведь там оставалось много книг, разные бумаги, записи, письма... Но как все-таки больно и страшно было в нее въезжать теперь, когда все было иное и мы сами — иные, ведь мы эмигранты... Да и никогда не любила я эту квартиру, предчувственно, может быть.

Впрочем, не стоит останавливаться на мелочах, как ни неприятно это ощущение перекошенности окружающего: как было — и совсем не то.

Мои мрачные настроения и предвидения я скрывала, конечно, от Д. С., не желая нарушать бодрость его духа перед новой задачей. Да и было тут, кроме того, много моего личного, меня касающегося. Если я не видела, что буду делать я, — перед ним было много работы. Мне даже хотелось, чтобы Польша стала для него совсем как отрезанный ломоть, чтобы и откликов оттуда к нему не доходило. Это оказалось невозможным ни в первые дни нашего Парижа, ни в первые месяцы (острое время, паденье Врангеля), ни, пожалуй, целый еще год... когда, после перерыва, произошла, в 23-м году, эта отвратительная катастрофа с Савинковым. Меня с Д. С., а как задела Д. Ф. Но к нам его не возвратила. Слишком поздно...

Мой лунный друг. О Блоке

Это не статья о поэзии Блока. Немало их у меня в свое время было. Это не статья и о Блоке самом. И уж во всяком случае, это не суд над Блоком. И не оценка его. Я хочу рассказать о самом Блоке, дать легкие тени наших встреч с ним, — только. Их очень было много за двадцать почти лет. Очень много. Наши отношения можно бы назвать дружбой... лунной дружбой. Кто-то сказал, впрочем (какой-то француз), что дружба — всегда лунная, и только любовь солнечная.

***

Осень на даче под Петербургом. Опушка леса, полянка над оврагом. Воздух яблочно-терпкий, небо ярко-лиловое около ярко-желтых, сверкающих кудрей тоненьких березок.

Я сижу над оврагом и читаю только что полученное московское письмо от Ольги Соловьевой.

Об этой замечательной женщине скажу вкратце два слова. Она была женой брата Владимира Соловьева — Михаила. Менее известный, нежели Владимир, Михаил был, кажется, глубже, сосредоточеннее и, главное, как-то тише знаменитого брата. Ольга — порывистая, умная, цельная и необыкновенно талантливая. Ее картины никому не известны; да она их, кажется, мало кому и показывала; но каждый рисунок ее — было в нем что-то такое свое новое, что он потом не забывался. Она написала только один рассказ (задолго до нашего знакомства). Напечатанный в «Сев. вестнике», он опять был такой новый и особенный, что его долго все помнили.

Не знаю, как случилось, что между нами завязалась переписка и длилась годы, а мы еще никогда друг друга не видали. Познакомились мы сравнительно незадолго до ее смерти, в Москве. Тогда же, когда в первый раз увидались с Борей Бугаевым (впоследствии Андреем Белым). Семьи Бугаевых и Соловьевых жили тогда на Арбате, в одном и том же доме, в разных этажах.

Кажется, весной 1903 года Михаил Соловьев, очень слабый, заболел инфлюэнцей. Она осложнилась. Ольга не отходила от него до последней минуты. Закрыв ему глаза, она вышла в другую комнату и застрелилась.

Вместе их отпевали и хоронили. Ольга была очень религиозный человек и — язычница. Любовь ее была ее религией.

Остался сын Сергей, шестнадцатилетний. Впоследствии — недурной поэт, издавший несколько книг (немножко классик). Перед войной он сделался священником.

***

В тот яркий осенний день, с которого начинается мой рассказ, из письма Ольги Соловьевой выпало несколько отдельных листков. Стихи. Но прочтем сначала письмо.

В нем, post scriptum: «...а вы ничего не знаете о новоявленном, вашем же, петербургском, поэте? Это юный студент; нигде, конечно, не печатался. Но, может быть, вы с ним случайно знакомы? Его фамилия Блок. От его стихов Боря (Бугаев) в таком восторге, что буквально катается по полу. Я... право не знаю, что сказать. Переписываю Вам несколько. Напишите, что Вы думаете».

Вошли ли эти первые робкие песни в какой-нибудь том Блока? Вероятно, нет. Они были так смутны, хотя уже и самое косноязычие их — было блоковское, которое не оставляло его и после и давало ему своеобразную прелесть.

И тема, помню, была блоковская: первые видения Прекрасной Дамы.

**

Переезд в город, зима, дела, кажется, религиозно-философские собрания... Блок мне не встречался, хотя кто-то опять принес мне его стихи, другие, опять меня заинтересовавшие.

Ранней весной, — еще холодновато было, камин топился, значит, в начале или середине марта, — кто-то позвонил к нам. Иду в переднюю, отворяю дверь.

День светлый, но в передней темновато. Вижу только, что студент, незнакомый; пятно светло-серой тужурки.

— Я пришел... нельзя ли мне записаться на билет... в пятницу в Соляном Городке Мережковский читает лекцию...

— А как ваша фамилия?

— Блок...

— Вы — Блок? Так идите же ко мне, познакомимся. С билетом потом, это пустяки...

И вот Блок сидит в моей комнате, по другую сторону камина, прямо против высоких окон. За окнами — они выходят на соборную площадь Спаса Преображения — стоит зеленый, стеклянный свет предвесенний, уже немеркнущее небо.

Блок не кажется мне красивым. Над узким высоким лбом (все в лице и в нем самом — узкое и высокое, хотя он среднего роста) — густая шапка коричневых волос. Лицо прямое, неподвижное, такое спокойное, точно оно из дерева или из камня. Очень интересное лицо.

Движений мало, и голос под стать: он мне кажется тоже «узким», но он при этом низкий и такой глухой, как будто идет из глубокого-глубокого колодца. Каждое слово Блок произносит медленно и с усилием, точно отрываясь от какого-то раздумья.

Но странно. В этих медленных отрывочных словах, с усилием выжимаемых, в глухом голосе, в деревянности прямого лица, в спокойствии серых невнимательных глаз — во всем облике этого студента — есть что-то милое. Да, милое, детское, — «не страшное». Ведь «по какому-то» (как сказал бы юный Боря Бугаев) всякий новый взрослый человек — страшный; в Блоке именно этой «страшно-

330

сти» не было ни на капельку; потому, должно быть, что, несмотря на неподвижность, серьезность, деревянность даже, не было в нем «взрослости», той безнадежной ее стороны, которая и дает «страшность».

Ничего этого, конечно, тогда не думалось, а просто чувствовалось.

Не помню, о чем мы в первое это свидание говорили. Но говорили так, что уж ясно было: еще увидимся, непременно.

Кажется, к концу визита Блока пришел Мережковский.

***

В эти годы Блока я помню почти постоянно. На религ.-философских собраниях он как будто не бывал или случайно, может быть (там все бывали). Но он был с самого зарождения журнала «Новый путь». В этом журнале была впервые напечатана целая серия его стихов о Прекрасной Даме. Очень помогал он мне и в критической части журнала. Чуть не в каждую книжку давал какую-нибудь рецензию или статейку: о Вячеславе Иванове, о новом издании Вл. Соловьева... Стоило бы просмотреть старые журналы.

Но и до начала «Нового пути» мы уже были так дружны, что летом 1902 года, когда он уезжал в свое Шахматово (подмосковное именьице, где он потом жил подолгу и любовно устраивал дом, сам работая), мы все время переписывались. Поздней же осенью он приехал к нам на несколько дней в Лугу.

Дача у нас была пустынная, дни стояли, после дождливого лета, ярко-хрустальные, очень холодные.

Мы бродим по перелеску, кругом желтое золото, алость сентябрьская, ручей журчит во мхах, и такой — даже на вид холодный, хоть и солнце в нем отражается. О чем-то говорим — может быть, о журнале, может быть, о чем-то совсем другом... вряд ли о стихах.

Никакие мои разговоры с Блоком невозможно передать. Надо знать Блока, чтобы это стало понятно. Он, во-первых, всегда, будучи с вами, еще был где-то — я думаю, что лишь очень невнимательные люди могли этого не замечать. А во-вторых, каждое из его медленных, скупых слов казалось таким тяжелым, так оно было чем-то перегружено, что слово легкое или даже много легких слов не годились в ответ.

Можно было, конечно, говорить «мимо» друг друга, в двух разных линиях; многие, при мне, так и говорили с Блоком, — даже о «возвышенных» вещах; но у меня, при самом простом разговоре, невольно являлся особый язык: м е ж д у словами и о к о л о них лежало гораздо больше, чем в самом слове и его прямом значении. Главное, важное никогда не говорилось. Считалось, что оно — «несказанно».

Сознаюсь, иногда это «несказанное» (любимое слово Блока) меня раздражало. Являлось почти грубое желание все перевернуть, прорвать туманные покровы, привести к прямым и ясным линиям, впасть чуть не в геометрию. Притянуть «несказанное» за уши и поставить его на землю. В таком восстании была своя правда, но... не для Блока. Не для того раннего Блока, о котором говорю сейчас.

Невозможно сказать, чтобы он не имел отношения к реальности; еще менее, что он «не умен». А между тем все называемое нами философией, логикой, метафизикой, даже религией — отскакивало от него, не прилагалось к нему. Ученик и поклонник Владимира Соловьева, Блок весь был обращен к туманно-зыбкому провидению своего учителя: к его стихам, где появляется «Она», «Дева радужных ворот». Христианство Вл. Соловьева не коснулось Блока. В то время как Вл. Соловьев, для которого христианство и служило истоком его «провидений», мог безбоязненно перепрыгивать из одного порядка в другой, мог в «Трех Встречах» — самой «несказанной» из поэм — вдруг написать, захохотав, строчку: «Володенька, да как же ты глюпа!» — Блок не умел этого. «Она» или сияла ему ровным невечерним светом, или проваливалась, вместе с ним, в бездну, где уж не до невинных улыбок над собой.

***

Чем дальше, тем все яснее проступала для меня одна черта в Блоке, — двойная: его т р а г и ч н о с т ь, во-первых, и, во-вторых, его какая-то н е з а щ и щ е н н о с т ь... от чего? Да от всего: от самого себя, от других людей, от жизни и от смерти.

Но как раз в этой трагичности и незащищенности лежала и главная притягательность Блока. Немногие, конечно, понимали это, но все равно привлекались и не понимая.

Мои внутренние восстания на блоковскую «несказанность», тяжелым облаком его обнявшую и связавшую, были инстинктивным желанием, чтобы нашел он себе какую-нибудь защиту, схватился за какое-нибудь человеческое оружие. Но для этого надо было в свое время повзрослеть. Взрослость же — не безнадежная, всеубивающая, о которой говорилось выше, но необходимая взрослость каждого человека — не приходила к Блоку. Он оставался — при редкостной глубине — за чертой «ответственности».

Знал ли он сам об этом? Знал ли о трагичности своей и незащищенности? Вероятно, знал. Во всяком случае, чувствовал он их — и предчувствовал, что они готовят ему, — в полную силу.

***

Блок, я думаю, и сам хотел «воплотиться». Он подходил, приникал к жизни, но когда думал, что входит в нее, соединяется с нею, — она отвечала ему гримасами.

Я, впрочем, не знаю, как он подходил, с какими усилиями. Я пишу только о Блоке, которого видели мои собственные глаза.

А мы с ним даже и не говорили почти никогда друг о друге — о нашей человеческой жизни. Особенно в первые годы нашей дружбы. Во всяком случае, не говорили о фактах прямо, а лишь «около» них.

Мне была известна, конечно, общая биография Блока, то, что его родители в разводе, что он живет с матерью и отчимом, что отец его — в прибалтийском крае, а сестру, оставшуюся с отцом, Блок почти не знает. Но я не помню, когда и как мне это стало известно. Отражения фактов в блоковской душе мне были известнее самих фактов.

Мы засиделись однажды — над корректурой или над другой какой-то работой по журналу — очень поздно. Так поздно, что белая майская ночь давно промелькнула. Солнце взошло и стояло, маленькое и бледное, уже довольно высоко. Но улицы, им облитые, были совершенно пусты: город спал, ведь была глубокая ночь.

Я люблю эти солнечные часы ночного затишья, светлую жуть мертвого Петербурга (какое страшное в ней было предсказание!).

Я говорю Блоку:

— Знаете? Пойдемте гулять.

И вот мы уже внизу, на серых, скрипящих весенней пылью плитах тротуара. Улицы прямы, прямы, тишина, где-то за забором поет петух... Мы точно одни в целом городе, в нашем, нам милом. Он кажется мертвым, но мы знаем — он только спит...

Опять не помню, о чем мы говорили. Помню только, что нам было весело и разговор был легкий, как редко с Блоком.

Уже возвращаясь, почти у моей двери, куда он меня проводил, я почему-то спрашиваю его:

— А вы как думаете, вы женитесь, Александр Александрович?

Он неожиданно быстро ответил:

— Да. Думаю, что женюсь.

И прибавил еще: '

— Очень думаю.

Это все, но для меня это было так ясно, как если бы другой весь вечер говорил мне о своей вот-вот предстоящей свадьбе. На мой вопрос кому-то:

— Вы знаете, что Блок женится?

Ответ был очень спокойный:

— Да, на Любочке Менделеевой. Как же, я знал ее еще девочкой, толстушка такая.

***

В это лето мы с Блоком не переписывались. Осенью кто-то рассказал мне, что Блок, женившись, уехал в Шахматово, что жена его какая-то удивительная прелесть, что у них в Шахматове долго гостили Боря Бугаев и Сережа Соловьев (сын Михаила и Ольги Соловьевых).

Всю последующую зиму обстоятельства так сложились, что Блок почти не появлялся на нашем горизонте. Журнал продолжался (р.-ф. собрания были запрещены свыше), но личное горе, постигшее меня в начале зимы, приостановило мою работу в нем на некоторое время. У нас не бывал никто — изредка молодежь, ближайшие сотрудники журнала, — все, впрочем, друзья Блока.

Помнится как-то, что был и он. Да, был — в первый раз после своей женитьбы. Он мне показался абсолютно таким же, ни на йоту не переменившимся. Немного мягче, но, может быть, просто мы обрадовались друг другу. Он мне принес стихи, и стихи были те же, блоковские, полные той же прелестью, говорящие о той же Прекрасной Даме.

И разговор наш был такой же; только один у меня вырвался прямой вопрос, совсем ненужный, в сущности:

— Не правда ли, ведь, говоря о Ней, вы никогда не думаете, не можете думать ни о какой реальной женщине?

Он даже глаза опустил, точно стыдясь, что я могу предлагать такие вопросы:

— Ну конечно нет, никогда.

И мне стало стыдно. Такой опасности для Блока, и женившегося, не могло существовать. В чем я его подозреваю! Надо же было видеть, что женитьба изменила его… пожалуй, даже слишком мало.

При прощании:

— Вы не хотите меня познакомить с вашей женой?

— Нет. Не хочу. Совсем не надо.

Мне не хотелось бы касаться никого из друзей Блока: только одного его друга (и бывшего моего) — Бориса Бугаева — «Андрея Белого» — обойти молчанием невозможно.

Он не умер. Для меня, для многих русских людей он как бы давно умер. Но это все равно. О живых или о мертвых говоришь — важно говорить правду. И о живых и о мертвых, одинаково, нельзя сказать всей **ф а к т и ч е с к о й** правды. О чем-то нужно умолчать, и о худом, и о хорошем.

Об Андрее Белом, специально, мне даже и охоты нет писать. Я возьму прежнего Борю Бугаева, каким он был в те времена, и лишь постольку, поскольку того требует история моих встреч с Блоком.

Трудно представить себе два существа более противоположные, нежели Боря Бугаев и Блок. Их различие было до грубости ярко, кидалось в глаза; тайное сходство, нить, связывающая их, не так легко угадывалась и не очень поддавалась определению.

С Борей Бугаевым познакомились мы приблизительно тогда же, когда и с Блоком (когда, вероятно, и Блок с ним познакомился). И хотя Б. Бугаев жил в Москве, куда мы попадали не часто, а Блок в Петербурге, отношения наши с первым были внешне ближе, не то дружественнее, не то фамильярнее.

Я беру Б. Бугаева в сфере Блока, а потому и не останавливаюсь на наших отношениях. Указываю лишь на разность этих двух людей. Если Борю иначе как Борей трудно было называть — Блока и в голову бы не пришло звать «Сашей».

Серьезный, особенно-неподвижный Блок — и весь извивающийся, всегда танцующий Боря. Скупые, тяжелые, глухие слова Блока — и бесконечно льющиеся, водопадные речи Бори, с жестами, с лицом вечно меняющимся — почти до гримас: он то улыбается, то презабавно и премило хмурит брови и скашивает глаза. Блок долго молчит, если его спросишь; потом скажет «да». Или «нет». Боря на все ответит непременно: «Да-да-да»... и тотчас унесется в пространство на крыльях тысячи слов. Блок весь твердый, точно деревянный или каменный, — Боря весь мягкий, сладкий, ласковый. У Блока и волосы темные, пышные, лежат, однако, тяжело. У Бори — они легче пуха, и желтенькие, точно у едва вылупившегося цыпленка.

Это внешность. А вот чуть-чуть поглубже. Блок, — в нем чувствовали это и друзья и недруги, — был необыкновенно, исключительно правдив. Может быть, фактически он и лгал кому-нибудь когда-нибудь, не знаю: знаю только, что вся его материя была правдивая, от него, так сказать, несло правдой. (Кажется, мы даже раз говорили с ним об этом.) Может быть, и косноязычие его, тяжелословие, происходило отчасти благодаря этой природной правдивости. Ведь Блока, я думаю, никогда не покидало сознание, или ощущение, очень прозрачное для собеседника, — что он н и ч е г о н е п о н и м а е т. Смотрит, видит, и во всем для него, и в нем для всего — недосказанность, неконченность, темность. Очень трудно передать это мучительное чувство. Смотрит и не видит, потому что вот того не понимает, чего, кажется, не понимать и значит н и ч е г о н е п о н и м а т ь.

Когда это постоянное состояние Блока выступало особенно резко, мне думалось: а вдруг и все «ничего не понимают» и редкостность Блока лишь в том, что он с непрерывностью чувствует, что ничего «не понимает», а все другие — не чувствуют?

Во всяком случае, с Борей такие мысли в голову не приходили. Он говорил слишком много, слишком остро, оригинально, глубоко, затейно, подчас прямо блестяще. О, не только понимает — он даже переперепонял... все. Говорю это без малейшей улыбки. Я не отказываюсь от одной своей заметки в «Речи» — она называлась, кажется, «Белая Стрела». Б. Бугаев не гений, гением быть и не мог, а какие-то искры гениальности в нем зажигались, стрелы гениальности, неизвестно откуда летящие, куда уходящие, в него попадали. Но он всегда оставался их пассивным объектом.

Это не мешало ему самому быть, в противоположность правдивому Блоку, исключительно неправдивым. И что всего удивительнее — он оставался при том искренним. Но опять чувствовалась иная материя, разная природа. Блок по существу был в е р е н. «Ты, Петр, камень»... А уж если не верен — так срывается с грохотом в такие тартарары, что и костей не соберешь. Срываться, однако, должен — ведь «ничего не понимает»...

Боря Бугаев, — весь легкий, легкий, как пух собственных волос в юности, — он, танцуя, перелетит, кажется, всякие «тарары». Ему точно предназначено их перелетать, над ними танцевать — туда, сюда... направо, налево... вверх, вниз...

Боря Бугаев — воплощенная неверность. Такова его природа.

***

Что же связывало эти два, столь различные, существа? Какая была между ними схожесть?

Она была. Опять не коснусь «искусства», того, что оба они — поэты, писатели. Я говорю не о литературе, только о людях и о их душах, еще вернее — о их образах.

Прежде всего, они, Блок и Бугаев, люди одного и того же поколения (может быть, «полупоколения»), оба неисцелимо «невзрослые». В человеке зрелом, если он человек не безнадежно плоский, остается, конечно, что-то от ребенка. Но Блок и Бугаев — это совсем не то. Они оба не имели зрелости, и, чем больше времени проходило, тем яснее было, что они ее и не достигнут. Не разрушали впечатления невзрослости ни серьезность Блока, ни громадная эрудиция Бугаева. Это все было вместо зрелости, но отнюдь не она сама.

Стороны ч и с т о детские у них были у обоих, но разные: из Блока смотрел ребенок задумчивый, упрямый, испуганный, очутившийся один в незнакомом месте; в Боре сидел баловень, фантаст, капризник, беззаконник, то наивный, то наивничающий.

Блок мало знал свою детскость; Боря знал отлично и подчеркивал ее, играл ею.

Оба они, хотя несколько по-разному, были безвольны. Над обоими властвовал рок. Но если в Блоке чувствовался трагизм — Боря был драматичен и, в худшем случае, мелодраматичен.

На взгляд грубый, сторонний, и Блок, и Бугаев казались, скажем прямо, людьми «ненормальными». И с той же грубостью толпа извиняла им «ненормальность» за их «талант», за то, что они «поэты». Тут все, конечно, с начала до конца —

оскорбительно. И признание «ненормальности», и прощение за «поэзию». Что требовать с внешних? Беда в том, что этот взгляд незаметно воспринимался самими поэтами и писателями данного поколения, многими и многими (я не говорю тут собственно о Блоке и Бугаеве). Понемногу сами «служители искусства» привыкли оправдывать и безволие, и невзрослость свою — именно причастностью к «искусству». Не видели, что отходят от жизни, становятся просто забавниками, развлекателями толпы, все им за это снисходительно позволяющей...

Впрочем, я отвлекаюсь. Вернемся к рассказу.

Весной 1904 года мы ездили за границу. Останавливались в Москве (мы тогда были в Ясной Поляне), конечно, видели Бугаева, хотя особенно точно я этого свидания не помню. Знаю лишь, что с Блоком в то время Бугаев уже был очень близок (а равно и молодой С. Соловьев).

Началом их близости было, помимо прочего, конечно, и то, что Бугаев считал себя не меньшим последователем Влад. Соловьева, чем Блок. Чуждый всякой философии и метафизики, Блок был чужд, как упомянуто выше, и подосновы В. Соловьева — христианства. Он принимал его в «несказанном». Напротив, Бугаев только и говорил что о христианстве, с христианами преимущественно. К метафизике и философии он имел большое пристрастие, хотя я не думаю, чтобы с Блоком он развивал свои философские теории. Надо сказать правду: Бугаев умел находить с каждым его язык и его тему.

Мы были с ним уже так хороши, что условились: Боря в Петербурге, куда он вознамерился приезжать часто, останавливается у нас.

Общие события лета и осени 1904 года памятны всем; убийство Плеве, «весна» Святополка-Мирского — банкеты... У нас были свои частные события: привлечение в журнал «Новый путь» так называемых «идеалистов» (Булгакова, Бердяева и др.).

Я не пишу воспоминаний этого времени, а потому скажу вскользь: «Новый путь», по многим причинам разнообразного характера, мы решили 1904 годом закончить, и, конечно, желательнее было его кому-нибудь передать. Одна из причин была та, что мы хотели уехать года на три за границу. Срока отъезда мы, впрочем, не назначали, и, если б удалось, привлечением новых людей к журналу, перестроить его так, как того требовало время (не изменяя, однако, его основ), мы рады были бы его продолжать. Короче и яснее — «Новый путь», журнал религиозный, был слишком индивидуалистичен: ему недоставало струи общественной. «Идеализм» группы Булгакова — Бердяева был тем мостом, по которому эта группа вчерашних чистых общественников (эс-деков) переходила к религии — может быть, сама еще того не зная... (Будущее показало, что мы угадали верно, — в общем. Всем известно, как далеко, в последующие годы, ушли в сторону религии Булгаков и Бердяев и как скоро мосты за ними были сожжены.)

Надежды наши оправдались не вполне. Идеалисты вошли в «Новый путь», но при самом соединении было ясно, что для совместной работы еще не настал момент: они — еще слишком «эс-деки», мы — еще слишком индивидуалисты.

И, фактически, уже к концу года журнал был передан им, с тем чтобы далее он, переименовавшись в «Вопросы жизни», продолжался без нашего участия. Естественно, изменялся и состав сотрудников. Это было решено полюбовно, хотя не могу не сказать, что у нас было больше доброй воли к соединению и уступкам. Но привычное недоверие чистых общественников к людям искусства, да еще с уклоном к христианству (не привычно ли «религия-реакция»?), не удивило нас и в «идеалистах».

Секретарь журнала, Чулков оставался секретарем и в «Вопросах жизни». Он уже и при конце «Нов. пути» перешел всецело на сторону новой группы. С ним и с Булгаковым у меня было — в декабре, кажется, — единственное журнальное столкновение, очень характерное для наших взаимоотношений и показательное для тогдашнего положения Блока. Ибо оно вышло как раз из-за моей статьи о Блоке, первой, кажется. Она была, конечно, о его стихах. И вот Чулков и Булгаков дали мне понять, что тема недостаточно общественна, а Блок недостаточно замечателен, и статейка моя, при новом облике журнала, не может пойти. Признаюсь, эта нелепость меня тогда раздосадовала, и правдами и неправдами заметку удалось напечатать. Все-таки это был еще «Новый путь»! В «Вопросы жизни» мы больше ни с чем не ходили, конечно, хотя до конца оставались со всеми его участниками в самых дружеских отношениях, с Бердяевым в особенности.

Но не показательно ли это приключение с первой моей статьей о Блоке, чуть ли не одной из первых о нем вообще? Он писал четыре года. А в журналистике был так неизвестен, что и говорить о нем не считалось нужным!

Со всеми памятными датами тех времен у меня больше связывается образ Бугаева, чем Блока. Связывается внешне, ибо по странной случайности Боря, который стал часто ездить в Петербург и останавливался у нас, являлся непременно в какой-нибудь знаменательный день. Было ли это 9 января или 17 октября, или еще что-нибудь вроде (в самый последний раз, увы, тоже случилось 1—2—3 марта 1917 г.) — помню обязательно ту же гибкую фигуру Бори, изумленно-косящие голубые глаза, слышу его своеобразные речи, меткие и детские словечки... Боря все видел, везде был, все понял — по-своему, конечно, и в его восторженность вплетается ирония.

Наезжая в Петербург, Боря постоянно бывал у Блока. Рассказывал ли мне он о Блоке? Вероятно. Однако я не помню, чтоб он говорил мне о том, как отражаются на Блоке события. Раз он мне прочел (или показал) новое стихотворение Блока, где рифмовалось «ниц» и «царицу». Стихотворение было хорошее, но рифма меня не очаровала.

— Вам нравится, Боря, это «цариц-у»?

Он неистово захохотал, подпрыгнул, чуть ли в ладоши не захлопал:

— Да, да, это именно у-у-у! Как тут нравиться, когда цариц-У-у-у!

Вот в таких пустяках являлся тогда Блок между нами.

***

Зима 1905–1906 года — последняя зима перед нашим отъездом за границу надолго — памятна мне, в конце, частыми свиданиями уже не с Блоком только, но с ним и с его женой. Как случилось наше знакомство — не знаю, но помню часто их всех троих у нас (Боря опять приехал в Москву), даже ярче всего помню эту красивую, статную, крупную женщину, прелестную тем играющим светом, которым она тогда светилась.

В феврале мы уехали, расставшись со всеми очень дружески, даже нежно.

Но по каким-то причинам, неуловимым — и понятным, ни с кем из них, даже с Борей, у меня переписки не было. Так, точно оборвалось.

***

Со сведениями о России много, конечно, приходило к нам и вестей о Блоке. С одной стороны — о его общественных выступлениях, участии в газете А. Тырковой, очень недолгом, правда, и окончившемся как-то неожиданно. С другой — известия о внезапной его чуть не славе в буйно завившейся после революции литературной среде — театр Комиссаржевской, Балаганчик...

Но все это смутно, из вторых, третьих рук.

И только однажды, на несколько месяцев, Блок выступил из тумана. По крайней мере, имя его стало у нас постоянно повторяться.

Кто-то позвонил к нам, днем.

«Monsieur»... не понимаю имени. Выхожу в переднюю. Там стоит, прислонившись к стене, в немецкой черной пелерине, — и в самом несчастном виде, — Боря Бугаев.

Явление весьма неожиданное в нашей парижской квартире.

Оказалось, что Боря уже давно странствует за границей. Не понять было сразу, как, что, зачем, почему. Шатался — именно шатался — по Германии. Вывез оттуда гетры, пелерину и трубку. Теперь приехал в Париж. Вид имел не улыбающийся, растерянный. Сказал, однако, что намерен остаться в Париже на неопределенное время.

И остался. Жить в нашей, парижской квартире было негде, и он поселился недалеко, в маленьком пансиончике, — мы видались, конечно, всякий день.

Скажу в скобках, что в этом пансиончике он ежедневно завтракал... с Жоресом! И в конце концов они познакомились, даже вели постоянные долгие разговоры. Боже мой, о чем? Но воистину не было человека, с которым не умел бы вести долгих разговоров Боря Бугаев!

***

Об этих месяцах с Борей в Париже, о наших прогулках по городу и беседах не стоило бы здесь говорить, если бы темой этих бесед не был, почти постоянно, Блок.

Мой интерес к Блоку, в сущности, не ослабевал никогда. Мне было приятно как бы вызывать его присутствие (человек, о котором думаешь или говоришь, всегда немного присутствует). То, что Боря, вчерашний страстный друг Блока, был сегодня его таким же страстным врагом, не имело никакого значения.

Да, никакого, хотя я, может быть, не сумею объяснить почему. Надо знать Борю Бугаева, чтобы видеть, до какой степени легки повороты его души. Сама вертится; и это его душа вертится, туда-сюда, совсем неожиданно, — а ведь Блок тут ни при чем. Блок остается, как был, неизменяемым.

Надо знать Борю Бугаева, понимать его, чтобы не обращать никакого внимания на его отношение к человеку в данную минуту. Вот он говорит, что любит кого-нибудь; с блеском и проникновением рисует он образ этого человека; а я уже знаю, что завтра он его же будет ненавидеть до кровомщения, до желания убить… или написать на него пасквиль; с блеском нарисует его образ темными красками… Какое же это имеет значение, если, конечно, думать не о Бугаеве, а о том, на кого направлены стрелы его любви или ненависти?

Как бы то ни было, эти месяцы мы прожили, благодаря Бугаеву, в атмосфере Блока. И хотя отношение мое к Бугаеву самое было доброе, на мне нет участия греха в мгновенной перемене его к Блоку. Боря ведь и мой был «друг»… такой же всегда потенциально-предательский. Он — Боря Бугаев.

А Блок, сделавшись более понятным со всех сторон, сделался мне ближе. Опять думалось: какие разные люди эти два «друга», два русских поэта, оба одного и того же поколения и, может быть, связанные одной и той же — неизвестной — судьбой...

***

Снова Петербург. Та же комната, та же лампа на столике, отделяющем мою кушетку от кресла, где сидит тот же Блок.

Как будто и не было этих годов... Нет, нет, как будто прошло не три года, а три десятилетия.

Лишь понемногу я нахожу в Блоке старое, неизменное, неизменяемое. По внешности он изменился мало. Но при первых встречах чувствовалось, что мы еще идем друг к другу издалека, еще не совсем узнаем друг друга. Кое-что забылось. Многое не знается. Мы жили — разным.

Скоро вспомнилась инстинктивная необходимость говорить с Блоком особым языком — о к о л о слов. Тут неизменность. Стал ли Блок «взрослым»? У него есть как будто новые выражения и суждения — «общие»... Нет, и это лишь внешность. Так же мучительно-задумчивы и медленны его речи. А каменное лицо этого ныне такого известного и любимого поэта еще каменнее; на нем печать удивленного, недоброго утомления. И одиночества, не смиренного, но и не буйного, — только трагичного.

Впрочем, порою что-то в нем новое настойчиво горело и волновалось, хотело вырваться в слова — и не могло, и тогда глаза его делались недоуменно, по-детски, огорченными.

Блок читает мпс свою драму, самую — до сих пор! — неизвестную вещь из своих произведений. (Не помню ее ни в печати, ни на сцене.) По тогдашнему моему впечатлению — она очень хороша, несмотря на неровность, условность, порою дикость. Его позднейшая пьеса, «Роза и Крест», — какая сравнительно слабая и узкая!

Эта — в прозе. Заглавия не помню, — мы, говоря о ней, называли ее «Фаиной», по имени героини. Блок читает, как говорит: глухо, однотонно. И это дает своеобразную силу его чтению.

Очень «блоковская вещь». Чем дальше слушаю, тем ярче вспоминаю прежнего, юного, вечного Блока. Фаина? Вовсе не Фаина, а все та же Прекрасная Дама, Она, Дева радужных ворот, никогда — земная женщина.

> Ты в поля отошла без возврата,
> Да святится Имя твое...

Нет, не без возврата...

...года проходят мимо.
Предчувствую: изменишь облик Ты.

Я говорю невольно:

— Александр Александрович. Но ведь это же не Фаина. Ведь это опять Она.

— Да.

Еще несколько страниц, конец, и я опять говорю, изумленно и уверенно:

— И ведь Она, Прекрасная Дама, ведь Она — Россия!

И опять он отвечает так же просто:

— Да. Россия... Может быть, Россия. Да.

Вот это и было в нем, в Блоке, новое, по-своему глубоко и мучительно оформившееся, или полуоформившееся. Налетная послереволюционная «общественность» на нем не держалась. В разговорах за столом, при других, он произносил какие-то слова, «как все», и, однако, не был «как все», и с нашими тогдашними настроениями, довольно крайними, совсем не гармонировал.

Наедине с ним становилось понятней: он свое, для себя вырастил в душе. Свою Россию, — и ее полюбил, и любовь свою полюбил — «несказанную».

**

Блок был нездоров. Мы поехали к нему как-то вечером в маленькую его квартирку на Галерной.

Сжато, уютно, просто; много книг. Сам Блок дома сжатый и простой. Л. Д., жена его, очень изменилась. Такая же красивая, крупная, — слишком крупная для маленьких комнат, маленького чайного стола, — все-таки была не та. В ней погас играющий свет, а от него шла ее главная прелесть.

Мы знали, что за эти годы она увлеклась театром, много работала, ездила по России с частной труппой. Но, повторяю, не это ее изменяло, да и каботинка в ней, такой спокойной, не чувствовалась.

В ней и свет был, но другой, не тот, не прежний, и очень вся она была иная.

Помнилась и она, однако, такой, как была перед отъездом нашим, и хотелось с ними обоими найти хоть какую-нибудь жизненную или общественную связь. Надо сказать, что за время нашего отсутствия в Петербурге создалось (из остатков прежних религ.-философских собраний) целое Р.-ф. общество, официально разрешенное. Мы в нем принимали, конечно, участие, это был как раз «сезон о Боге», когда начались наши столкновения с эсдеками (эсдеки и выдумали нелепое разделение на «богостроителей» и «богоискателей»). Но Общество, многолюдное и чисто интеллигентское, не удовлетворяло нас. И мы вздумали создать секцию, нечто более интимное, но в то же время и более широкое по задачам. Чтобы обойти цензуру, назвали секцию секцией «по изучению истории религий». Непременно хотелось привлечь в эту секцию обоих Блоков. Блок несколько раз приходил к нам, когда создавалась секция, был чуть ли не одним из ее «учредителей».

Однако, после нескольких заседаний, и он, и жена его — исчезли. Да так, что и к нам Блок перестал ходить.

Встречаю где-то Л. Д-ну.

— Отчего вас не видно на Гагаринской? (Там собиралась секция.) Надоело? Заняты?

Ответ получаю наивно-прямой, который сам Блок не дал бы, конечно: на Гагаринской говорят о том, что... должно быть «несказанно».

В наивном ответе была тень безнадежной правды; и мы поняли, что ни в каких «секциях», даже самых совершенных, Блок бывать не будет и бывать не может.

***

В эти годы, такие внешне шумные, порою суетливые, такие внутренне трудные, тяжелые и сосредоточенные, я помню Блока все время около нас, но не с нами; не в нашей жизни — а близ нее. У меня была потребность видеть его; очевидно, была она и у него, — он приходил часто. Но всегда один и тогда, когда мы бывали одни. Приходил надолго; мы засиживались с ним — иногда и наедине — до поздней ночи. Читал мне свое или просто говорили... о чем? Не о стихах, не о людях, не о нем, — а то, пожалуй, и о стихах, и о людях, и о нем, в особом аспекте, как Эber die letzten Dinge — как «о самых важных, последних вещах» — около них, разумеется.

Нам, конечно, известно было то, что говорили о Блоке: говорили, что он «кутит»... нет, что он пьет, уходя один, пропадая по целым ночам... Удивлялись: один! Точно это было удивительно. Неудивительно; а если важно — то не само по себе, а вот то, что тут опять и блоковское одиночество, трагичность — и «незащищенность»... от рока, от трагедии?

Между нами разговора об этом не было. Да и зачем? Были его стихи.

Еще менее, чем о нем, говорили мы обо мне. Никогда, кажется, слова не сказали. Раз он пришел — на столе лежала рукопись второй книжки моих стихов, приготовленная к печати. Блок стал смотреть ее очень внимательно (хотя все стихи он уже знал давно).

Я говорю:

— Хотите, А. А.? Выберите, какие вам больше нравятся, я вам их посвящу.

— Можно? Очень хочу.

Долго сидел за столом. Выбрал несколько одно за другим. Выбрал хорошие или плохие — не знаю, во всяком случае, те, которые мне были дороже других.

**

А вот полоса, когда я помню Блока простого, человечного; с небывало светлым лицом. Вообще — не помню его улыбки; если и была — то скользящая, незаметная. А в этот период помню именно улыбку, озабоченную и нежную. И голос точно другой, теплее.

Это было, когда он ждал своего ребенка, а больше всего — в первые дни после его рождения.

Случилось, и довольно неожиданно (ведь мы реальной жизнью мало были связаны), что в эти серьезные для Блока дни мы его постоянно видели, он все время приходил. Не знаю, кто о жене его заботился и были ли там чьи-нибудь понимающие заботы (говорил кто-то после, что не было). Мы едва мельком слышали, что она ожидает ребенка. Раз Блок пришел и рассказал, что ей вдруг стало дурно и он отвез ее в лечебницу. «И что же?» — спрашиваем. «Ничего, ей теперь лучше».

День за день; наступили необыкновенно трудные роды. Почему-то я помню ночные телефоны Блока из лечебницы. Наконец однажды, поздно, известие: родился мальчик.

Почти все последующие дни Блок сидел у нас вот с этим светлым лицом, с улыбкой. Ребенок был слаб, отравлен, но Блок не верил, что он умрет: «он такой большой». Выбрал имя ему — Дмитрий, в честь Менделеева.

У нас в столовой, за чаем, Блок молчит, смотрит не по-своему, светло — и рассеянно.

— О чем вы думаете?

— Да вот... Как его теперь... Митьку... воспитывать?..

Митька этот бедный умер на восьмой или на десятый день.

Блок подробно, прилежно рассказывал, объяснял, почему он не мог жить, должен был умереть. Просто очень рассказывал, но лицо у него было растерянное, не верящее, потемневшее сразу, испуганно-изумленное.

Еще пришел несколько раз, потом пропал.

Уже спустя долгое время, когда Л. Д. совсем поправилась, они приехали к нам оба, прощаться: уезжают за границу. «Решили немножко отдохнуть, другие места повидать...»

У обоих лица были угасшие, и визит был ненужный, серый. Все казалось ненужным. Погасла какая-то надежда. Захлопнулась едва приоткрывшаяся дверь.

Может быть, кто-нибудь удивится, не поймет меня: какая надежда для Блока в ребенке? Блок — отец семейства! Он поэт, он вечный рыцарь, и если действительно был «невзрослым», то не прекрасно ли это — вечный юноша? Останься сын его жив, — что дал бы он поэту? Кое-что это отняло бы скорее; замкнуло бы, пожалуй, в семейный круг...

Трудно отвечать на размышления такого порядка. Скажу, впрочем, одно: Блок сам инстинктивно чувствовал, что может дать ему ребенок и как ему это нужно. А мог он ему дать кровную связь с жизнью и о т в е т с т в е н н о с т ь.

При всей значительности Блока, при его внутренней человеческой замечательности, при отнюдь не легкой, но тяжелой и страдающей душе, я повторяю, он был б е з о т в е т с т в е н е н. «Невзрослость» его — это нечто совсем другое, нежели естественная, полная сил светлая юность; а это вечное хождение о к о л о жизни? а это бескрайнее, безвыходное одиночество? В ребенке Блок почуял возможность прикоснуться к жизни с тихой лаской; возможность, что жизнь не ответит ему гримасой, как всегда. Не в отцовстве тут было дело: именно в новом чувстве ответственности, которое одно могло д о в е р ш и т ь его как человека.

Сознавал ли это Блок так ясно, так грубо, как я сейчас пишу? Нет, конечно. Но весь просветлел от одной надежды. И когда она погасла — погас и он.

Вернулся в свою муку «ничегонепониманья», еще увеличившуюся, ибо он не понимал и этого: зачем была дана надежда и зачем была отнята.

***

Своеобразность Блока мешает определять его обычными словами. Сказать, что он был у м е н, так же неверно, как вопиюще неверно сказать, что он был глуп. Не эрудит — он любил книгу и был очень серьезно образован. Не метафизик, не философ — он очень любил историю, умел ее изучать, иногда предавался ей со страстью. Но, повторяю, все в нем было своеобразно, угловато, — и неожиданно. Вопросы общественные стояли тогда особенно остро. Был ли он вне их? Конечно, его считали аполитичным и — готовы были все простить ему «за поэзию». Но он, находясь вне многих интеллигентских группировок, имел, однако, свои собственные мнения. Неопределенные в общем, резкие в частностях.

Столкновения, которые когда-либо происходили между нами и Блоком, были только на этой почве. Мимолетные, правда: ведь общих дел у нас не было, приходил он к нам один, да и касаться этих вопросов мы избегали. Но подчас столкновения были резкие. Не помню их ясно; о последнем, главном, речь впереди.

Иногда Блок совершенно исчезал. Возвращаясь раз в ярко-солнечный вечер, мы заехали к нему.

Светлая, как фонарик, вся белая квартирка в новом доме на Каменноостровском. Как непохожа на ту, на Галерной!

Нас встретила его жена. А Блок еще спал... Вернулся поздно, как дала нам понять Л. Д., — только утром. Через несколько времени он вышел. Бледный, тихий, каменный, как никогда. Мы посидели недолго. Было темно в светлой, словно фонарь, квартирке.

На возвратном пути опять вспомнился мне — вечно пребывающий, вечно изменяющийся облик Прекрасной Дамы:

> По вечерам, над ресторанами
> Горячий воздух дик и глух,
> И правит окриками пьяными
> Весенний и тлетворный дух.
>
> . . . .
>
> И каждый вечер, в час назначенный
> (Иль это только снится мне?)
> Девичий стан, шелками схваченный,
> В туманном движется окне.
>
> И медленно пройдя меж пьяными,
> Всегда без спутников, одна,
> Дыша духами и туманами,
> Она садится у окна.
>
> И веют древними поверьями
> Ее упругие шелка,
> И шляпа с траурными перьями,
> И в кольцах узкая рука...
>
> . . . .

В моей душе лежит сокровище
И ключ поручен только мне.
Ты право, пьяное чудовище!
Я знаю: истина в вине.

«Незнакомка» всем известна; но кто понял это стихотворение до дна? А вот две строки из другого, строки страшные и пророческие:

О, как паду, и горестно, и низко,
Не одолев смертельные мечты!

Ужас предчувствия: «изменишь облик Ты» — исполнялся, но еще далеко было до исполнения. «Она» в черном, не в белом платье и не над вечерней рекой, не под радужными воротами, а «меж пьяными» — о, это еще не так страшно. Это еще не все.

**

Так как я пишу почти исключительно о том Блоке, которого видели мои глаза, то сами собой выпадают из повествования все рассказы о нем, о его жизни — правдивые или ложные, кто разберет?

Друг-враг его, Боря Бугаев (теперь уже окончательно Андрей Белый), давно, кажется, опять стал его «другом». Но я плохо знаю их новые отношения, потому что в последние годы перед войной редко виделись мы и с А. Белым: он женился на московской барышне (на сестре ее женился

Сергей Соловьев), долго путешествовал и, наконец, сделавшись яростным последователем д-ра Штейнера, поселился с женой у него в Швейцарии. Однажды, проездом в Финляндию (Штейнер тогда был в Гельсингфорсе), А. Белый явился к нам. Бритый, лысый (от золотого пуха и воспоминаний не осталось), он, однако, по существу, был тот же Боря: не ходил — а танцевал, садился на ковер, пресмешно и премило скашивал глаза, и так же водопадны были его речи — на этот раз исключительно о д-ре Штейнере и антропософии. А главное — чувствовалось, что он так же не отвечает за себя и свои речи, ни за один час не ручается, как раньше. И было скучно.

С Блоком в эти зимы у нас установились очень правильные и, пожалуй, близкие отношения. Приходил, как всегда, один. Если днем, — оставался обедать, уходил вечером.

Несколько раз являлся за стихами для каких-то изданий, в которых вдруг начинал принимать деятельное участие: «Любовь к трем апельсинам» или сборник «Сирин».

По моей стихотворной непродуктивности найти у меня стихи — дело нелегкое. Но Блоку отказывать не хотелось. И вот мы вместе принимались рыться в старых бумагах, отыскивая что-нибудь забытое. Если находили там (да если и в книжке моей), являлось новое затруднение: надо стихи переписывать. Тут Блок с немедленной самоотверженностью садился за мой стол и не вставал, не переписав всего, иногда больше, чем нужно; так, у меня случайно остался листок с одним очень старым моим, никогда не напечатанным стихотворением — «Песня о голоде», переписанным рукой Блока.

Блок уже издал «Розу и Крест», собирался ставить ее в Москве, у Станиславского. «Роза и Крест» обманула мои ожидания. Блок подробно рассказывал мне об этой пьесе, когда только что ее задумывал. В ней могло быть много пленительности и острой глубины. Но написанная — она оказалась слабее. Блок это знал, и со мной о пьесе не заговаривал. Мне и писать о ней не хотелось.

***

Каждую весну мы уезжали за границу; летом возвращались — но Блок уже был у себя в деревне. Иногда летом писал мне. А осенью опять начинались наши свиданья. В промежутках, если проходила неделя-две, мы разговаривали по телефону, — бесконечно, по целым часам. Медлительная речь Блока по телефону была еще медлительнее. Как вчера помню, на мое первое «allo!» его тяжелый голос в трубку: «здравствуйте», голос, который ни с чьим смешать было нельзя, и долгие, с паузами, речи. У меня рука уставала держать трубку, но никогда это не было болтовней, и никогда мне не было скучно. Мы спорили, порою забывая о разделяющем пространстве, о том, что не видим друг друга. И расставались, как после свиданья.

361

***

Война.

Трудно мне из воспоминаний об этих вихревых первых месяцах и годах выделить воспоминание о Блоке. Уж очень сложна стала жизнь. Война встряхнула русскую интеллигенцию, создала новые группировки и новые разделения.

Насколько помню, первое «свиданье» наше с Блоком после начала войны было телефонное. Не хотелось, да и нельзя было говорить по телефону о войне, и разговор скоро оборвался. Но меня удивил возбужденный голос Блока, одна его фраза: «ведь война — это прежде всего в е с е л о!»

Зная Блока, трудно было ожидать, что он отнесется к войне отрицательно; страшило скорее, что он увлечется войной, впадет в тот неумеренный военный жар, в который впали тогда многие из поэтов и писателей. Его «весело» уже смущало…

Однако, скажу сразу, этого с Блоком не случилось. Друга в нем непримиримые, конечно, не нашли. Ведь если на Блока наклеивать ярлык (а все ярлыки от него отставали), то все же ни с каким другим, кроме «черносотенного», к нему и подойти было нельзя. Это одно уже заставляло его «принимать» войну. Но от «упоения» войной его спасала «своя» любовь к России, даже не любовь, а какая-то жертвенная в нее влюбленность, беспредельная нежность. Рыцарское обожание… ведь она была для него, в то время, — Она, вечно облик меняющая «Прекрасная Дама»…

***

Мы стали видеться немного реже и, по молчаливому соглашению, избегали говорить о войне. Когда все-таки говорили, спорили. Но потом спор обрывался. Упирались, как в стену, в то, что одни называли блоковским «черносотенством», другие — его «аполитичностью».

Для меня — это была «трагедия безответственности». И лучше, думалось, этого не касаться...

Ранней весной должна была идти, в Александрийском театре, моя пьеса «Зеленое кольцо». (История ее постановки с Савиной, Мейерхольдом и т. д. сама по себе любопытна и характерна; но к Блоку отношения не имеет, и я ее опускаю.) Блок пьесу знал еще в рукописи. Она ему почему-то особенно нравилась.

Шли репетиции; ни на одну мне не удавалось попасть. Их назначали по утрам. Случайно единственную назначили вечером. Принесли извещение, когда у нас сидел Блок.

— Хотите поедемте вместе? — говорю ему.– Заезжайте за мною и назад привезите. Не хотите — пусть Мейерхольд обижается, не поеду.

— А меня не погонят? — с шутливой опаской спросил Блок и сейчас же согласился.

Был февраль. Еще холодно, не очень снежно. Едем в автомобиле по ровной, как стрела, Сергиевской — полутемной (война!). Я, кажется, убеждаю Блока не писать в «Лукоморье» (нововременский журнал). Потом переходим на театр. Я не верю в театр. Не должен ли он непременно искажать написанное?

363

— Вы были довольны, А. А., вашими пьесами у Комиссаржевской?

Блок молчит. Потом с твердостью произносит:

— Нет. Меня оскорбляло.

Кажется, и он не верит в театр.

В темной зале, невидные, мы просидели вместе с Блоком все акты (3-й, с Савиной, не репетировался). Конечно, чепуха. Привыкнув играть любовников, актеры не могли перевоплотиться в гимназистов. Когда один, перед поцелуем, неожиданным (по смыслу) для него самого, вдруг стал озираться, даже заглянул за портьеру, Блок прошептал мне: «Это уж какая-то порнография!»

Лучше других была Рощина-Инсарова. Но и она не удовлетворяла Блока. В первом перерыве он ей послал записочку: «С п р о с и т е   Б л о к а.   О н   в а м   х о р о ш о   с к а ж е т».

Кажется, они потом долго разговаривали.

Мейерхольд был в ударе. Собрал всех актеров в фойе, произнес горячую назидательную речь. И мы уехали с Блоком домой, пить чай.

***

Блок не пошел на войну. Зимой 15—16-го года он жил уединенно, много работал. У меня в эту зиму, по воскресеньям, собиралось много молодежи, самой юной, — больше всего поэтов: их внезапно расплодилось неистовое количество. Один приводил другого, другой еще двух и так далее, пока уж не пришлось подумать о некотором сокращении.

Иных присылал Блок; этим всегда было место. Блок интересовался моими сборищами и часто звонил по телефону в воскресенье вечером.

Приходил же, как всегда, когда не было никого. Раз случайно — днем — столкнулся у нас с Марьей Федоровной (женой Горького). Она у нас вообще не бывала; очевидно, дело какое-то оказалось, какой-нибудь сборник — не знаю. Мы иногда встречались с нею и с Горьким в эти зимы у разных людей (Горький заезжал и к нам — чуть ли не предлагал стихи мои издать, но мы это замяли).

Жена Горького, впоследствии усердная «комиссарша» совдепских театров, была пока что просто зрелых лет каботинка, на всех набегавшая, как беспокойная волна.

Вижу ее и Блока сидящими за чайным столом друг против друга. Пяти минут не прошло, как уж она на Блока набежала с какими-то весьма умеренными, но «эсдечными», — по Горькому, — мнениями.

Ей удавалось произнести слов 50—60, пока Блок успевал выговорить четыре. Это его, очевидно, раздражило, и слова, спокойные, становились, однако, все резче.

Марья Федоровна, без передышки, наскакивала и стрекотала: «Как вы можете не соглашаться, неужели вы не знаете положения, кроме того, общество... кроме того, правительство... цензура не позволяет... честные элементы... а она... они... их... оно...» Блок, словно деревянным молотком стучал, упрямо: «Так и надо. Так и надо».

С художественной точки зрения эта сцена была любопытна, однако мы вздохнули свободнее, когда она кончилась и Марья Федоровна уехала.

Уехала, но с Блока не сошло упрямство. Он и без нее продолжал твердить то же, в том же духе, ни на пядь не уступая. Доконала она, видно, его. Мы постарались совсем повернуть разговор. Не помню, удалось ли это.

***

Длинная статья Блока, напечатанная в виде предисловия к изданию сочинений Ап. Григорьева, до такой степени огорчила и пронзила меня, что показалось невозможным молчать. Статья была принципиальная, затрагивала вопрос очень современный и, на мой взгляд, важный: б е з о т в е т с т в е н н о с т и поэта, художника, писателя как человека. На примере Ап. Григорьева и В. Розанова Блок старался утвердить эту безответственность и с величайшей резкостью обрушивался как на старую интеллигенцию с ее «заветами», погубившую будто бы Ап. Григорьева (зачем осуждала бесшабашность и перекидничество его), так и на нетерпимость (?) новой, по отношению Розанова. Кстати, восхвалялись «Новое время» и Суворин-старик (этот типичнейший русский нигилист), не смотревший ни на гражданскую, ни на человеческую мораль Розанова.

Много чего еще было в статье Блока. И в ответной моей тоже (впоследствии напечатанной в сборнике «Огни») суть ее определялась эпиграфом:

Поэтом можешь ты не быть,
Но ч е л о в е к о м быть обязан.

Печатать статью, не прочтя ее раньше Блоку, мне и в голову, конечно, не приходило. Мы сговорились с ним — это было поздней весной 16-го года, — и он явился вечером — светлым, голубеющим, теплым; помню раскрытые низкие окна на Сергиевскую, на весенние деревья Таврического парка, за близкой решеткой.

Мне памятен этот вечер со всеми его случайностями. Когда мы еще сидели в столовой, в передней, рядом, позвонили и вбежала незнакомая заплаканная девушка. Бросилась ко мне, забормотала, всхлипывая:

— Защитите меня... Меня увозят, обманом... Вы написали «Зеленое кольцо»... вы поймете...

И вдруг, взглянув в открытую дверь столовой, вскрикнула:

— Вот у вас А. А. Блок... Он тоже защитит, поможет мне... Умоляю, не отдавайте меня ему...

Блок вышел в переднюю. Мы стояли с ним оба беспомощные, ничего не понимая. Девушка, неизвестная и Блоку, была явно нервно расстроена. Не знаю, чем бы это кончилось, но тут опять позвонили, и вошел «он», брат девушки, очень нежно стал уговаривать ехать с ним — домой (как он говорил). Общими силами мы ее успокоили, уговорили, отправили.

Впоследствии узналось, что девушка, хоть и действительно нервно расстроенная, не совсем была не права, спасаясь от брата. Темная какая-то история, с желаньем братьев из расчета упрятать сестру в лечебницу... Темная история.

Но что мы могли сделать? Мог ли когда-нибудь человек помочь человеку?

Мы, однако, невольно омрачились. И без того грусть и тревога лежали на душе.

> Все это было, кажется, в последний,
> В последний вечер, в вешний час.
> И плакала безумная в передней,
> О чем-то умоляя нас.
> Потом сидели мы под лампой блеклой,
> Что золотила тонкий дым.
> А поздние, распахнутые стекла
> Отсвечивали голубым...

В моем кабинете, под этой «блеклой» лампой, медленно куря одну тонкую папиросу за другой, Блок выслушал мои о нем довольно резкие строки. Мне хотелось стряхнуть с нас обоих беспредметную грусть этого свидания. Лучше спорить, горячиться, сердиться...

Спор был, но и он вышел грустный. Блок возражал мне, потом вдруг замолчал. Через минуту заговорил о другом, но понятно было, что не о другом, о том же, только не прямо о предмете, а как всегда он говорит — около.

Не хотелось говорить и мне. Да, все это так, и нельзя не требовать от каждого человека, чтобы он был человеком, и не могу я от Блока этого не требовать, но... как больно, что я не могу и не перестану! В эту минуту слабости и нежности хотелось невозможного: чтобы прощалось, вот таким, как Блок, непрощаемое. Точно от прощения что-нибудь изменилось бы! Точно свое непрощаемое, свою трагедию, не нес Блок в самом себе!

Мы сидели поздно, совсем заголубели окна; никогда, кажется, не говорили мы так тихо, так близко, так печально.

Даже на пустынной улице, около свежего сада, он еще остановился, и мы опять говорили о чем-то: о саде, о весне, опять по-ночному тихо, — окна у меня были низкие.

> ...Ты, выйдя, задержался у решетки,
> Я говорил с тобою из окна.
> А ветви юные чертились четко
> На небе — зеленей вина.
> Прямая улица была пустынна.
> И ты ушел в нее, — туда...
> Я не прощу. Душа твоя невинна,
> Я не прощу ей — никогда.

Вернувшись осенью 16-го года в Петербург из деревни, мы узнали, что Блок если не на фронте, то недалеко от фронта: служит в земско-городском союзе. Вести о нем приходили хорошие: бодр, деятельно работает, загорел, постоянно на лошади... Мать сообщала мне, что очень довольна его письмами, хотя они кратки — некогда.

Я, может быть, увлекаюсь и злоупотребляю подробностями встреч моих с Блоком. Но кому-нибудь из любящих его память будут интересны и они. Теперь досказать осталось немного.

Дни революции. В самый острый день, а для нас даже в самый острый момент (протопоповские пулеметы с крыш начали стрелять в наши окна то с улицы, то со двора) — внезапное появление Б. Бугаева — Андрея Белого. (Он уже с год как приехал из Швейцарии в Москву, один, говорил, что ввиду призыва, но на войну не пошел. Связался с издательством одной темной личности — Ив. Разумника, что-то писал у него, ездил к нему в Царское Село.) В этот день он мирно ехал из Царского, где было еще тихо, и обалдел, выйдя из вагона прямо на улицы революционного города. В шубе до пят — он три часа волокся к нам пешком, то и дело заваливаясь под заборы, в снег, от выстрелов. Так обезножел, что у нас в квартире и остался (да и выйти побаивался).

Опять вижу в эти дни танцующую походку, изумленно-скошенные глаза, гомерические речи и вскрики: «Да-да-да, теперь русский флаг — будет красный флаг? Правда? Правда надо, чтоб был красный?»

Без моего погибшего дневника не могу восстановить даты, но скоро, очень скоро после революции, через неделю или две, — вот Блок, в защитке, которая его очень изменяет, взволнованно шагающий по длинной моей комнате. Он приехал с фронта или оттуда, где он находился, — близ северо-западного фронта.

В торопливо-радостные дни эти все было радостно и спешно, люди приходили, уходили, мелькали, текли, — что запоминалось? что забывалось?

Но Блок, в высоких сапогах, стройно схваченный защиткой, непривычно быстро шагающий по моему ковру, ярко помнится; и слова его помнятся, все те же он повторял:

— Как же теперь... ему... русскому народу... лучше послужить?

Лицо у него было не просветленное; мгновеньями потерянное и недоуменное; все кругом было так непохоже на прежнее, несоизмеримо с ним; почему-то вдруг вспомнилось лицо Блока, тоже растерянное, только более молодое и светлое, и слова:

— Как же теперь... его... Митьку... воспитывать?

Тогда только промелькнуло, а теперь, когда вспоминаю это воспоминание, мне страшно. Может быть, и тут для Блока приоткрылась дверь надежды? Слишком поздно?

***

Наступил период, когда я о Блоке ничего не помню. Кажется, он опять уехал к месту службы. Потом мы уехали на несколько недель на Кавказ. Там — два-три письма из Москвы, от А. Белого. По обыкновению — сумасшедше-талантливые, но с каким-то неприятным привкусом и уклоном. С восторгами насчет... эсдеков. С туманными, но противными прорицаниями. Что же спрашивать с Белого? Он всегда в драме — или мелодраме. И ничего особенно ужасного и значительного отсюда не происходит.

Наше возвращение. Корниловская история — ее мы переживали изнутри, очень близко, и никак не могли опомниться от лжи, в которую она была заплетена (и до сих пор заплетена). Виделись ли мы с Блоком? Вероятно, мельком; потому, думаю, вероятно, виделись, что мой телефон осенью, совершенно поразивший меня, был действием простым, как будто и не первой встречей после весны.

Конец, провал, крушение уже не только предчувствовалось — чувствовалось. Мы все были в агонии. Но что ж, смириться, молчать, ждать? Все хватались за что кто мог. Не могли не хвататься. Савинков, ушедший из правительства после Корнилова, затевал антибольшевистскую газету. Ему удалось сплотить порядочную группу интеллигенции. Почти все видные писатели дали согласие. Приглашения многих были поручены мне. Если приглашение Блока замедлилось чуть-чуть, то как раз потому, что в Блоке-то уж мне и в голову не приходило сомневаться.

Все это было в начале октября. Вечером, в свободную минутку, звоню к Блоку. Он отвечает тотчас же. Я, спешно, кратко, точно (время было телеграфическое!), объясняю, в чем дело. Зову к нам, на первое собрание.

Пауза. Потом:

— Нет. Я, должно быть, не приду.

— Отчего? Вы заняты?

— Нет. Я в такой газете не могу участвовать.

— Что вы говорите! Вы не согласны? Да в чем же дело?

Во время паузы быстро хочу сообразить, что происходит, и не могу. Предполагаю кучу нелепостей. Однако не угадываю.

— Вот война, — слышу глухой голос Блока, чуть-чуть более быстрый, немного рассерженный.— Война не может длиться. Нужен мир.

— Как... мир? Сепаратный? Теперь — с немцами мир?

— Ну да. Я очень люблю Германию. Нужно с ней заключить мир.

У меня чуть трубка не выпала из рук.

— И вы... не хотите с нами... Хотите заключать мир... Уж вы, пожалуй, не с большевиками ли?

Все-таки и в эту минуту вопрос мне казался абсурдным. А вот что ответил на него Блок (который был очень правдив, никогда не лгал):

— Да, если хотите, я скорее с большевиками. Они требуют мира, они...

Тут уж трудно было выдержать.

— А Россия?!.. Россия?!..

— Что ж Россия?

— Вы с большевиками и забыли Россию. Ведь Россия страдает!

— Ну, она не очень-то и страдает...

У меня дух перехватило. Слишком это было неожиданно. С Блоком много чего можно ждать, но не этого же. Я говорю спокойно:

373

— Александр Александрович. Я понимаю, что Боря может... Если он с большевиками — я пойму. Но ведь он — «потерянное дитя». А вы! Я не могу поверить, что вы... Вы!

Молчание. Потом вдруг точно другой голос, такой измененный:

— Да ведь и я... Может быть, и я тоже... «потерянное дитя»?

Так эти слова и остались звенеть у меня в ушах, последний мой телефон с Блоком:

«Россия не очень и страдает... Скорее уж с большевиками... А если и я «потерянное дитя»?»

О катастрофе не буду, конечно, распространяться. Прошла зима, страшнее и позорнее которой ранее никогда не было. Да, вот это забывают обыкновенно, а это надо помнить: большевики — позор России, не смываемое с нее никогда пятно, даже страданиями и кровью ее праведников не смываемое.

...Но и такой, моя Россия,
Ты всех краев дороже мне!

К счастью, Блок написал эти строчки задолго до большевизма, и «такая» — не значит (в этом стихотворении) «большевистская». Однако — чем утешаться? Сомнений не было: Блок с н и м и. С ними же явно был и Андрей Белый. Оба писали и работали в «Скифах» — издательстве этого переметчика — не то левого эсера, не то уж партийного большевика — Ив. Разумника.

Слышно было, что и в разных учреждениях они оба д о б р о в о л ь н о работают. Блок вместе

374

с Луначарским и Горьким. Его поэма «12», напечатанная в этих самых «Скифах», неожиданно кончающаяся Христом, ведущим 12 красногвардейцев-хулиганов, очень нашумела. Нравилось, что красногвардейцев 12, что они как новые апостолы. Целая литература создалась об этих «апостолах» еще при жизни Блока. Наверно, и его спрашивали, как он понимает сам этого неожиданного Христа впереди 12-ти. И наверно, он не сказал, — «потому что это несказанно». Большевики, несказанностью не смущаясь, с удовольствием пользовались «Двенадцатью»: где только не болтались тряпки с надписью:

Мы на горе всем буржуям
Мировой пожар раздуем.

Даже красноармейцам надоело, тем более что мировой пожар, хоть и дулся, не раздувался.

Видали мы и более смелые плакаты, из тех же «Двенадцати»:

...Эй, не трусь!
Пальнем-ка пулей в святую Русь! —

и еще что-то вроде.

Не хотелось даже и слышать ничего о Блоке. Немножко от боли не хотелось. А думалось часто. Собственно, кощунство «Двенадцати» ему нельзя было ставить в вину. Он не понимал кощунства. И главное, не понимал, что тут чего-то не понимает. Везде особенно остро чувствовал свое «ничегонепониманье» и был тонок, а вот где-то здесь, около религии, не чувствовал — и был груб. И невинен в грубости своей; что требовать от Блока, если «христианнейший антропософ» А. Белый в это время написал поэму «Христос Воскресе», не имевшую успеха, ибо неудачную, — однако столь ужасную по кощунству, что никакие блоковские красноармейцы в сравнение с ней идти не могли.

Об А. Белом думалось с жалостью и презреньем. О Блоке — с жалостью и болью. Но не всегда. Кощунства — пусть, что с него тут требовать, не понимал никогда, и не лгал, что понимает. Но его Прекрасная Дама? Его Незнакомка? Его Фаина, — Россия, — «плат узорный до бровей», — его любовь?

И уж не боль — негодование росло против Блока.

О, как паду, и горестно, и низко,
Не одолев смертельные мечты!

***

Мы думали, что дошли до пределов страданья, а наши дни были еще как праздник. Мы надеялись на скорый конец проклятого пути, а он, самый-то проклятый, еще почти не начался. Большевики, не знавшие ни русской интеллигенции, ни русского народа, неуверенные в себе и в том, что им позволят, еще робко протягивали лапы к разным вещам. Попробуют, видят — ничего, осмелеют. Хапнут.

Так, весной 18-го года они лишь целились запретить всю печать, но еще не решались (потом, через год, хохотали: и дураки же мы были церемониться!). Антибольшевистская интеллигенция, — а другой тогда не было, исключения считались единицами, — оказывалась еще глупее, чуть не собиралась бороться с большевиками «словом», угнетенным, правда, но все-таки своим. Что его просто-напросто уничтожат — она вообразить не могла.

За месяц до этого уничтожения мне предложили издать маленький сборник стихов, все, написанное за годы войны и революции. Небольшая книжка эта, «Последние стихи», необыкновенно скоро была отпечатана в военной, кажется, типографии (очень недурно), и затем все издание, целиком, кому-то продано, — впрочем, книгу свободно можно было доставать везде, пока существовали книжные магазины. Очень скоро ее стали рекомендовать как «запрещенную».

Упоминаю об этом вот почему.

Эту новую беленькую книжечку, с такими определенными стихами против «друзей» Блока, — трудно было удержаться не послать Блоку. Я думаю, все-таки и упрямое неверие было — все-таки! — что большевики — друзья Блока. Ведь это же с ума сойти!

Одна из моих юных приятельниц — много у меня еще оставалось дружеской молодежи, честной, — вызвалась книжку Блоку отнести. Письма не было, только на первой странице — стихотворение, ему посвященное: «Все это было, кажется, в последний — в последний вечер, в вешний час...» — «...Душа твоя невинна.– Я не прощу ей никогда».

Немного упрекала меня совесть... «Не прощу», а книгу все-таки посылаю? На что-то надеюсь? На что?

После ответа Блока уж и надеяться стало как будто не на что.

Тоненькие серые книжки... Поэма «12», конечно, и стихотворение «Скифы». Тут же и предисловие Ив. Разумника, издателя... Лучше не говорить о нем. На одной из книжечек — стихотворение Блока, написанное прямо мне. Лучше не говорить и о нем. Я его не помню, помню только, что никогда Блок таких пошлостей не писал. Было как-то, что каждому своя судьба (или вроде), — ...«вам — зеленоглазою наядой плескаться у ирландских скал» (?), «мне» — (не помню что) и «петь Интернационал»...

Нет, кончено, кончено, прячу брошюрки без возврата, довольно, взорваны мосты...

И еще прошли месяцы — как годы.

***

Я в трамвае, идущем с Невского по Садовой. Трамваи пока есть, остального почти ничего нет. Давно нет никаких, кроме казенных, газет. Журналов и книг нет вообще. Гладко.

Нравственная и физическая тяжесть так растет грозно, что мимо воли тянешься прочь, вон из Петербурга, в ту Россию, где нет большевиков. Верится: у ж е нет. (А если — е щ е нет?)

Все равно, мечта — повелительная — не дает покоя, тянет на свободу.

День осенний, довольно солнечный. Я еду с одной моей юной приятельницей — к другой: эта другая — именинница, сегодня 17 сентября по старому стилю.

Мы сидим с Ш. рядом, лицом к заколоченному Гостиному Двору. Трамвай наполняется, на Сенной уже стоят в проходах.

Первый, кто вошел и стал в проходе, как раз около меня, вдруг говорит:

— Здравствуйте.

Этот голос ни с чьим не смешаешь. Подымаю глаза. Блок.

Лицо под фуражкой какой-то (именно фуражка была — не шляпа) длинное, сохлое, желтое, темное.

— Подадите ли вы мне руку?

Медленные слова, так же с усилием произносимые, такие же тяжелые.

Я протягиваю ему руку и говорю:

— Лично — да. Только лично. Не общественно.

Он целует руку. И, помолчав:

— Благодарю вас.

Еще помолчав:

— Вы, говорят, уезжаете?

— Что ж... Тут или умирать — или уезжать. Если, конечно, не быть в вашем положении...

Он молчит долго, потом произносит особенно мрачно и отчетливо:

— Умереть во всяком положении можно.

Прибавляет вдруг:

— Я ведь вас очень люблю…

— Вы знаете, что и я вас люблю.

Вагон (немного опустевший) давно прислушивается к странной сцене. Мы не стесняемся, говорим громко при общем молчании. Не знаю, что думают слушающие, но лицо Блока так несомненно трагично (в это время его коренная трагичность сделалась видимой для всех, должно быть), что и сцена им кажется трагичной.

Я встаю, мне нужно выходить.

— Прощайте, — говорит Блок.— Благодарю вас, что вы подали мне руку.

— Общественно — между нами взорваны мосты. Вы знаете. Никогда… Но лично… как мы были прежде…

Я опять протягиваю ему руку, стоя перед ним, опять он наклоняет желтое, больное лицо свое, медленно целует руку, «благодарю вас»…— и я на пыльной мостовой, а вагон проплывает мимо, и еще вижу на площадку вышедшего за мой Блока, различаю темную на нем… да, темно-синюю рубашку…

И все. Это был конец. Наша последняя встреча на земле.

Великая радость в том, что я хочу прибавить.

Мои глаза не видали Блока последних лет; но есть два-три человека, глазам которых я верю, как своим собственным. Потому верю, что они, такие же друзья Блока, как и я, относились к «горестному падению» его с той же болью, как и я. Один из них, по природе не менее Блока верный и правдивый, даже упрекнул меня сурово за посылку ему моих «Последних стихов»:

— Зачем вы это сделали?

И вот я ограничиваю себя — намеренно — только непреложными свидетельствами этих людей, только тем, что видели и слышали они.

А видели они — медленное восстание Блока, как бы духовное его воскресение, победный конец трагедии. Из глубины своего падения он, поднимаясь, достиг даже той высоты, которой не достигали, может быть, и не падавшие, остававшиеся твердыми и зрячими. Но Блок, прозрев, увидев лицо тех, кто оскорбляет, унижает и губит его Возлюбленную — его Россию, — уже не мог не идти до конца.

Есть ли из нас один, самый зрячий, самый непримиримый, кто не знает за собой, в петербургском плену, хоть тени компромисса, просьбы за кого-нибудь Горькому, что ли, кто не едал корки соломенной из вражьих рук? Я — знаю. И вкус этой корки — пайка проклятого — знаю. И хруст денег советских, полученных за ненужные переводы никому не нужных романов, — тоже знаю.

А вот Блок, в последние годы свои, уже отрекся от всего. Он совсем замолчал, не говорил почти ни с кем, ни слова. Поэму свою «12» — возненавидел, не терпел, чтоб о ней упоминали при нем. Пока были силы — уезжал из Петербурга до первой станции, там где-то проводил целый день, возвращался, молчал. Знал, что умирает. Но — говорили — он ничего не хотел принимать из рук убийц. Родные, когда он уже не вставал с постели, должны были обманывать его. Он буквально задыхался; и задохнулся.

Подробностей не коснусь. Когда-нибудь, в свое время, они будут известны. Довольно сказать здесь, что страданьем великим и смертью он искупил не только всякую свою вольную и невольную вину, но, может быть, отчасти позор и грех России.

...И пусть над нашим смертным ложем
Взовьется с криком воронье...
Те, кто достойней, Боже, Боже,
Да внидут в царствие Твое!

Радость в том, что он сумел стать одним из этих достойных. И в том радость, что он навеки наш, что мы, сегодняшние, и Россия будущая, воскресшая, — можем неомраченно любить его, живого.

1922

Содержание

Литературно-художественное издание

12+

Зинаида Гиппиус

Язвительные заметки о Царе, Сталине и Муже

Ведущий редактор *Ю.П. Чегодайкина*
Корректор *И.М. Цулая*
Технический редактор *Е.П. Кудиярова*
Компьютерная верстка *Е.В. Коптевой*

Подписано в печать 14.09.2013. Формат 60×90/16. Усл. печ. л. 24
Тираж 3 000 экз. Заказ № 7559.

Общероссийский классификатор продукции
ОК-005-93, том 2; 953000 – книги, брошюры

ООО «Издательство АСТ»
127006 г. Москва, ул. Садовая-Триумфальная,
д. 16, стр. 3, пом. 1, ком. 3

Отпечатано с готовых файлов заказчика
в ОАО «Первая Образцовая типография»,
филиал «УЛЬЯНОВСКИЙ ДОМ ПЕЧАТИ»
432980, г. Ульяновск, ул. Гончарова, 14